Nalewka zapomnienia,

czyli bajka dla nieco starszych dziewczynek

W serii

Babie lato

Kasia Bulicz-Kasprzak

Nalewka zapomnienia,
czyli bajka dla nieco starszych dziewczynek

Wydawnictwo
Nasza Księgarnia

Igorowi – mojemu kochanemu synowi

Część pierwsza

O tym, jak się dowiedziałam...

Czasem ludzie próbują zmienić swoje życie. Czasem życie zmienia ludzi. Na przykład mnie. Seria zdarzeń, które nigdy nie powinny mieć miejsca, sprawiła, że musiałam się, jako człowiek, na nowo zdefiniować.

Wszystko zaczęło się od zmiany prezesa. Wydawało się, że to mało istotna zmiana. Zarówno stary, jak i nowy byli zadufanymi w sobie złamasami w drogich garniturach, szytych na miarę. Obu charakteryzowały głupota, upór i spryt. Cechy niezbędne w naszym kraju, żeby robić karierę. Mieli podobne samochody, żony i kochanki. Jedyna rzecz, która ich różniła, to ulubiony sport.

Poprzedni prezes uprawiał golf. Sport prezesów i celebrytów. Miał fioła na punkcie kijów i śmiesznych swetrów, jakby ukradzionych z szafy babci. Nowy prezes biegał. A ponieważ jest to dziedzina dostępna dla zwykłych zjadaczy chleba, szybko okazało się, że pół firmy też biega. No i tak zaczęły się moje problemy. Bo ja oczywiście nie biegałam.

Nigdy tego nie robiłam, no bo po co? Dieta i masaż równie skutecznie pozwalają utrzymać ładną figurę, a przy tym są dużo przyjemniejsze. Nie ma potu, smrodu i zadyszki. Zamiast tego pachnący olejek, świece i kubeczek odtłuszczonego jogurtu.

Nie żebym w życiu nie myślała o uprawianiu sportu. Ale konie gryzą, rowerem nie ma gdzie jeździć, a na basenie można złapać grzybicę.

Wzięłam, co prawda, kilka lekcji tenisa, ale potem trener mi odradził. Z perspektywy czasu myślę, że to jednak on zawinił. Przecież każdy głupi wie, że człowiek odruchowo się schyli, widząc lecącą w jego stronę piłkę. I ja właśnie się schyliłam, ale on jakoś nie zdążył, wskutek czego na zawsze pożegnał się z górną jedynką.

Zresztą mam tak dużo pracy, że brak mi czasu na cokolwiek innego. Odnoszę wrażenie, że nasza firma funkcjonuje tylko dzięki mnie. Prezesi się zmieniają, pracownicy również. A ja trwam jak ta skała – stała i niezmienna, i już tylko dwa szczeble dzielą mnie od szczytu. Dziesięć lat morderczej wspinaczki, ale się opłaciło. Zaczynałam jako popychadło na umowę zlecenie, a teraz dysponuję własnym gabinetem i szalenie zestresowaną asystentką. Boi się mnie. Właściwie wszyscy się mnie boją. Mam takie motto życiowe zaczerpnięte z Sienkiewicza: „Jeśli się ludzie nie będą ciebie bali, to się będą z ciebie śmieli".

Nie wiem, jak długo nie dostrzegałam, co się święci. Minęło chyba pół roku, może więcej, od czasu zmiany prezesa. I nagle któregoś ranka zobaczyłam jego i tego tłuka z piaru, jak sobie wracają z treningu. Obaj równie spoceni i obleśni. Ale za to w jakiej komitywie. Z dziobków sobie spijali. A co najgorsze, byli na ty. Nie urodziłam się wczoraj i wiem, że nawet jeśli prezes tylko się koleguje, to ten drugi na pewno coś knuje. Wiem też, że jak trafia się okazja, żeby pominąć babę przy awansie, to należy ją wykorzystać. Sama praktykowałam to milion razy. Więc co mogłam zrobić w takiej sytuacji? Oczywiście tylko jedno – pojechałam kupić buty do biegania. Chłoptaś w trampkach nie odbierze mi tego, na co ciężko pracowałam wiele lat.

Po tygodniu mojego ostentacyjnego noszenia asicsów do garsonki prezesowi w końcu coś zaświtało.

– Pani też biega? – zapytał.

– Od lat – zapewniłam go żarliwie. – Miałam krótką przerwę. Kontuzja biodra. To się zdarza pronatorom. – Niech żyją fora internetowe. Trzy godzinki surfowania i już jestem specjalistką.

– Montujemy ekipę do sztafety, może się pani przyłączy? – zaproponował prezes. – Potrzebna nam kobieta.

– Z przyjemnością. I jeszcze jedno. Przyjaciele mówią do mnie Jaga. – Słowo „przyjaciele" okrasiłam słodkim uśmiechem.

Właściwie nie przyjaciele. Sama to wymyśliłam. Dawno temu, szukając jakieś wariacji na temat mojego imienia. Dziewczynki urodzone w połowie lat siedemdziesiątych mają przechlapane. Dziewięć na dziesięć to Agnieszki. Imię tyleż brzydkie, ileż długie. Z debilnymi zdrobnieniami, odpowiednimi dla żaby. Sięgnęłam więc głębiej. Jagna być nie mogło. Nie wzbudza szacunku. Kojarzy się albo z orzechami, albo z gnojem. Ale Jaga. Pomyślałam, że będą mnie za plecami nazywać Babą-Jagą. I to przeważyło szalę.

A przyjaciele nie mieli szansy na wymyślenie mi ksywki. Bo ich po prostu nie mam.

Rozmowy o bieganiu bardzo mnie i prezesa zbliżyły. Podobnie jak ja uważał, że nie istnieją lepsze buty do biegania niż asicsy. (Pomyśleć, że jeszcze do niedawna nie wiedziałam o takiej marce). I że bieganie z pulsometrem to nie dla nas, tradycjonalistów biegających od lat. Nie zgadzaliśmy się natomiast co do treningu interwałowego. Ja zdecydowanie wolałam od niego fartlek[1], bo jak wiadomo wszystko, co pochodzi ze Skandynawii, jest lepsze. W czasie tych dyskusji pozwalaliśmy sobie nawet na niewinne flirty. Bo w zasadzie oboje dobrze wiedzieliśmy, że aby były winne, ja musiałabym mieć o piętnaście lat mniej albo on o trzydzieści więcej.

No i wszystko układało się pięknie. Aż do dnia feralnej sztafety.

Oczywiście nie jestem na tyle głupia, żeby nie zdawać sobie sprawy, że teoria to jedno, a praktyka – drugie. Mogę być skarbnicą wiedzy, ale to mnie nie przyśpieszy. Dlatego trochę potrenowałam. Tylko odrobinkę za późno przyszło mi do głowy, że bieganie na bieżni może się mieć do biegania w terenie tak, jak jazda na rowerku stacjonarnym do kolarstwa. Ale co tam. Na wszelki wypadek przygotowałam sobie alibi. Z zerwaniem więzadła kolanowego nikt nie będzie dyskutował, zwłaszcza jeśli do tego padnę na ziemię i zacznę się zwijać z bólu.

I w zasadzie wszystko byłoby dobrze, gdybym pobiegła na pierwszej albo drugiej zmianie. Ale przypadła mi w udziale

---

[1] fartlek – szwedzka metoda treningu, która ma rozwijać zarówno szybkość, jak i wytrzymałość biegaczy

ostatnia. Mogłam zaprzepaścić wysiłek drużyny. W zasadzie drużynę, zawody i to całe bieganie miałam gdzieś. Ale dobrze wiedziałam, że jeśli na biurku prezesa stanie pucharek, to codziennie mu przypomni, kto pomógł go zdobyć. Chciałam być obecna w myślach przełożonego. Chciałam robić pieprzoną karierę, bo byłam urodzonym korposzczurem. Bo kariera to jedyna rzecz, jaka mi w życiu dobrze wychodziła. Nie mówiąc już o tym, że to jedyne, co miałam.

Kiedy więc dostałam pałeczkę do ręki, zaczęłam pędzić. Zasadniczo chodziło o to, żebym nie dała się wyprzedzić, bo zajmowaliśmy trzecią lokatę, a to już sukces. Tyle że nagle zobaczyłam, jak odległość między mną a tym tłustym facetem z przodu maleje. Przyśpieszyłam. Albo on zwolnił. Może zresztą stało się i to, i to. W każdym razie zrównaliśmy się. Ruszył z kopyta, ale było już za późno, minęłam go. Ostatni raz dostałam taką dawkę endorfin, kiedy moja szefowa poszła na macierzyński, a mnie zaproponowano zastępstwo. Trzy miesiące później okazało się, że szefowa właściwie nie ma po co wracać. Tamten biegacz też już był pieśnią przeszłości.

Zostało może pięćset metrów do mety, kiedy zobaczyłam, że pierwszy ewidentnie osłabł. Ja w zasadzie też. Ale jak to mówią, kto nie próbuje, ten nie je. Przyśpieszyłam. Nie wiedziałam, czy go wyprzedzę, ale wiedziałam, że na pewno umrę. Szybciej, jeszcze szybciej. Nie widziałam nic, tylko tyłek faceta przede mną. A potem już nic. I krzyk prezesa. Jaki tam krzyk! On histerycznie piszczał. Poczułam, jak taśma uderzyła mnie w brzuch. Moje płuca rozpaczliwie pchały się do tchawicy, a żołądek zaraz za nimi. Prezes coś mówił i walił mnie po plecach. Posypało się konfetti. Chciałam mu się bliżej przyjrzeć, bo w życiu takiego nie widziałam. Wyglądało jak duże czarne płaty. Ale wtedy ktoś nagle wyłączył światło.

Przytomność odzyskałam kilka minut później, w karetce. Śliczny, młodziutki sanitariusz pochylał się nade mną z troską w oczach.

– No i warto było? – zapytał z naganą w głosie.

– Teraz już tak – odpowiedziałam, myśląc przy tym, jaki jest słodki. „Ciekawe czy lubi zabawę w doktora?" – zastanowiłam się mgliście.

– Jaga, jesteś super. – Głos prezesa dochodził gdzieś z okolic moich stóp.

Spróbowałam podnieść głowę, ale szybko zmieniłam zdanie.

– Jesteś moją bohaterką – piał dalej.

Wolałabym, żeby się zamknął. Chciałam za to, żeby sanitariusz coś mówił. Nawet jeśli tylko miałby mnie poinformować, że dostałam kroplówkę i zaraz pojedziemy do szpitala.

– Wszyscy na to pracowaliśmy. Praca zespołowa – zacytowałam *Poradnik dla lizusów*.

– Moja dziewczynka! – ucieszył się prezes. – No, postawcie ją szybko na nogi – zwrócił się do sanitariusza – bo musimy to uczcić. Czekamy, Jaga!

Poklepał mnie po przyjacielsku w łydkę i poszedł. Drzwi zamknęły się z trzaskiem i ruszyliśmy.

Sanitariusz zapytał, jak się czuję. W zasadzie byłoby lepiej, gdybym nie miała na sobie tego absolutnie aseksualnego, sportowego stroju. Powinien mnie zobaczyć w czymś bardziej twarzowym.

– Myślę, że jeśli nie da mi pan swojego numeru, to znowu zemdleję – zaryzykowałam.

– Jest pani niepoprawna. – W jego głosie zabrzmiała nagana, ale nie tylko…

– Ja tylko chciałabym się jakoś odwdzięczyć za opiekę. – Uśmiechnęłam się najładniej, jak umiałam, choć kosztowało mnie to niemało trudu.

Popatrzył na mnie z wyrzutem. Ale zapisał mi numer na przedramieniu.

Nie cierpię szpitali. Strasznie przeszkadza mi ten dziwny zapach. Kolorystyka jest przygnębiająca. Najgorsze zaś są durne procedury. Zupełnie nie rozumiem, dlaczego muszę jechać na wózku, jak jakaś niepełnosprawna, kiedy mogłabym iść. Mój sanitariusz odwiózł mnie na izbę przyjęć, ładnie się pożegnaliśmy, ja popatrzyłam wymownie na swoje ramię, on puścił oko i sobie poszedł. Zostałam sama. Jeśli nie liczyć całego tłumu dziwnych, na ogół zakatarzonych ludzi i znerwicowanej pielęgniarki. Minęły wieki, zanim do mnie podeszła.

– Lekarz zaraz się panią zajmie – zapewniła. – A ja wypełnię formularz przyjęcia, dobrze? Proszę podać dane.

Utknęłyśmy zaraz po nazwisku. Nie miałam ze sobą dowodu. Nie znałam peselu. Ani właściwie niczego, co miało związek z ubezpieczeniem. W końcu zgarnęli mnie nieprzytomną z Pól Mokotowskich. Pojechałam tam biegać. Nie pomyślałam o zabraniu ze sobą dowodów terminowego opłacania składek.

Zaczęłam zdradzać objawy lekkiej irytacji. Pielęgniarka uznała, że rozmowa ze mną to strata czasu, i poradziła, żeby ktoś przywiózł mi dokumenty.

– Mogę zadzwonić? – zapytałam, zanim zdążyła uciec do innego pacjenta.

– Jasne – odparła i wskazała mi na wiszący w głębi korytarza automat.

Westchnęłam ciężko nad jej głupotą. Opadłam z powrotem na krzesło. To był jeden z takich momentów, kiedy człowiek czuje się bezsilny wobec absurdalnej rzeczywistości.

– Może pani zadzwonić z mojej komórki – ulitowała się nade mną jakaś staruszka. Wygrzebała telefon z kieszeni pasiastego szlafroka. – Syn mi zostawił na wszelki wypadek.

– Dziękuję.

Wybrałam numer Eweliny. Jedyny, poza swoim, który znałam na pamięć.

– Słucham? – powiedziała radośnie.

Nieznany numer, nie spodziewała się, że to ja. Wyobraziłam sobie, jak uśmiech na jej twarzy umiera.

– Podskoczysz do mojego samochodu. Koło Stodoły zaparkowałam. – Co za szczęście, że Ewelina miała klucze do mojego auta i mieszkania, wygodnie było się nią wysługiwać 24/7. – Zabierzesz stamtąd torebkę. Potem pojedziesz do mnie, weźmiesz książeczkę ubezpieczeniową z biurka i może jakąś piżamę i zameldujesz się tu u mnie, w szpitalu. Weź mój samochód, to mi go zaparkujesz gdzieś tutaj, nie będę musiała wracać taksówką.

– Ale… – W jej głosie zabrzmiało coś jakby opór.

– Co? – chrupnęłam.

– W IKEA jestem…

– No to mamy szczęście, że jest sobotnie popołudnie. Mały ruch, nie będziesz w korkach długo stała – pocieszyłam ją.

To było okrutne. Dopiero teraz mi się przypomniało, że cały tydzień paplała, jak to będą z narzeczonym kupować meble.

Kwiknęła jak mordowana świnka morska.

– Wiem, że dasz radę. Dlatego proszę ciebie, bo nikt inny by nie ogarnął, ale ty sobie poradzisz. Obie wiemy, jaka jesteś niezawodna. – Grunt to pozytywne wsparcie.

Westchnęła ciężko i obiecała, że będzie najszybciej, jak się da. Zastanawiałam się, jak bardzo mnie nienawidzi w skali od jednego do dziesięciu.

– Młodsza siostra – skłamałam staruszce, oddając telefon, bo trochę dziwnie na mnie patrzyła. – Jak przyjedzie, oddam pani pieniądze za rozmowę.

– Nie trzeba. – Szczerze się do mnie uśmiechnęła. – Ludzie powinni sobie pomagać. A co się pani stało?

– Zemdlałam. Nic wielkiego. Właściwie mogłabym już iść do domu – zorientowałam się.

Czułam się świetnie, a przebywanie w tym okropnym miejscu nie mogło mi pomóc. Wstałam energicznie, ale zakręciło mi się w głowie. Usiadłam więc ostrożnie.

Staruszka popatrzyła na mnie z troską.

– Może lepiej nie? Lekarz musi panią obejrzeć – doradziła. – Ja też dziś zasłabłam. Wnuk mnie przywiózł. Od jakiegoś czasu, wie pani, tak mi się w głowie dziwnie kręciło. Ale lekarz mówi, że to nic, witaminy kazał brać. A dziś rano tak mi się nagle słabo zrobiło. No i córka mówi do wnuka: „Marek, to nie ma co, trzeba babcię wieźć na pogotowie". No i tak tu siedzę, córka ma zaraz przyjść, to może wtedy szybciej pójdzie. Wcześniej nie mogła, musi czekać na synową, aż z pracy wróci i dzieckiem się zajmie, bo on mały jeszcze. Kubuś, dwa latka ma. Ale taki już mądry, że klękajcie narody. A u pani to może... – Znacząco popatrzyła na mój brzuch.

– Nie, to nie to. Jestem panną – wyjaśniłam.

– Teraz to panny częściej rodzą niż mężatki – zażartowała, ale od razu rzuciła mi pytające spojrzenie, czy mnie przypadkiem nie uraziła.

– Tak się porobiło – zgodziłam się szybko. I z uśmiechem spojrzałam jej w oczy. Całą twarz miała pomarszczoną, ale te oczy, duże, błyszczące, ciekawe jak u dziecka. Piękne po prostu. – Śliczne ma pani oczy – zachwyciłam się spontanicznie.

Podziękowała skinieniem głowy.

Nie wiem, czemu to zrobiłam. Zwykle kontroluję podobne odruchy, bo nie przynoszą nic dobrego. Jak się komuś obcemu powie coś miłego, to niestety powstaje więź. A ponieważ większość ludzi uważa, że podtrzymywaniu więzi służy rozmowa, to za karę musiałam wysłuchać niekończącej się historii córki, która zaraz przyjdzie, jej syna i tego drugiego wnuka. Do tego jeszcze jakieś prawnuki w dużej ilości. Łał. Dobrze, że nikt mnie z tego nie będzie egzaminował, bo na bank bym oblała.

Tymczasem pielęgniarka, której nie wiem, za co płacą, podeszła do nas jeszcze ze trzy razy, zapewniając, że lekarz zaraz się nami zajmie. Gdyby przyszedł od razu, starsza pani nie zdążyłaby się ze mną zaprzyjaźnić. A tak byłyśmy jak Mały Książę i Lis. Czułam się za nią odpowiedzialna.

Moja asystentka ledwie się pojawiła, a już zapracowała na premię. Wydaje mi się, że była mocno zdeterminowana, aby załatwić sprawę przed zamknięciem sklepu. Poza tym kipiała w niej agresja, której nie mogła wyładować na mnie, jednak na pielęgniarce już tak. I zaraz się okazało, że wcale nie muszę czekać. Bo tak się właśnie szczęśliwie składa, że dziś przyjmuje profesor. Co prawda prywatnie i ma komplet, ale... I za to właśnie lubię pieniądze. Nie ma żadnego ale.

Właśnie wstawałam, żeby zamienić publiczną służbę zdrowia na prywatną, kiedy podchwyciłam spojrzenie staruszki, która siedziała obok mnie. Patrzyła jak pies, kiedy się go uderzy. Z taką mieszaniną żalu i niedowierzania.

– Proszę wziąć też kartę tej pani – rozkazałam pielęgniarce. Postanowiłam objąć nową przyjaciółkę płatną protekcją. – Nie będzie tu pani siedziała cały dzień. Prawnuczek czeka.

Ludzie, jaka ona była mi wdzięczna! Podobnie jak Ewelina, której pozwoliłam już iść. Dałam jej nawet swoją służbową kartę kredytową i poprosiłam, żeby sobie coś ładnego ode mnie kupiła. Wrzucę potem je obie w koszty. Jako działalność filantropijną.

W ten sposób babinka i ja przeszłyśmy przez badanie krwi, sików, rezonans i inne dziwności.

W końcu trafiłam do gabinetu. Odbiegał trochę od szpitalnego standardu. Kolorystyka nie do przyjęcia, ale skórzany fotel na pewno był drogi. Podobnie jak pełen książek regał, stojący w kącie. Widać, że osoba, która tu urzędowała, lubiła luksus i nawet w tych „publicznych" warunkach, chciała mieć jego namiastkę.

Profesor spojrzał w moją kartę, zadał kilka zdawkowych pytań, szybko przerzucił wyniki. Na koniec stwierdził, że wszystko ze mną w porządku. Tylko jestem przemęczona. Zapisał mnie na wizytę w przyszłym tygodniu, kiedy dotrą zdjęcia z rezonansu magnetycznego, i dał ulotkę preparatu witaminowego.

Do babci dołączyła jej córka. W jej oczach dostrzegłam dziwną podejrzliwość. Pożegnałam się więc szybko, podziękowałam za telefon i życzyłam zdrowia. Chciałam dodać jeszcze coś miłego, ale córka wepchnęła matkę do gabinetu i zamknęła mi drzwi przed nosem. Pomyślałam, że nie ma co na nie czekać, i poszłam na parking.

W mieszkaniu od razu rzuciły mi się w oczy ślady cudzej obecności. Dosunęłam szuflady, wyrównałam papiery na biurku, odpowiednio ustawiłam wertikale. Nalałam sobie pół szklanki szkockiej i zadzwoniłam do sanitariusza.

– Panie doktorze, nie czuję się najlepiej – wyszeptałam zmysłowo.

– Chyba mam coś, co pani pomoże – odpowiedział ze śmiechem.

– Czekam z niecierpliwością.

Odłożyłam słuchawkę. Nienawidzę siebie.

Na twarzach lekarzy zwykle maluje się znudzenie. Czasem, kiedy są jeszcze młodzi, troska. Ten był wyraźnie zaintrygowany.

– Wie pani, to ciekawe. Badania krwi ma pani bardzo dobre. Śmiałbym rzec, że hemoglobina jak u starego marynarza. – Uśmiechnął się, rozbawiony własnym dowcipem. – Jednak zdjęcia nie pozostawiają wątpliwości. Pani raczy zerknąć.

I podsunął mi coś, za co marszandowi zapłaciłabym duże pieniądze, zadowolona, że lokuję kasę w sztuce współczesnej najwyższych lotów.

– Ależ źle pani patrzy – powiedział z wyrzutem. Stuknął paluchem w miejsce, na którym powinnam skoncentrować wzrok. – Tu! Widzi pani? Kształt jakby motyla?

– Tak. Teraz widzę.

Zupełnie jak z tymi obrazkami z głębią. Jeśli zrobisz zeza, zobaczysz motylka. Skłamałam więc w obawie, że bez mojego oświecenia nie ruszymy dalej.

– To bezapelacyjnie glejak – oświecił mnie.

– Czyli? – Nie podobała mi się ta nazwa. Nie wróżyła nic dobrego.

– Nowotwór mózgu – wyjaśnił. W jego głosie pobrzmiewała pewna ekscytacja.

Wydaje mi się, że potem wstałam i wyszłam. Ale pewna być nie mogę. Nie pamiętam niczego między jego „nowotwór mózgu" a moim „kurwa mać", kiedy nalewałam sobie wódki do szklanki. We własnym mieszkaniu.

Jakiś tydzień i dwa opakowania środków uspokajających później wróciłam do gabinetu. Miałam nadzieję, że się pomylił. Przecież nie można komuś powiedzieć, że ma raka, tylko na podstawie tego, że ma raka. I jakiego, do cholery, raka? Przecież w czasie pierwszej wizyty wszystko było w porządku!

– Rozumiem pani mechanizm zaprzeczenia. – Lekarz pokiwał głową. – To normalne. Znam świetnego psychologa, nie jest tani, ale na pewno będzie pomocny. I jeśli pani sobie życzy, zrobimy wszystkie potrzebne badania jeszcze raz. Niemniej należałoby już podjąć kroki...

– Podczas pierwszej wizyty mówił pan, że jestem całkiem zdrowa.

– Tak mówiłem? – zdziwił się. – Proszę mi wybaczyć. Przy takiej liczbie pacjentów zawsze coś może umknąć. Ale zdjęcie nie pozostawia wątpliwości. – Pokiwał głową.

– Pan jest pewien? – Ciągle nie wierzyłam.

Nie mogłam! To był jakiś absurd.

– Niestety tak. – Stuknął palcem w zdjęcie.

– Czeka mnie operacja czy chemia? – zapytałam, bo chciałam wiedzieć, w którą stronę prowadzą kroki, o których mówił.

– Czekają panią trzy, może cztery miesiące cierpienia. Na tym etapie choroby niewiele możemy zrobić – oświadczył spokojnie.

– Wie pan, jeśli nie można zrobić operacji w ramach ubezpieczenia, to ja zapłacę. Komu trzeba i ile trzeba. – Byłam zdeterminowana.

– To smutne. – W pierwszej chwili myślałam, że mówi o próbie przekupstwa i nawet zrobiło mi się głupio. Ale on mówił o mnie. – To smutne, bo jest pani bardzo młodą i piękną kobietą. I gdyby był cień nadziei, walczyłbym razem z panią. Ale nie ma. – Położył nacisk na te słowa. – Trzy miesiące. Przy pani ogólnie dobrym stanie organizmu cztery, może pięć. Obejmiemy panią najlepszą opieką medyczną, jaką dysponujemy. Na naszym oddziale…

— Ale to nic nie da? — przerwałam mu.

— Z pewnością złagodzi objawy.

— Ale i tak umrę? — Musiałam wiedzieć.

Nie chciałam mieć wątpliwości. Albo, co gorsza, złudnej nadziei.

— Wszyscy kiedyś umrzemy, ale pani niewątpliwie trochę szybciej.

„I boleśniej" — dodałam w myślach za niego, zastanawiając się, czy jest nieempatycznym palantem, czy zwykłym dupkiem.

— Umrę? — powtórzyłam. Skinął głową. — Leczenie, o którym pan mówi, nic nie da?

— To środki przeciwbólowe, morfina… — wyjaśnił.

— Jeśli dobrze pana zrozumiałam, jedyny wybór, jaki w tej chwili mam, to taki, czy umrę w domu, czy w szpitalu?

Odpowiedział mi skinieniem głowy.

— No to wolę w domu. — Zaczęłam zbierać się do wyjścia.

— Proszę poczekać. — Gestem usadził mnie z powrotem. — Proszę to przemyśleć. Może pani uważać, że da sobie radę, ale niedługo zaczną się pojawiać objawy. Problemy z koordynacją ruchową, zaburzenia czucia, zaburzenia mowy, wzroku, słuchu, osłabienie sprawności umysłowej, zaburzenia pamięci, omamy…

— Wystarczy — przerwałam mu.

I wyszłam.

Przez tydzień próbowałam żyć normalnie. Jakby to, co się stało, dotyczyło innej kobiety. W innym świecie. Wmawiałam sobie, że mam swoją pracę, mieszkanie, życie.

Po tygodniu zrozumiałam, czym jest życie w kłamstwie. Uświadomiłam sobie, że bez względu na to, jak bardzo będę się starała udawać, nic już nie będzie normalne. Ogłoszono koniec świata. Nieodwołalnie. Wsiadłam do autobusu, który wiózł mnie na drugą stronę, i jeśli miałam umrzeć, to już lepiej z godnością. W miejscu gdzie będę sama, a nie samotna. Powiedziałam więc sobie, że zawsze żyłam według własnych zasad i, do cholery, umrę tak, jak będę chciała.

Zastanawiałam się, co się ze mną stanie. To znaczy nawet nie tu, tylko tam. Potrzebowałam wiary. Głównie dlatego, żeby na kogoś zwalić winę za to, co mnie spotkało. Z drugiej strony, wziąwszy pod uwagę wszystkie epitety, jakimi ja, była ateistka, ostatnio obsmarowywałam Boga, to raczej skutecznie zamknęłam sobie bramę raju.

I kiedy tak myślałam o miejscu wiecznej szczęśliwości, przypomniał mi się dom babci na Roztoczu. Jedyne miejsce, gdzie byłam szczęśliwa. Tak naprawdę i długotrwale. Nie chodzi mi o krótkie chwile euforii, kiedy dostałam awans, czy nawet takie dłuższe, kiedy jeszcze byłam z Juliuszem. Ale o prawdziwe, niezmącone uczucie szczęścia, z którym człowiek budzi się i zasypia. Kiedy się nie boi, bo obok są rodzice. A tata jest częścią naszej rodziny, a nie jakiejś cudzej.

Ponieważ byłam osobą rozsądną, zdawałam sobie sprawę, że w zaistniałej sytuacji powrót do takiego stanu jest niemożliwy. Ale może same wspomnienia wystarczą?

Doszłam do wniosku, że chyba mogłabym tam pojechać. Spędzić trzy miesiące na sielskiej wsi. Oddychać świeżym powietrzem i pić mleko prosto od krowy. Może nawet przeczytać jakąś książkę. Książki odeszły z mojego życia razem z Juliuszem. I ani jego, ani ich mi nie brakowało.

Jedyną osobą, która mogła coś wiedzieć o domu babci, był mój ojciec. Z niechęcią wybrałam jego numer.

– Cześć, co słychać? – przywitał mnie wesoło, ale wiedziałam, że ta wesołość to tylko przykrywka. Tak naprawdę ojciec był przerażony. Tak to właśnie jest, kiedy przez lata dzwoni się do kogoś tylko po to, żeby na niego wrzeszczeć.

– W porządku. – To tyle, jeśli chodzi o kurtuazyjne rodzinne konwersacje. – Słuchaj, co się teraz dzieje z domem babci?

– Nie wiem, kochanie. Przepraszam. – Jego ton przepraszał za wszystko, łącznie z rozbiorami Polski.

– Nic nie wiesz?

– Przepraszam, nie interesowałem się. Powinienem był od czasu do czasu tam pojechać, zobaczyć, w końcu chodzi o twoją własność… – Jego głos płaszczył się przede mną. – Ale wystarczało mi, że ten człowiek, co dzierżawi pole, tam dogląda. Przepraszam, kochanie. Przepraszam.

Ojcu dobrze by zrobiła jakaś terapia. Fatalnie się z nim rozmawia.

– Czyli ten dom jest czyj? – Wdrożyłam technikę małych kroków, żeby wyciągnąć z niego jakieś informacje.

– Twój. To jasne. Dom, pole i taka… łąka chyba. Przepraszam…

– Może i jasne, że mój. Tyle że nic o tym nie wiedziałam – mruknęłam z przekąsem.

I prawie od razu ugryzłam się w język. Ojciec spanikował. Zaczął mnie jeszcze wylewniej przepraszać. Ale przecież nie chciał źle. Bał się jedynie przywoływać wspomnienia, bo wie, jakie to dla mnie bolesne. Jasne. Nie wiem, dlaczego własne wyrzuty sumienia maskuje troską o mnie. Byłoby mi w życiu o wiele łatwiej, gdyby zamiast wymyślać takie pierdoły, po prostu przyznał: „To przeze mnie twoja mama nie żyje". Ja bym powiedziała, że wiem i że nigdy mu tego nie wybaczę. To by bardzo uprościło nasze wzajemne relacje.

– A ten dom stoi jeszcze? Ktoś w nim mieszka? – dopytywałam.

– Myślę, że tak. To znaczy nie. To znaczy, myślę, że stoi, ale nikt w nim nie mieszka.

– Czyli mogę tam pojechać?

Przyśpieszony oddech ojca świadczył o megahisterii. W takim stanie nawet moje świetnie uspokajające prochy niewiele by mu pomogły.

– Ale po co masz tam jechać? – Jego głos prawie drżał ze strachu.

To nawet zabawne, bo na ogół to dzieci boją się rodziców.

– Nie po to, żeby grzebać w przeszłości – uspokoiłam go. To akurat było zgodne z prawdą. Potem już kłamałam: – Mam urlop. Pomyślałam, że dla odmiany zamiast na Majorkę pojadę gdzieś w Polskę.

– To świetny pomysł. Ale może wybrałabyś się na Warmię? Na Warmii jest naprawdę ładnie. Spędziliśmy tam z Halinką wolne dni w zeszłym roku.

Wspominanie przy mnie Halinki nie było najrozsądniejszym posunięciem. Zwykle kiedy ktoś wymówił jej imię, wpadałam w furię. Nie żebym nie lubiła macochy, nic do niej nie miałam. Nie podobało mi się tylko, że ojciec jest z nią szczęśliwy. Nie powinien być szczęśliwy. Nie zasłużył na to.

– Potrzebuję ciszy i spokoju, a nie tabunów turystów. – Logicznym kłamstwem próbowałam wytłumaczyć dziwny wybór.

– Ale na Warmii… – zaczął ojciec, jednak nie dałam mu skończyć.

– Tato, to nie do końca urlop. Mam ważny projekt do zrobienia. Potrzebuję dwóch S: spokoju i skupienia. – Nie wiem, kiedy wpadłam w ton ze szkoleń motywujących. „Dwóch S? Ja tak mówię do ludzi?" – zdumiałam się.

– No, skoro tak. – Ojciec dał za wygraną. – To ja zadzwonię do tego pana, co się zajmuje polem, i go zapytam, skoro ci zależy. A pieniądze za to pole też od razu chcesz?

– Jakie pieniądze? Nie, no coś ty, tato, nie chcę.

– Bo jakbyś chciała, to ja ci odkładam i ze wszystkiego mogę się rozliczyć. Tylko ci nie mówiłem, bo ty nerwowo reagujesz, jak wspominam twoją matkę.

– Wcale nie reaguję nerwowo! – krzyknęłam. – Nic mnie nie obchodzą żadne pieniądze, możesz je sobie wziąć.

– Ależ ja nie chcę twoich pieniędzy. – Poczuł się dotknięty. Wiadomo: „Jestem biedny, ale uczciwy". Zresztą na tym polegał problem – gdyby nie był tak uczciwy, nie klepałby również biedy. Szkoda tylko, że ta uczciwość w pracy nijak się miała do uczciwości w życiu prywatnym. Uznałam, że

25

należy skończyć tę nieprowadzącą już donikąd rozmowę, żebym mogła spokojnie powyzywać ojca w myślach.

– To zadzwoń, jak się czegoś dowiesz – poleciłam.

Rozłączyłam się tak szybko, że nawet nie usłyszałam westchnienia ulgi, które zwykle towarzyszyło naszym pożegnaniom.

Delikatnie zapukałam do drzwi i weszłam, nie czekając na zaproszenie. Prezes podniósł głowę znad papierów i cały się rozpromienił na mój widok.

– A kogóż to moje piękne oczka widzą! – wykrzyknął. Jego tyłek uniósł się o jakieś dwa centymetry, bo przecież kulturalni mężczyźni nie siedzą w towarzystwie kobiet. – Wiem, po co przyszłaś. – Puścił do mnie oko, a ja przez ułamek sekundy rozważałam, czy to możliwe. – Mam, mam. Już szukam. – Z głośnym „puff" opadł z powrotem na fotel i zaczął otwierać szuflady olbrzymiego biurka w stylu kolonialnym.

Czekając, co z tego wyniknie, omiotłam wzrokiem gabinet szefa. Do niedawna moje marzenie numer jeden. Duży, jasny i z widokiem na pół Warszawy. Szkoda, że prezes tak go zagracił. Zatrzymałam wzrok na wielkim szklanym wazonie. „Za zajęcie pierwszego miejsca w Sztafecie Tygrysów Biznesu" – informowała grawerowana tabliczka.

– Piękny, prawda? – zapytał prezes z rozczuleniem. – A to dla ciebie. – I podał mi kawałek blachy na kolorowej wstążce z logo sponsora. – Świętowaliśmy jego zdobycie. Szkoda, że ciebie zabrakło.

– Prywatnie świętowałam. – Uśmiechnęłam się do wspomnienia sanitariusza, a prezes pomyślał, że do niego.

Schowałam medal do kieszeni. Szef był w świetnym humorze, a ja z przyjemnością mu go popsuję.

– Odchodzę – oświadczyłam stanowczo.

Prezes patrzył na mnie uważnie, lekko przekrzywiając głowę. To jego spojrzenie z czymś mi się kojarzyło. W poprzednim życiu musiał być papugą.

– Chcesz podwyżki. – W jego głosie pobrzmiewała nutka zadowolenia, że tak szybko mnie rozgryzł. – W zasadzie możemy to załatwić od ręki. – Zaśmiał się rubasznie.

Opanowałam ochotę palnięcia go w łeb oraz inne złe emocje i rzekłam spokojnie:

– Nie chcę podwyżki. Po prostu odchodzę.

Nagle zdałam sobie sprawę, że w zasadzie mówię mu prawdę. I jak tu się nie zachwycać mową ojczystą? Zachichotałam.

– Aż tak? – Prezes się zdziwił. – Dobra, dorzucę jeszcze samochód służbowy i wyjazd szkoleniowy – puścił do mnie oko – w tropiki. Jako bonus.

– Przykro mi, ale to już postanowione. Odchodzę nieodwołalnie.

Coś w tonie mojego głosu sprawiło, że do prezesa w końcu dotarło, że nie przyszłam się targować. Złapał się więc ostatniej deski ratunku – szantażu emocjonalnego.

– Jaga, nie możesz odejść. Że tak powiem, ta firma to ty!

Westchnęłam. Całe życie pragnęłam usłyszeć te słowa.

Trochę żałowałam, że nigdy wcześniej nie wpadłam na pomysł z fałszywym zwalnianiem się z pracy. Mogłam coś ugrać. A teraz było już za późno. Z drugiej strony, jak to mówią, zobaczyć minę szefa – bezcenne.

– Sam mówiłeś, że nie ma ludzi niezastąpionych – powiedziałam wesoło. – I jeśli wolno mi coś doradzić, siebie zastąpiłabym Anią. Jeśli awansujesz Piotrka, boleśniej odczujesz moje odejście.

No i poszłam sobie. Uprzątnięcie biurka zajęło mi jakieś trzydzieści sekund. Trudno dłużej pakować kosmetyczkę i terminarz. Żadnych innych osobistych rzeczy nie miałam.

Ewelina siedziała w kącie i płakała. Oczywiście nie za mną, tylko nad sobą. Bo kto zechce asystentkę mocno używaną?

Siedziałam naprzeciwko Ariela w kawiarni. Wybrałam jeden z tych lepszych lokali, w których zatrudniają prawdziwego baristę, a kawa nie jest mieszaniną cukru, mleka i neski. Lubiłam tu przychodzić. Mieli taki fajny, nowoczesny wystrój, meble chyba z Mediolanu, i zawsze były wolne miejsca. Zamówiłam latte. Ariel tylko spojrzał na kartę i powiedział, że nic nie będzie pił, bo trochę się śpieszy.

Nie spotykaliśmy się zbyt często. Moi rodzice rozwiedli się w czasach, kiedy rozwody nie zdarzały się co dzień, więc matka Ariela została „tą drugą", suką i zdzirą, a nie znajomą, z którą ustala się grafik sobotnich zajęć dzieci naszych i waszych.

Nie nawiązałam z Arielem więzi i choć był moim przyrodnim bratem i w zasadzie najbliższą mi na świecie osobą, traktowałam go jak obcego, tym chętniej, że wszystko nas różniło. Byliśmy jak ogień i woda. Ja mogłabym grać u braci Coen, Ariel bez problemu dostałby robotę u braci Farrelly. Do tego wyglądał jak niedźwiedź siłą wywleczony z gawry. Brunatny, zarośnięty i otłuszczony. Aż trudno uwierzyć, że spłodził nas ten sam mężczyzna. Wewnętrzne różnice były jeszcze wyraźniejsze. Ja – praktyczna i ambitna, Ariel – nie. Lista jego potrzeb życiowych zawierała dwie pozycje: spanie i chlanie. Jeśli podejmował jakieś działanie, to tylko po to, żeby którąś z nich zaspokoić. Poza tym tkwił w marazmie. Intelektualnie zaś przypominał deskę – czysta prostota.

Jedyne ciepłe uczucie, jakie potrafiłam z siebie wykrzesać, to ulga, że nasze krótkie na ogół spotkanie się skończyło. To zaczęło się chwilę temu. Spóźnił się i zwalił winę na tramwaj. Niedojrzałe podejście, należało pojechać wcześniejszym.

Jak zwykle grzecznie zapytałam, co u rodziców, a Ariel poinformował mnie, że spoko. No i wreszcie mogłam przejść do części oficjalnej.

– Muszę wyjechać na dwa, trzy miesiące i chcę, żebyś zajął się moim mieszkaniem – poinformowałam brata.

– Kwiatki mam podlewać, tak?

– Nie mam kwiatków – odparłam.

Nie wiem czemu, ale odniosłam wrażenie, że z kudłów sterczy mu igliwie.

– To co mam robić? – Próżno by szukać w jego oczach, choćby na dnie, jakiegoś błysku intelektu.

– Myślałam, że może byś tam zamieszkał pod moją nieobecność? – Kiedy powiedziałam to na głos, zdałam sobie sprawę z tego, jak bardzo jestem chora. Oddaję ukochane miejsce temu troglodycie, żeby przerobił je na jaskinię!

– Za ile? – zapytał Ariel.

– Co: za ile? – Nie zrozumiałam go.

– Ile musiałbym ci zapłacić? – doprecyzował.

– Nic.

Teraz on nie rozumiał, ale to raczej norma. Czasem myślę, że z szympansem prowadziłabym dużo ciekawsze rozmowy.

– Próbujesz mi powiedzieć, że mogę mieszkać u ciebie dwa miechy za friko? – zdziwił się.

– Tak właśnie. – Szczerze się ucieszyłam, że w końcu załapał.

– A gdzie jest haczyk? – drążył uporczywie.

– Nie ma haczyka. Daj spokój, Ariel! – Czułam narastającą frustrację. Ta rozmowa powinna była dawno się skończyć. I zdecydowanie powinna zupełnie inaczej przebiegać. – Daję ci mieszkanie, bo inaczej będzie stało puste. – Powinnam powiedzieć: „Bo i tak za kilka miesięcy zostaniesz jego właścicielem". – Nie tak dawno miałam tyle lat co ty i wiem, jak to jest, kiedy człowiek chce odrobiny prywatności.

– Wybacz, siostro. Mogę ci mówić: „siostro"? Otóż ty nigdy nie byłaś w moim wieku. Urodziłaś się stara i wyracho…

Nie czekałam, aż skończy. Nie mogłam pozwolić, żeby zaczął mnie obrażać, bo wtedy nie pozostałabym mu dłużna. A w końcu nie chodziło o to, żebyśmy okazywali sobie wzajemną niechęć, tylko o to, żebym uporządkowała swoje sprawy.

– Chcesz to mieszkanie czy nie? – zapytałam zdecydowanie.

Widziałam wahanie w jego oczach.

– To jest transakcja wiązana – tłumaczyłam. – Ty będziesz miał na trochę chatę, a ja pewność, że mieszkanie jest w dobrych rękach. Nie knuję żadnego podłego spisku. Ludzie się zmieniają.

Ariel popatrzył mi w oczy i powiedział:

– Ludzie tak, ale ty nie jesteś istotą ludzką.

Wstał, jednak pokusa okazała się zbyt silna. Dlatego tak wielu ludzi idzie do piekła – tanio sprzedajemy własne dusze.

– Jeśli naprawdę tylko o to chodzi, to może być. Od kiedy?

– Wpadnij jutro wieczorem. Dam ci klucze i pokażę co i jak.

Kiwnął głową i wyszedł. Ja zostałam i powoli sączyłam swoje latte.

Ariel przyszedł tak, jak się umówiliśmy. Zachowywał się nawet mniej arogancko niż zwykle. Rozglądał się z zainteresowaniem. Zdałam sobie sprawę, że po raz pierwszy w życiu jest w moim mieszkaniu. W ogóle był pierwszą spokrewnioną ze mną osobą, którą wpuściłam za próg. Pewnie matka z ojcem będą go wypytywać, jak mieszkam. Imponująco – to chyba najlepsze określenie. Mieszkanie, zwane przez dewelopera apartamentem, miało ponad sto metrów powierzchni. Był to głównie salon, bo idąc za radą dekoratora, wyburzyłam prawie wszystkie ścianki działowe. Z czterech sypialni została ostatecznie jedna, niewielka i przytulna, i szybko stała się moim ulubionym miejscem w domu. Nawet pracowało mi się tu lepiej niż przy wielkim biurku w salonie. Dlatego poprosiłam Ariela, żeby z niej nie korzystał.

– Czynsz jest opłacony pół roku do przodu. Prąd i gaz też. Ale może być jakaś niedopłata, więc na wszelki wypadek zostawiam ci pieniądze w szafce nad lodówką. Tylko nie przepij ich od razu – upomniałam. – Tu masz telefon do administratora. Ja powinnam się zmyć za jakiś tydzień. Dam ci znać, jak będę wyjeżdżać.

Ariel, który w skupieniu wysłuchał moich poleceń, potakująco kiwnął głową. Beznamiętnie wziął klucze, wcisnął je do kieszeni kurtki i ruszył do wyjścia.

– Ariel?

Zatrzymał się.

– Ta?

– Dlaczego ty mnie nie lubisz?

Przez chwilę przyglądał mi się uważnie.

– Nie, moja droga. To ty nie lubisz mnie. – I wyszedł.

No to teraz wiem, co znaczy „czuć się, jakby ci ktoś w mordę dał".

Przez chwilę trawiłam jego słowa. Potem poszłam się pakować. We wszystkim metodyczna i skrupulatna. To był klucz do mojego zawodowego sukcesu. I życiowej porażki chyba też.

Sprawnie i szybko mi szło. Przy okazji oczyściłam Arielowi przestrzeń życiową z pamiątek po mnie. Opróżniłam szafy, zapełniłam niszczarkę. Nawet kurze zaczęłam wycierać. Kiedy przesuwałam książki w witrynie, jedna z nich mi upadła. Podniosłam ją z podłogi. Wtedy zauważyłam wsunięte w nią zdjęcie. Ocalało z pogromu, jaki zrobiłam po odejściu Juliusza, tylko dlatego, że któreś z nas użyło go jako zakładki. Pewnie Juliusz, to do niego pasowało. Nie świadczy o mnie najlepiej fakt, że od lat nie zaglądałam do książek.

Przez chwilę przyglądałam się zdjęciu. Juliusz i ja na ławce w parku, jakieś dwadzieścia lat temu. On w dżinsowym uniformie, ja w dziwnym swetrze i z absolutnym brakiem fryzury. To było chyba na wycieczce szkolnej przed maturą. Do Krakowa chyba. Jak przez mgłę pamiętam cały dzień chodzenia. Wszyscy mieli już dość. Cała sztuka, którą podziwialiśmy, zlała się w jedną szarą masę. Usiadłam znużona na ławce, Juliusz obok. „Musisz mi zawsze zajmować miejsce obok" – powiedział. „Dlaczego?" – zapytałam. „Bo cię…" – zaczął Juliusz, ale wtedy przybiegła profesor Żak, nasza wychowawczyni. „Och, jak oni ładnie wyglądają – zachwyciła się. – Anka, zrób im zdjęcie do kroniki! Uśmiechnijcie się!". Błysnął flesz. Przestałam się szczerzyć. „…kocham" – dokończył Juliusz.

To było jego ulubione zdjęcie. Przez lata się z nim nie rozstawał. Powoli przedarłam je na pół i wrzuciłam do niszczarki. Słuchałam odgłosu mielenia, a potem się rozpłakałam. Poszłam pod prysznic, żeby zagłuszyć szloch i ukryć łzy. Stałam w strugach wody. Potem usiadłam, naga i bezbronna, w zimnym brodziku. Trzęsłam się z płaczu, zimna i strachu. Nie płakałam dlatego, że niedługo umrę, ale dlatego, że umarłam już dawno temu.

Kochany Arielu!
To nie tak, że Cię nie lubię. Lubię Cię. Nawet bardzo. Ty i tata jesteście moją jedyną rodziną. Ja…

Przypomniałam sobie chwilę, kiedy pierwszy raz zobaczyłam Ariela. Tato zabrał mnie do szpitala w niedzielę, zaraz po kościele. Był ciepły czerwcowy dzień, więc po drodze jedliśmy lody.

Halinka leżała w łóżku i wyglądała na bardzo chorą. Obok niej, na kołdrze leżało zawiniątko. Wtedy jeszcze nie wiedziałam, co kryje się w zwoju flaneli. Tato wszedł, usiadł na łóżku, z troską pytał, jak się czują, a ja wciąż stałam w drzwiach, nie bardzo wiedząc, co ze sobą zrobić.

– A ty, Aguś, nie chcesz zobaczyć braciszka? – zapytała Halinka. – No chodź.

Nieśmiało zrobiłam trzy kroki i stanęłam w nogach łóżka. Halinka uśmiechnęła się do mnie łagodnie. Wyciągnęłam szyję. Prawdę mówiąc, byłam ciekawa. Nigdy jeszcze nie widziałam noworodka.

– Chodź, zobacz, jaką ma malutką rączkę. – Poklepała miejsce na kołdrze obok siebie.

Podeszłam, ale nie usiadłam. Patrzyłam z góry na zawiniątko. Z bielą becika mocno kontrastowała czerwonofioletowa, pomarszczona twarz. To była najpiękniejsza rzecz, jaką w życiu widziałam.

– Chcesz go potrzymać?

Kiwnęłam głową.

Usiadłam na łóżku, a Halinka delikatnie podniosła zawiniątko i wwindowała mi je na kolana.

– Daj tu rękę. Trzeba podtrzymać główkę – wytłumaczył tato.

Siedzieliśmy teraz wszyscy. Tak blisko jak nigdy w życiu. Skupieni wokół malutkiej istotki, która patrzyła na nas wielkimi niebieskim oczyma i lekko się śliniła.

– Ładnie pachnie – powiedziałam. – Jak się nazywa?

– Ariel – wyjaśniła Halinka. Była z niego bardzo dumna.

– Mogę go pocałować?

– Oczywiście…

Pochyliłam się…

…ja nigdy nikogo tak nie kochałam jak Ciebie. Przytuliłam się wtedy do Ciebie z całej siły. Czułam Twoją delikatną skórę i zapach. Byłeś taki śliczny, taki bezbronny i mój. I ja, Arielu, byłam bezbronna. Ale czułam, że muszę Cię obronić przed złym, okrutnym światem. Chciałam Cię wziąć na ręce i uciec gdzieś, gdzie będziesz bezpieczny, żebyś nigdy nie musiał tak cierpieć jak ja.

Jeśli nigdy nie okazywałam Ci tego, jak bardzo Cię kocham, to ze strachu. Wszyscy, których kochałam, mnie zostawili. Ja… ja mogłam znieść śmierć mamy, ale nie przeżyłabym Twojej.

A teraz tak sobie myślę, że to nawet dobrze, że nigdy nie byłam Ci bliska. Przynajmniej moja śmierć Cię nie zaboli. Kocham Cię, Arielu. Z całego siostrzanego serca Cię kocham…

„Co za idiotyzm! Co się ze mną dzieje?" – pomyślałam nagle ze złością i wyrzuciłam zmiętą kartkę do kosza.

Część druga

...co wtedy zrobiłam...

Wczesnym rankiem zniosłam do samochodu walizkę, dwie torby, pudło wypełnione akcesoriami kuchennymi, a na koniec kilka książek. Spakowałam wszystko, co wydawało mi się niezbędne i przydatne. Już z parkingu wysłałam SMS-a do Ariela, że może się wprowadzać, bo ja właśnie wyjeżdżam.

Pół godziny później minęłam granicę miasta, opuszczając tym samym ukochaną Warszawę na zawsze.

Droga była zadziwiająco dobra i jechałam dość szybko, a mimo to dopadło mnie znużenie. Włączyłam radio, ale zamiast muzyki usłyszałam gadające głosy, więc je ściszyłam. Zatrzymałam się na stacji benzynowej, żeby napić się kawy. Okazała się okropna. Na koniec w jakimś idiotycznym odruchu zabrałam autostopowiczkę. Była bardziej gadatliwa niż radio i na dodatek nie mogłam jej wyłączyć. Na swoje szczęście wysiadła dobrowolnie. Bałam się, że jeszcze chwila, a zrobię jej krzywdę. Jak to jednak ludzie w dzisiejszych czasach nie potrafią docenić ciszy!

Do Zamościa dojechałam bez problemów. Potem zaczęły się schody. Błądziłam. Wszystkie nazwy wydawały mi się znajome. W końcu znalazłam pełną dziur żwirówkę, z której zjechałam na brukowany cegłami trakt, z niego skręciłam w błotnistą polną drogę, a potem na nieistniejący już podjazd, na końcu którego stał dom.

Po raz pierwszy w życiu byłam zadowolona, że kupiłam terenówkę. Jeżdżenie w takim czołgu po mieście ma niesamowicie dużo plusów i tylko jeden minus – większość miejsc parkingowych jest za wąska.

W dawnych czasach od drogi pod sam dom wiódł podjazd. Błotnisty wiosną i jesienią, biały zimą. Latem pośrodku tworzył się pas soczystej zieleni, po którą konie schylały łby, jak tylko wóz się zatrzymał. Najfajniej było w dzień targowy. Dziadek zajeżdżał furmanką pod same drzwi. Babcia, mama i ja gramoliłyśmy się na wóz i kokosiły na wiązce siana, przykrytej zieloną kapą. Po drodze dosiadały się babcine kumoszki. Wszyscy gadali jeden przez drugiego. Głównie o pogodzie na żniwa.

Teraz z tego wszystkiego zostały tylko moje lekko zakurzone wspomnienia.

To, co zobaczyłam, trochę mnie zaskoczyło. Bardziej niż trochę. Oczywiście nie byłam pierwszą naiwną i raczej spodziewałam się, że nie powitają mnie świeżo wykrochmalone firaneczki w oknach. Spodziewałam się jedynie zapuszczenia, a zastałam ruinę. W każdym razie nie mogę powiedzieć, że ojciec mnie nie ostrzegał. Starał się mnie powstrzymać przed przyjazdem. Tylko – jak zawsze – troszkę za słabo.

Dom stał na dość dużym placu. Z tyłu miał sad, po prawej stronie oborę, po lewej studnię i szopę. Kiedyś był to klimatyczny domek, nieduży, przytulny, wesoły. Teraz zmiął się, przygarbił, rozłamał jakoś. Ściany jakby nie trzymały pionu, dach pochylał się do ziemi. Dawne sady, warzywniki i rabatki zarosły pokrzywami, łopianami i dzikim bzem. Jeśli ktoś szukałby ustronnego miejsca na hodowlę konopi, nie mógłby sobie wymarzyć lepszego.

W pierwszej chwili chciałam od razu zawrócić. Pomyślałam jednak, że skoro już się tu znalazłam, to mogę na chwilę wysiąść i rozprostować nogi. Zgasiłam silnik. Przez jakiś czas gapiłam się na dom przez przednią szybę i jedyną myślą, jaka tłukła mi się po głowie, była ta, że muszę zmienić myjnię, bo mi smugi pozostawiali.

W końcu otworzyłam drzwi. Przypuszczam, że wiem, co czuł Neil Armstrong.

Nieznana planeta nie powitała mnie przyjaźnie. Syknęłam, kiedy pokrzywy nawiązały bezpośredni kontakt z moją skórą. Szkoda, że nie zabrałam maczety, a najlepiej miotacza ognia. Z wielką ostrożnością przedarłam się do drzwi. Broniła ich wielka kłódka. Klucz od niej wisiał na gwoździu wbitym we framugę, jednak problem stanowiła rdza. Kiedy włożyłam klucz do kłódki, w środku zachrobotało i tyle. A ponieważ najprostsze rozwiązania są najlepsze, wróciłam do samochodu i łyżką do kół wyłamałam skobel.

W środku było mrocznie. Śmierdziało wilgocią, zbutwieniem, pleśnią, naftaliną. „Odór śmierci" – pomyślałam i wyszłam.

Oślepiło mnie słońce, a w nozdrza uderzyła woń ziemi i zieleni. Ptaszki świergotały. Jeden z nich nucił *Love me tender*. Wszystko wokół żyło i pachniało. Wróciłam do wnętrza. „Niedługo ja będę jak ten dom. Ale do tego czasu chcę być częścią tego życia, które buzuje na zewnątrz – stwierdziłam. – Przecież mogę nocować w samochodzie albo kupię sobie namiot".

Poza tym właściwie nie miałam wyjścia. Owszem, mogłam wrócić do Warszawy, nalać wody do wanny i wziąć gorącą kąpiel w towarzystwie mocnej wódki i ostrej żyletki. Ale się bałam. Po prostu i po ludzku się bałam.

Rozgoniłam złe myśli jak stado wron. Doszłam do wniosku, że skoro mam tu mieszkać, to chyba powinnam posprzątać.

Zaczęłam od okien. Zadanie okazało się trudne i istniała realna szansa, że okna otworzą się raz na zawsze, ale przynajmniej natychmiast zrobiło się jaśniej, bo wiosenne słońce przemocą wdarło się do środka. Przyjrzałam się piecowi kuchennemu. Choć bardzo brudny, wyglądał na sprawny. „Czy kaflowe piece się psują? – zastanowiłam się. – Czy jeśli nazbieram chrustu i go podpalę tam w środku, to będę mogła sobie zagotować wodę?". Obok pieca stał kredens pełen starych naczyń i zdechłych owadów. I czegoś, co mogło być mysimi odchodami. Jeżeli nawet mieszkała tu jakaś mysz, to z powodu braków w aprowizacji wyprowadziła się wiele lat temu. Ale ponieważ boję się gryzoni, odruchowo nastawiłam pułapkę, którą znalazłam w szufladzie.

W kuchni znajdowały się jeszcze stół i krzesła. Stół przetrwałby atak nuklearny, ale krzesła mogły posłużyć już tylko do palenia w piecu.

Z kuchni wchodziło się do dwóch pokoi – małego i wąskiego oraz wąskiego i długiego. Pierwszy służył dziadkom za sypialnię, bo mieściło się tam tylko łóżko. Drugi był pokojem reprezentacyjnym. Wersalka, kolejny stół, jeszcze trochę krzeseł, dwa fotele i olbrzymia szafa sprawiły, że nie pozostał tu ani centymetr wolnej przestrzeni. Na ścianach wisiały kapy, cała masa religijnych obrazów i dwa portrety ślubne. Jeden przedstawiał dziadków, drugi moich rodziców. Stwierdziłam, że jak się zaczyna małżeństwo od takiego portretu, to nic dziwnego, że się chce je szybko skończyć.

Nagle uświadomiłam sobie, czego tu brakuje. Łazienki. Oczywiście od razu mi się zachciało. Sikanie to nic takiego, mogłam to robić wszędzie, byle daleko od okien i szlaków komunikacyjnych, ale inne potrzeby stanowiły problem.

Wyszłam na dwór, próbując szybko coś wymyślić. Mój wzrok padł na starą oborę. Stała dość daleko od domu i widziała w swoim życiu spore ilości gnoju. Po drodze zabrałam z samochodu saperkę. „No proszę – przemknęło mi przez głowę – trzy ostatnie miesiące życia spędzę, codziennie rano kopiąc dołek na odchody". I jakoś mnie to nie zmartwiło. Chodziło o punkt odniesienia. Jeszcze miesiąc temu katastrofę oznaczał brak wacików, teraz brak kibla to była pierdoła.

Reszta dnia upłynęła mi na wyrzucaniu niepotrzebnego i pozostawianiu niezbędnego, a także chodzeniu i oglądaniu. Podjęłam również kilka prób wyciągnięcia wody ze studni dziurawym wiadrem.

Około osiemnastej zorientowałam się, że w domu nie ma prądu. Za to miałam zasięg, więc przez czterdzieści minut utrzymywałam kontakt z cywilizowanym światem. Potem laptop się pożegnał i poszedł spać, zostawiając mnie samą w epoce kamienia łupanego. W zasadzie nie pozostało mi nic do roboty, więc zamknęłam drzwi samochodu, owinęłam się w śpiwór i zasnęłam.

Obudziłam się z uczuciem, że ktoś się na mnie gapi. Otworzyłam oczy. A jakże. Czerwona twarz z perkatym kinolem rozpłaszczała się na szybie, dodając coś od siebie do brudu, który już tam był. Są chwile, kiedy człowiek cieszy się, że spał w ubraniu. Wyplątałam się ze śpiwora i lekko uchyliłam okno, bo na twarzy nie malowały się wrogie zamiary, tylko ciekawość.

— A ona to kto? — zapytała twarz.

Usiłowała wcisnąć się do środka przez szparę w myśl zasady: „Jak gęba przejdzie, to i reszta się zmieści".

— A kto pyta?

— Zgubiła się? — Twarz wyraźnie zignorowała moje pytanie.

— Nie. — Poddałam się w końcu, bo zrozumiałam, że nie dowiem się niczego, póki nie zacznę mówić.

— Śliwowa się przestraszyli. Mówi: „Ktoś Antośki chałupę szabruje, zajrzyj". Ale mnie się akurat krowa cieliła. A to dobra krowa, bardzo mleczna, tylko mała. A cielak po mięsnym, nie można było zostawić. To ja mówię Śliwowej: „A co tam jest do szabrowania?". A ona: „Jeszcze mnie napadną, toż w telewizji mówili, że emerytów masowo zabijają dla pieniędzy". To mówię: „Zajrzę". Ale cielakowi noga się podwinęła, weterynarza trza było wołać. A jak już przyjechał, to i wypić trza było. I tak jakoś zeszło. Tera mi się dopiero przypomniało, to mówię do mojej starej: „Zajrzę". A tu jak raz jakaś panienka. Zgubiła się?

— Raczej nie — powtórzyłam.

Otworzyłam całkiem okno na znak przyjaźni i pokojowych zamiarów. Łeb od razu wlazł do środka, a wraz z nim zapach wczorajszej libacji.

– Pan pozwoli, że się przedstawię. Agnieszka Jaguszewska. Przyjechałam tu na wakacje.

Twarz zmięła się w nadludzkim wysiłku intelektualnym.

– Jaguszewska? Znaczy tak, jak się Marysia Kowalczykowa po mężu pisała?

– Tak właśnie. Marysia to moja mama była – wyjaśniłam.

– To panienka tu u siebie? – ucieszył się tubylec.

– Tak jakby.

– Że też panience się chciało z miasta! Taki piękny samochód po chaszczach marnować… Toż taki samochód majątek kosztuje.

W ostatniej chwili ugryzłam się w język. Z pieniędzmi to jest tak, że czasem lepiej, gdy ludzie myślą, że masz więcej, choć w rzeczywistości masz mniej. A czasami wręcz przeciwnie.

– To nie mój. Firmowy. W zasadzie to ja tu z pracy jestem… – Próbowałam wymyślić coś na usprawiedliwienie swojej obecności. – Prowadzę projekt badawczy o tym, jak człowiek współczesny poradzi sobie w takich prymitywnych warunkach. Bez czego się obejdzie, a co mu niezbędne. To posłuży do specyficznych badań rynku. – Nakręcałam się swoim kłamstwem. Ale on się wyraźnie wyłączył. – Wie pan, bez telewizji, woda ze studni…

– Oj! Ja bym tej wody nie pił, bo inaczej raz-dwa się ten projekt skończy.

– Aha…

– Ale jakby panienka jajek chciała albo mleka, to panienka zajdzie. My tam, jak ta chałupa z czerwonym dachem, mieszkamy.

– Och, dziękuję. Chętnie coś kupię.

Twarz spojrzała na mnie tak, jakbym ją potraktowała z liścia.

– Jeszcze tego nie było, żebym ja od Maryśczynego dzieciaka pieniądze miał brać. No, idę, robota czeka.

I poszedł. Tak zawarłam znajomość z autochtonem. Jak się okazało, nie ostatnią tego dnia.

Niedługo po odejściu właściciela domu z czerwonym dachem zjawiła się babuleńka. Szara i pomarszczona. Miała na sobie dwa swetry i polarowy bezrękawnik, choć było ciepło. Głowę opatuliła wełnianą kwiecistą chustą zawiązaną pod brodą.

Przedarła się przez krzaki dzikiego bzu, które rosły wszędzie tam, gdzie kiedyś stał płot. Kilka rzepów przyczepiło jej się do brązowej spódnicy.

Przywitała się grzecznie, ja się przedstawiłam. Przyglądała mi się długo i ciekawie, potem rozejrzała się uważnie po podwórku, jakby chciała sprawdzić, czy kogoś jeszcze tu nie ma.

– Stasiek mi powiedział, że przyjechała. Strachu mi napędziła – odezwała się w końcu z pretensją w głosie. – Bo to teraz ludzie takie. Mówiła mi jedna, jakem w ośrodku była ostatnio, że u nich na wiosce wnuk własną babkę okradł z calusieńkiej emerytury. Taki ten świat teraz. Strach, co się wyprawia. Ale Stach do mnie zaszedł i mówi, że to Maryśczyna dziewczyna i że ty coś projektować będziesz. To se myślę: „Podlecę, zobaczę". A ty całkiem do matki podobna. Ja twoją mamę dobrze znałam. Po sąsiedzku się tak tu żyło. Ja dobrą pamięć mam jak na swój wiek. No ile byś mi dała?

Trudne pytanie. Według mnie wyglądała na jakieś sto lat. Ale musiałam powiedzieć, że mniej, przez grzeczność. I dlatego, że ona oczekiwała, że się pomylę. Kurczę, nagle uświadomiłam sobie, że w moim świecie nie ma ludzi po czterdziestce.

– Siedemdziesiąt? – zaryzykowałam.

– Osiemdziesiąt dwa. Mnie nikt moich lat nie daje. – Była wyraźnie usatysfakcjonowana. – Stasiek mówił, że ty chałupę jakąś chcesz projektować. Taką jak kiedyś. I że ciebie to szef musi bardzo szanować, bo ci taki samochód dał. – Przyjrzała mu się okiem znawcy. – No, duży to on jest. A moja Elżunia to poloneza ma. Też dobry samochód. I własny, nie pożyczany. – Wbiła szpileczkę, ale mnie nie zabolało.

Nie bardzo wiedziałam, co powiedzieć, więc odwróciłam wzrok. Przyglądałam się małemu rudemu pieskowi, który od jakiegoś czasu biegał po podwórku. Pewnie przybiegł za staruszką. Teraz podszedł do samochodu, obwąchał go i ostentacyjnie obsikał koło.

– A pójdziesz ty?! – krzyknęła na niego babuleńka. Rozejrzała się po ziemi w poszukiwaniu jakiegoś ciężkiego przedmiotu, którym by mogła w zwierzaka rzucić, ale ponieważ nic nie znalazła, zamachała tylko rękami. Pies uciekł. – Łachudra jeden. No to ja pójdę. – Poczekała chwilę, ale nie zamierzałam jej zatrzymywać. – Jakby herbaty się chciała napić czy co, to niech zachodzi. – Popatrzyła na mnie wyczekująco, a ponieważ nie wykazałam cienia entuzjazmu, postanowiła zachęcić: – Ja do herbaty zawsze nalewki dodaję. Moją naleweczkę to nawet dobrodziej chwalą – zareklamowała się. – O, tam moja chałupa. – Pokazała sękatym paluchem. – I do projekta lepsza. Bo większa i z ganeczkiem.

– Na pewno zajrzę – skłamałam grzecznie.

Starowina pokiwała głową, jakby ją miała na sprężynie. Postała jeszcze chwilę i w końcu ruszyła do domu.

– Psa niech pani zawoła! – krzyknęłam za nią.

– Eee?

– Pies pani został.

– A on nie mój – odpowiedziała i zniknęła w krzakach.

Pies tymczasem położył się w cieniu pod drzewem i bacznie mi się przyglądał.

Po południu pojechałam do miasteczka. Uzupełniłam zapasy żywności i wody pitnej. Pojeździłam trochę po uliczkach, które ledwo pamiętałam. Nie ledwo. W ogóle, bo miasto z moich wspomnień i to obecne dzieliła ogromna przepaść. Tamto tętniło życiem, barwne, gwarne, wypełnione rżeniem koni, stukotem kopyt o bruk, ludzkim gadaniem. Jawiło mi się jako jakieś magiczne eldorado. To obecne – senne, jakby znudzone. Kolorowe rabatki zostały zastąpione przez równo przystrzyżone trawniki, a hałas kosiarek zagłuszał ludzkie rozmowy. Konie prawdopodobnie wyzdychały. Może i dobrze, bo ich kopyta nie miałyby o co ładnie stukać. Bruki wyasfaltowano. Prawie na każdym chodniku stała wielgaśna tablica informująca o wykonaniu go dzięki wsparciu funduszy unijnych. Nie były w całości czytelne, bo miejscowi artyści wprawiali się na nich w trudnej sztuce graffiti.

Zdziwiła mnie liczba sklepów. Były dosłownie wszędzie. Jaskrawymi szyldami informowały o bogatym i zróżnicowanym asortymencie. Wszystko, od chleba po muchozol, pod jednym dachem i na tak małej powierzchni, że dwóch klientów już robiło tłok. Przed niektórymi sklepami stały ławeczki, ale wbrew obiegowej opinii nikt na nich nie siedział i nie pił. W ogóle jakoś mało ludzi widziałam. Może pracowali przy żniwach. Potem uświadomiłam sobie, że na żniwa jeszcze za wcześnie. To co można robić na polu w maju? Ze wstydem zdałam sobie sprawę, jaki ze mnie mieszczuch. Doszłam do wniosku, że przynajmniej to w życiu poprawię – poznam na nowo polską wieś.

Jedna rzecz się w miasteczku nie zmieniła. Kościół stał tam, gdzie powinien, taki sam, jakim go zapamiętałam. Jego wieża wydawała się taka… Nie. Nie chciałam myśleć o sprawach duchowych. Miałam to gdzieś. Zrobiłam wielkie zakupy, władowałam reklamówki do wozu i wróciłam na moją wieś.

Pies leżał pod drzewem. Przywitał mnie machnięciem ogona. Zawołałam, ale nie podszedł.

Trzeci dzień tkwiłam w cholernej prehistorii. Do braku wody i prądu doszedł smród. Czułam go chyba od samego przyjazdu, ale z początku bardzo delikatnie, prawie niezauważalnie. Potem stopniowo przybierał na sile, by wreszcie

wystrzelić bukietem woni nie do zniesienia. Dzięki temu bez
problemów odnalazłam jego źródło. W chaszczach za stodo-
łą, gdzie kiedyś znajdował się warzywnik, leżało coś, co za
życia było krową, teraz zaś stało się najmakabryczniejszą rzeczą, jaką widziały moje oczy. Z mordy wykręconej w dziwnym wyrazie sterczały olbrzymie żółte zęby, spomiędzy nich
wywalał się wielki fioletowy jęzor, jak czerwony dywan dla
much, które tłumnie przybywały z całej okolicy. Z oczodołów
wylewała się krwawa maź, a z rozerwanego brzucha trzewia.
Obraz ten rodem z Baudelaire'a pozwolił mi w jednej chwili
zgłębić istotę naturalizmu.

Obok krowy siedział rudy pies i wyglądał na zadowolonego. Machnął mi ogonem na powitanie.

Powiedziałam kilka bardzo brzydkich słów, przerwałam,
żeby zwymiotować, potem klęłam dalej. Jakoś doszłam do samochodu. Wsiadłam i szybko odjechałam na bezpieczną odległość. Obficie skropiłam sobie rękaw perfumami i zaczęłam
je wdychać. Trochę pomogło, ale wiedziałam, że wspomnienie smrodu będzie mnie jeszcze długo prześladować.

Wyjęłam telefon i zadzwoniłam na policję, bo nic innego
nie przyszło mi do głowy. Moje dotychczasowe doświadczenia z powiadamianiem organów ścigania wiązały się jedynie
z wypadkami komunikacyjnymi. Wiedziałam, że poza tym
policjanci zajmują się morderstwami. Ale czy również krów?
I czy ona w ogóle została zamordowana? Może w jej przy-
padku to był rak mózgu? Tak czy inaczej, to jedyny pomysł,
jaki przyszedł mi do głowy. Przecież na wzywanie pogoto-
wia było już za późno.

– Aspirant Guzdrałko, słucham? – poinformował mnie głos w słuchawce.

W odpowiedzi parsknęłam, ale natychmiast udałam, że to kaszel.

– Dzień dobry. Nazywam się Agnieszka Jaguszewska. Dzwonię ze wsi Wólka Mała. Chciałam zgłosić, że u mnie za oborą leży zdechła krowa.

Teraz dla odmiany on się roześmiał.

– I co, myśli pani, że została zamordowana? – Aż się zanosił ze śmiechu. Mnie to nie bawiło, ale zrozumiałam absurdalność takiego przypuszczenia. – To nie moja sprawa – dodał już poważnie.

Wyczułam, że zamierza odłożyć słuchawkę, więc rozpaczliwie krzyknęłam:

– Wściekła! Mogła być wściekła. A to akurat musi zbadać policja. – Wymyśliłam to naprędce, mając nadzieję, że on o tym nie wie.

Na chwilę w słuchawce zapadła cisza, ale oddech aspiranta mówił mi, że jest tam i rozważa.

– No fakt – rzekł wreszcie. – Niech no pani poda jeszcze raz dane.

Guzdrałko, nomen omen, zjawił się dopiero po dwóch godzinach. Ale nie sam.

Najpierw z samochodu wysiadł mundurowy. Wielki jak góra, mocno opalony i pewnie prawie łysy, sądząc z kondycji kilku jasnych kłaczków, które wystawały spod policyjnej czapki. Towarzyszący mu mężczyzna był niski i drobny. Ubrany po cywilnemu, w szarą koszulkę polo. Brunet, ale już mocno przyprószony siwizną na skroniach. To dziwne, bo pewnie jeszcze nie skończył czterdziestu lat. Sprawiał wrażenie chłodnego i zdystansowanego. Bałabym się go, gdybym była przestępcą.

– Pani dzwoniła? – zapytał aspirant.

Z kieszonki munduru wyciągnął notesik i coś tam w pocie czoła kaligrafował.

– Tak. Agnieszka Jaguszewska – przedstawiłam się.

– Pani tu mieszka?

– To dom mojej babci. Przyjechałam tu, ponieważ prowadzę taki pro... – Zreflektowałam się, że policji lepiej nie kłamać. – Przyjechałam tu na trochę. Bez konkretnego powodu.

– Rozumiem. – Wyraz jego twarzy mówił coś innego niż usta. – I krowa jest pani?

– Jasne – burknęłam z przekąsem. – To znaczy nie! – krzyknęłam, widząc, że bazgroli. – Posesja jest moja. Ale krowa nie wiem czyja.

– Dawno leży?

– Nie jestem patologiem, ale sądząc ze stanu zwłok, to tak. – Guzdrałko posłał mi mordercze spojrzenie, chyba uważał, że się naśmiewam. Położyłam uszy po sobie i dalej mówiłam już grzecznie. – Przyjechałam kilka dni temu. Ona już chyba tutaj leżała, tylko jeszcze nie śmierdziała tak intensywnie. W poniedziałek przyjechałam. A to był...

– Wiem, który był w poniedziałek. – „Nie jestem idiotą" – dokończyło jego spojrzenie, sprawiając, że zrobiło mi się nieprzyjemnie. – Gdzie jest ta krowa?

Wskazałam ręką.

– Fakt, nieźle daje. Co ty na to, Andrzej? – zwrócił się do tego bez munduru.

Zapytany wzruszył ramionami i ruszył na spotkanie z denatką. Guzdrałko podążył za nim. A ja, jak jakaś głupia, za nimi.

– Kolczyków nie ma – stwierdził Andrzej zadziwiająco ładnym głosem, miłym i melodyjnym. Z pewnym zaciekawieniem pochylał się nad krową. Jej wygląd i zapach w ogóle nie robiły na nim wrażenia. Nie powiem, zaimponował mi tym. – Powinni kazać tatuować, inaczej cała ta ewidencja do… – Spojrzał na mnie i nie dokończył. – Za nic nie dojdziemy, do kogo należała.

– Co teraz? – zapytał Guzdrałko.

– Zadzwonię do Puław, niech sprzątną.

– A kto za to zapłaci? – Guzdrałce się ten pomysł nie spodobał. – Wójt się wkurzy, jak gminę obciążą. Może by zostawić? – kombinował.

– Ja mogę zapłacić – wyrwałam się przerażona wizją spędzenia reszty życia w towarzystwie doczesnych szczątków łaciatej.

Aspirant spojrzał pytająco na tego drugiego. Andrzej zaprzeczył ruchem głowy.

– Nie trzeba. To nie pani krowa. A wywóz padliny jest drogi.

– Nie szkodzi – brnęłam.

– Nawet jak ma pani tyle pieniędzy, żeby je ot tak wydać, to lepiej się tym nie chwalić – odradził mi stanowczo Andrzej. – Zwłaszcza jak się mieszka samej.

– Przepraszam – bąknęłam.

Poczułam się mała i skarcona. Nie lubiłam się tak czuć. Od razu zakiełkowała we mnie głęboka niechęć do kurdupla.

Guzdrałko, który od jakiegoś czasu robił się coraz bledszy i nerwowo przestępował z nogi na nogę, w końcu nie wytrzymał.

– Jedźmy już, Andrzej, bo się zaraz porzygam – przynaglił i marszobiegiem ruszył do radiowozu.

Jego kompan wzruszył ramionami i jak gdyby nigdy nic powoli udał się za aspirantem.

Odjechali, zanim zdążyłam wsiąść do samochodu.

– Pani zawoła psa – poprosił jeden z usuwaczy zwłok. Zjawili się dopiero nazajutrz. – Kręci się, jeszcze mu się co stanie.

– To nie mój pies – oznajmiłam oschle.

Byłam na nich zła, bo od wielu godzin tkwiłam uwięziona w samochodzie.

Facet popatrzył na mnie zdziwiony i poszedł. „Tak, proszę pana – przytaknęłam cicho – oto ja. Zero uczuć. Nie przywiązuję się do swoich bezpańskich psów i martwych krów". Z wielką radością pożegnałam odjeżdżającą ciężarówkę, która odwoziła źródło smrodu w nieznanym kierunku.

Pies miał chyba inne zdanie na ten temat. Podszedł do mnie ze spuszczonym ogonem i popatrzył z wyrzutem.

– To było moje mięso – oświadczył. – Ja je pierwszy znalazłem.

No rzeczywiście! Na pewno niesamowicie trudno było je wytropić.

– Przykro mi, ale nie mogło tu leżeć i cuchnąć.

Lekki wiaterek rozwiał już resztki smrodu. Wciągnęłam do płuc znowu świeże powietrze. Ucieszyło mnie to ogromnie i nawet nie zwróciłam uwagi, że rozmawiam z psem, co było nie tylko nielogiczne, ale w zasadzie niemożliwe.

– Owszem, mogło. Zjadłbym, ile bym mógł, a resztę zakopał. Zakopał!

Niemożliwe, żeby mówił. Znaczy ruszał trochę pyskiem, ale nie tak jak zwierzaki w kreskówkach. To pewnie przez guza. Lekarz mówił, że mogę mieć zaburzenia wzroku. Może i przesłyszenia?

Pies taksował mnie wzrokiem. Wyglądał, jakby się nad czymś zastanawiał.

– Mogę zostać? – zapytał wreszcie. – Łapkę umiem dawać. I robić „zdechł pies". – Na dowód walnął się na grzbiet, podkulił łapki, wywrócił gały i wywalił jęzor. – Do klasycznej pozycji dorzuciłem trochę od siebie, żeby dodać dramatyzmu.

– Super, ale nie rób tego więcej, mam złe skojarzenia – poprosiłam.

Wstał, otrzepał się, machnął ogonem, a potem go spuścił.

– Też myślisz o krowie? – mruknął smutno.

Kiwnęłam głową. Myślałam o sobie, ale nie chciałam o tym rozmawiać z gadającym psem.

Kumpel Guzdrałki zjawił się nazajutrz przed południem. Zatrzymał samochód na drodze i powoli szedł podjazdem.

Można by powiedzieć, że bacznie się rozglądał. Nie nastawiło mnie to do niego pozytywnie.

– Dzień dobry – przywitał się beznamiętnie i powoli skinął głową.

– Dzień dobry – odpowiedziałam chłodno i z dystansem.

– Krowę zabrali? – Upewnił się, choć właściwie nie ulegało to wątpliwości. Świat znowu pachniał wiosną, a nie mięsnym w czasie remanentu.

– Tak – potwierdziłam.

Odruchowo głębiej odetchnęłam.

Zapadło milczenie. On rozglądał się ciekawie dookoła, jakby cisza między nami w ogóle mu nie przeszkadzała. Mnie za to bardzo. I cisza, i jego obecność.

– Myślałem, że już pani wyjechała – powiedział w końcu.

– Nie wyjechałam.

– A kiedy pani wyjeżdża? – inwigilował.

Co za typ! Gdyby nie był policjantem i gdybym się nie bała, że mnie o coś oskarży, kazałabym mu iść do diabła.

– Planowałam zostać tu dłużej. Kilka tygodni – wyjaśniłam.

Popatrzył na mnie przenikliwie. Poczułam się naga i jakoś nie było mi z tym dobrze.

– Proszę mnie źle nie zrozumieć – mówił powoli, nie spuszczając ze mnie wężowego spojrzenia – ale to chyba nie jest właściwe miejsce dla pani.

– Może nie jest, a może jest…

„Ale to nie pańska sprawa" – dokończyłam w myślach.

– Przed czym pani ucieka? – zapytał znienacka i bardzo celnie.

Nerwowo przełknęłam ślinę. Jego bezpośredniość uczyniła mnie bezbronną.

– Nie chcę pana okłamywać – zaczęłam, ostrożnie dobierając każde słowo – ale nie chcę też powiedzieć prawdy, bo to moja osobista sprawa. Musi mi pan uwierzyć, że nie ma w tym nic nielegalnego.

A jeśli uciekam, to przed samą sobą. I nikomu nic do tego.

Uśmiechnął się ciepło. Ze zrozumieniem. Cała ta jego poza służbisty zniknęła. Przez ułamek sekundy czułam, że mogłabym go polubić. Po chwili jednak jego rezerwa wróciła, a wraz z nią moja niechęć.

– To miłe, dziękuję – rzekł chłodno.

– Co niby jest miłe? – Nie zrozumiałam.

– Że mnie pani nie okłamała. Naprawdę chce pani tu zostać?

– Tak – oznajmiłam stanowczo.

W odpowiedzi skinął głową. Postał kilka minut w milczeniu. W końcu powiedział „do widzenia" i oddalił się równie powoli, jak przyszedł. Denerwowały mnie jego spokój i opanowanie. Gdybym miała nóż, wbiłabym mu go w plecy.

Niedługo po jego odejściu zameldował się pan Stanisław. Zirytowałam się, bo po wizycie policjanta nie miałam ochoty z nikim gadać.

– A co tam u panienki? – zapytał przyjaźnie.

– Dobrze, dziękuję – odpowiedziałam grzecznie, jak na panienkę przystało.

– Pan Andrzej prosił zajrzeć, zapytać, czy pomóc nie trzeba.

– Nie trzeba! – burknęłam.

Stwierdziłam, że pan Andrzej chyba lekko przekracza granice. Nie dość, że dozór policyjny, to jeszcze straż sąsiedzka.

– Mleka przyniosłem i jajek – rzekł sąsiad.

Wzięłam od niego wytłaczankę z jajkami i mleko w butelce po oranżadzie i zaniosłam do samochodu.

Chłopina stał zasępiony, rozglądając się niepewnie. Podeszłam do niego, ale nie bardzo wiedziałam, o czym mogłabym z nim rozmawiać. Podziękowałam za dary i czekałam, bo teraz przyszła kolej na niego, żeby coś powiedzieć.

– Pan Andrzej mówi, że serce się kraje patrzeć, jak taka piękna kobieta w takiej ruinie koczuje. – Mówił jakby do siebie, smutno kiwając głową. – I to jest fakt.

Kiedy to usłyszałam, poczułam, że we mnie, w środku, dzieje się coś dziwnego.

– Mówił, że panienka nijak jechać nie chce i że trza panience jakoś pomóc, bo jemu się widzi, że panienka od chłopa uciekła.

Prychnęłam i pomyślałam, że jeśli wszyscy policjanci są tak błyskotliwi, to wysoki poziom przestępczości już mnie nie dziwi.

– Jestem panną – usłyszałam swój dziwny, jakiś piskliwy głos. Nerwy.

– A bo to dziś trzeba być mężatką, żeby od chłopa uciekać? – zapytał retorycznie. – Po południu zajdziemy z Zygmuntem, zobaczymy, co się da zrobić.

– Nic nie trzeba – rzuciłam twardo.

A potem zaczęłam płakać.

Myślałam, że pan Stanisław się odwróci i odejdzie, zawstydzony moim zachowaniem. Ale zamiast tego mnie objął. Powiedział: „Już dobrze, dziecko", a z kieszeni wyciągnął pomiętą chustkę do nosa. Przypomniałam sobie, że tato nosił taką samą i identycznym gestem ją wyjmował, żeby otrzeć dziecięce łzy nad rozbitym kolanem. I już nie mogłam. Nie dałam rady pohamować żalu.

– Proszę, niech pan idzie – załkałam, kiedy uspokoiłam się na tyle, że odzyskałam głos. – Ja posprzątałam... Da się mieszkać... tylko piec się popsuł... i... herbaty...

– Po obrządku zajrzymy z Zygmuntem. Dobrze będzie – zapewnił szczerze i poszedł.

Spazmy długo jeszcze wstrząsały moimi ramionami. Nienawidziłam pana Andrzeja.

– Miły człowiek – powiedział pies, patrząc za panem Stanisławem. – Mleka mi przyniósł. Ja mleka dawno nie piłem, a lubię.

Mogłam albo jeszcze się nad sobą poużalać, albo dać psu jeść. Wybrałam to drugie.

Zgodnie z zapowiedzią pan Stanisław zjawił się około drugiej. Zielony traktor, terkocząc wesoło, wjechał na podwórko, niszcząc przy tym moją plantację pokrzyw wielkimi kołami. Z kabiny najpierw wygramolił się pan Stanisław, a zaraz potem jego młodsza o dwadzieścia lat kopia. Kopia, zwana dalej Zygmuntem, zmierzyła mnie ciekawym spojrzeniem, bez słowa skinęła głową i zapaliła papierosa.

— No to się bierzem do roboty — powiedział sąsiad, ale nie wiem, czy do mnie, czy do syna.

No i zaczęli łazić, coś mówić, radzić się i pokrzykiwać. Pies i ja skołowani schodziliśmy im z drogi.

— Panienka przyjdzie! — zawołał Zygmunt, co mnie ubawiło, bo wyglądał na młodszego ode mnie.

Stali obaj przy piecu, w którym pod blachą trzaskał wesoło ogień. Wyglądali na mocno czymś ubawionych.

— Piec, jak widać, działa. Niepopsuty — poinformował mnie pan Stanisław, a Zygmunt się zakrztusił. Ojciec zgromił go wzrokiem. — Ty się, matole, nie śmiej. Panienka z miasta, skąd miała wiedzieć. Szybry trza było wyregulować — zwrócił się do mnie. — O, tu se, panienka, reguluje, cug jest, to się pali. Ja znałem tego, świętej pamięci, zduna, co ten piec stawiał. On może jeszcze i sto lat służyć.

Kiwnęłam głową, choć nie byłam pewna, czy zrozumiałam choć połowę.

— Ale jakby panienka chciała mojej rady, to do miasteczka trzeba skoczyć, do Waldka Pieprza. Kupi se panienka butlę i kuchenkę taką na trzy palniki. To drogo nie kosztuje. Na wypłat można wziąć.

Spojrzałam ze zdziwieniem.

— Na raty — przyszedł mi z pomocą Zygmunt.

— Toż mówię — zirytował się pan Stanisław. — Podjedzie se, panienka, a my tu z Zygmuntem podziałamy.

No to pojechałam. W miasteczku kupiłam sobie kuchenkę. I olbrzymią butlę z gazem. Przez chwilę się zastanawiałam, czy jest szansa, że zanim umrę, wysadzę się w powietrze. Kupiłam też masę świeczek i lamp naftowych. Wielką plastikową misę do mycia i mniejszą na zlew. Ale najbardziej zadowolona byłam z materaca. Tak wypchałam samochód, że ledwo się do niego zmieściłam. A kiedy wróciłam, aż oczy przetarłam ze zdziwienia. To znaczy dom dalej wyglądał jak ruina. Ale okna się zamykały, w piecu się paliło, a ściany pobielone wapnem z lakmusem przypominały niebo. A Zygmunt piłą mechaniczną dorzynał resztki wszechobecnego dzikiego bzu.

– Jak ja się wam odwdzięczę? – zapytałam pana Stanisława, ale on tylko machnął ręką.

– Głupio wyszło, że my tak sami z siebie o panienkę nie zadbali. Przed panem Andrzejem wstyd – wyznał skruszony.

– Andrzej już taki jest. On na ludzkie nieszczęście bardzo wrażliwy. Taki weterynarz to skarb – zauważył Zygmunt i była to najdłuższa jego wypowiedź, jaką słyszałam.

Ojciec przyznał mu rację skinieniem głowy.

„Więc to wścibski weterynarz, a nie policjant! Jak się zjawi następnym razem, to wcale nie będę z nim gadać – postanowiłam. – I jeszcze psem poszczuję. Bo teraz mam psa".

Mężczyźni postali jeszcze chwilę w milczeniu, paląc papierosy, po czym załadowali się do traktora i pojechali.

Pomachałam im ręką, kiedy traktor zjeżdżał z podjazdu na drogę. Pies pobiegł za nimi jakieś sto metrów. Wrócił, dysząc ciężko.

– Jemy coś? Jemy? – zapytał.

Nasypałam mu karmy do miski.

– Co to? – Obwąchał nieufnie.

– Karma. Byłam w sklepie, to ci kupiłam.

– Dziwne. – Dalej węszył ostrożnie. – Ty to jesz?

– Nie.

– Jasne – rzucił z przekąsem, łypiąc to na mnie, to na miskę.

– Jak sobie chcesz. To karma dla psów. Psy to jedzą.

– Jakieś durne chyba. – Znowu zbliżył nos do miski. – Suche to… Może mi wodą polej czy coś.

– Nie chcesz, nie jedz. – Wzruszyłam ramionami.

Pies się nie odezwał, tylko zrobił wielkie mokre oczy, a kiedy to nie podziałało, wziął jeden kawałek karmy, zaczął gryźć z trudem i spróbował przełknąć, ale zaczął się krztusić. Poddałam się i usmażyłam mu jajecznicę. To znaczy nam obojgu, ale on zjadł większą część. Popił mlekiem, przeprosił się z karmą i w końcu, pękaty jak balonik, ułożył się do snu na słomiance w sieni.

Ja siedziałam na progu, patrząc na szare wieczorne niebo. W piecu ciągle płonął ogień. Zapaliłam też lampę. Zrobiło się cicho i spokojnie. Odzyskałam wewnętrzną równowagę. Po raz pierwszy od wielu dni.

Wtedy zobaczyłam jego. Po swojemu powoli szedł podjazdem. W mroku wydawał się jakiś drobniejszy niż zwykle. Kiedy podszedł do mnie na dwa kroki, wstałam. Nie chciałam patrzeć na niego z dołu. W ogóle nie chciałam na niego patrzeć.

– W czym mogę pomóc? – spytałam tak chłodno, że powinien się zatrząść z zimna.

– To zabawne, ale przyjechałem o to samo zapytać – rzekł, niezrażony moim nieuprzejmym tonem. – Jakby pani czegoś potrzebowała, to proszę dzwonić. – I podał mi mały kartonik. Obróciłam go w palcach, ale było zbyt ciemno, żebym mogła przeczytać. – Andrzej jestem. – I wyciągnął rękę, którą ledwo musnęłam, przekonana, że jeszcze przed chwilą tkwiła w krowim zadku.

– Proszę mi mówić Jaga – powiedziałam.

Powtórzył cicho moje imię, jakby chciał się go nauczyć na pamięć.

– Pies został? – zapytał.

– Został. – Na moje nieszczęście.

– Jeśli pani pozwoli, wpadnę któregoś dnia i go zaszczepię.

Łaskawie skinęłam głową. Czekałam, co teraz nastąpi, ale nic się nie stało. Pożegnał się i poszedł. Niestety, zabrał mój spokój ze sobą.

Mimo że wieczorem kładłam się rozdrażniona, to w domu, na materacu naprawdę wypoczęłam. Po nerwowych nocach w Warszawie i tych tu, spędzonych w samochodzie, po raz pierwszy zasnęłam głębokim, krzepiącym snem. I nad ranem wcale nie chciałam go przerywać mimo dzikich odgłosów dochodzących z podwórka. Poddałam się dopiero, kiedy mokry okład z jęzora wylądował na mojej twarzy. Niechętnie otworzyłam jedno oko. Podekscytowany pies biegał dookoła łóżka.

– Zbudź się! – zakomenderował. – Musisz mi pomóc.

– W czym? – zapytałam, niezbyt zaciekawiona. Chciałam spać dalej.

Pies przysiadł. Jego ogon miarowo walił o podłogę.

– Nic takiego, po prostu go zdejmiesz – wyjaśnił. Po czym zerwał się i znowu zaczął krążyć. – Chodź już, chodź, bo nam ucieknie. – I wybiegł na dwór.

Niechętnie wygrzebałam się z pościeli, wstałam i poszłam za nim. W dzień wolny wstaję przed siódmą i idę za gadającym psem... Nawet mnie trudno w to uwierzyć.

– Tu jest, tu! – Pies stał oparty przednimi łapami o pień drzewa. – Zdejmij go, zdejmij!

Podeszłam do niego i popatrzyłam w górę. Wysoko w gałęziach siedział kot. Dość duży, choć wychudzony burasek. W jego złocistych oczach widziałam prawdziwe przerażenie.

– On się boi, zostaw go – powiedziałam do psa.

– Ma się bać. Zaraz umrze. Rozerwę go na kłaki! – Rozentuzjazmowany pies biegał dookoła drzewa.

– Nikogo nie będziesz rozrywał. Zostaw. Bądź rozsądny! – rozkazałam.

Pies spojrzał na mnie z politowaniem.

– To, że mówię, nie znaczy, że przestałem być psem. – I kontynuował rozpaczliwe próby wejścia na drzewo.

Wzruszyłam ramionami, wyrażając lekceważenie dla całej sprawy, i już zamierzałam odejść, gdy...

– Jak wszem wiadomo, psy to idioci – odezwał się kot.

– Tylko nie idioci! – zirytował się pies. – Poczekaj, jak zleziesz, to zobaczysz, ty kupo futra!

– Pozwolę sobie zauważyć, że acan sam jesteś kupą! – Kot zachichotał złośliwie.

Próbowałam zebrać myśli i zdecydować, czy mam się dziwić, że kot mówi, czy uznać, że to normalne, bo jedna fantazja goni drugą? Jednak kocio-psia przepychanka słowna uniemożliwiała dochodzenie do logicznych wniosków.

– Cisza! – krzyknęłam w końcu. Zamilkli. – Nie będzie spokoju, nie będzie żarcia.

– Jeśli można… – zaczął kot.

Przestał mówić, gdy zgromiłam go wzrokiem.

– Ty, psie, ani mi się waż ruszyć kota – nakazałam. – A ty – zwróciłam się do kota – nie drażnij psa. A jak będziesz się wymądrzał, to osobiście kłaki ci powyrywam. Teraz idę spać i ma być cisza.

I poszłam. W czasie kiedy ja próbowałam wrócić w objęcia Morfeusza, zwierzęta wypracowały kompromis. Przy śniadaniu grzecznie żarły karmę z jednej miski.

Siedziałam przy stole nakrytym nową ceratą i cieszyłam się poranną kawą z mlekiem. Zwierzaki zadowoliły się mlekiem bez kawy.

Drzwi wejściowe skrzypnęły, w sieni zaszurało i do kuchni wgramoliła się Śliwowa. Zlustrowała wnętrze wzrokiem członka inspekcji sanitarnej. W każdy kąt zajrzała. Jakby kogoś szukała.

– Weterynarz, widziałam, zachodził – zaczęła rozmowę.

– Zachodził. – Odruchowo postawiłam kubek na wizytówce, która leżała na stole od wczoraj.

Powinnam była ją wyrzucić. Telefon rozładował mi się jakiś czas temu, więc i tak nie mogłam zadzwonić. To znaczy nie miałam zamiaru, oczywiście.

– A czego chciał? – kontynuowała śledztwo babina.

– A tego samego co pani – odpowiedziałam ze stoickim spokojem.

Porozglądała się jeszcze. Połaziła po domu.

– Ładnie tu teraz masz – przyznała w końcu.

– Tak. Pan Stanisław dużo mi pomógł. – Musiałam wyrazić wdzięczność, jaką do niego czułam.

– Taaaa. Stasiek. Tyle lat, a on, patrz się, nie zapomniał.

– Śliwowa westchnęła nostalgicznie.

– O czym? – zainteresowałam się niepotrzebnie.

– A o twojej matce. – I widząc mój zaskoczony wyraz twarzy, kontynuowała: – Mnie się widzi, że on to wszystko przez wzgląd na Maryśkę robi.

Odsunęła sobie krzesło i usiadła przy stole. Popatrzyła znacząco na mój kubek. Wstałam, żeby zaparzyć jej kawy. Zapowiadało się, że trochę posiedzi.

– Stasiek i Maryśka od dziecka jakoś tak mieli się ku sobie – zaczęła opowieść. – Moje jeszcze malutkie były, jak oni już ze sobą po wsi latali. Czasem Maryśkę zawołam, żeby mi dzieciaków przypilnowała, jak w pole szłam czy co. To zaraz i Staś przyleciał i tak pyta: „Śliwowo, a żonka moja to u was jest?". Uciechy z nich było co niemiara. – Zaśmiała się charkotliwie. Po chwili kontynuowała, już poważnie: – Ale oni jak podrośli, to dalej za sobą byli. Staremu Kowalczykowi, znaczy dziadkowi twemu, to się i podobało. Stach był robotny. A i biedny nie był. Ich tam w domu trzech było, ale pola mieli dziesięć hektarów, było się na czym dorabiać. A matka twoja jedynaczka. Dobrze by im było. Ale stara Kowalczykowa, babka twoja znaczy, jakoś tak była na przekór. Bo Marysia ładna i zdolna, uczyć ją chciała. Koniecznie, żeby Marysia do miasta szła. No i poszła, a jak wróciła, to już odmieniona. – Śliwowa znacząco poklepała się po brzuchu. – Stasiek to taki głupi był, że by i z brzuchem ją wziął, i całe życie nawet nie pisnął, że bastruka hoduje. Ale tak, nie tak, pojechali Kowalczyki do miasta, do tego kawalera, ojca twego znaczy. Powiedział, że się ożeni. Z nim coś tam było nie tak od początku, bo jak z tych niby to zrękowin wrócili, to Kowalczyk płakał. Ot tak, na progu przysiadł, jak dziś to pamiętam. Bo to ja do nich akurat zaszłam, ale za czym, to nie pamiętam. Patrzę, a on płacze. To się pytam: „A co to się stało, że Kowalczyk płacze?". A on mi na to: „To ja nie wiem, czy nad moją durną babą płaczę, czy nad moją biedną Marynią". Zgryzotę taką miał. Żarła go, aż zeżarła na koniec. A ty dziadka swego pamiętasz?

Kiwnęłam głową.

– Młody chłop był, pożyć jeszcze mógł. Kowalczykowa inaczej znowu. Ona się tego zięcia nachwalić nie mogła, że taki niby to kształcony. Ja tam nie wiem. Raz czy dwa go na oczy widziałam, grzeczny, nie powiem. Ale tak, żeby pogadać, to nie da rady. Nic nie zrozumiesz. Jakby po niemiecku gadał. Pieniądze miał, to widać było, po Maryśce głównie, bo panią się zrobiła. Tylko szybko się jej to paniowanie skończyło. Ja pamiętam, jak ona tu wtenczas przed wypadkiem przyjechała. Własne auto miała. To u nas na wsi jeden gospodarz miał auto. Pamiętam, jak one się z Kowalczykową kłóciły. Tu na wsi wszystkie pamiętają. Tak się darły, że w najdalszej chałupie każdziusieńkie słowo słychać było. Powinna ją była Kowalczykowa zatrzymać. Potem ona do mnie mówiła: „Powinnam była Marysię zatrzymać". Ale kto to mógł wiedzieć? Daleko nie zajechała. Ot i tak się to wszystko skończyło. Jeszcze ojcu twemu nie pozwoliła jej w tej całej tam Warszawie pochować. „Kto tam zajrzy do niej?" – mówiła. A tu kto? Jak się sama stara za dwa lata zabrała z tego świata. Jakby nie Stach, toby w pokrzywach po pas leżeli. Czasem Stachową kobitę spotkam, jak tam u nich na grobie sprząta, to jej mówię: „A wam to nie przykro, że on tyle lat pamięta?", a ona na to: „A co ma być przykro? Mój chłop dobry, a o grób zadbać obowiązek i chrześcijański, i sąsiedzki". Taka to porządna ta Stachowa kobita. A jak tam zajdę, to zawsze herbaty zrobi i poczęstuje, czym tam ma nagotowane. U nich jedzenia w bród. A jak w chałupie mają, to może sam minister tak nie ma. Tak se myślę, że z Maryśką to by Stach tak nie miał...

Myślałam, że to już koniec. Jednak Śliwowa tylko przerwę zrobiła, łyknęła kawy i mówiła dalej:

– A z twoją babką, to ja nie wierzę, żeby to rak był. Bo to mówili, że ona na raka chorowała. Ale to się na raka tyle choruje? Rak raz-dwa zżera. Miesiąc, dwa i po człowieku. Wiem, co mówię. Mieszkała na sąsiedniej wiosce jedna taka kobita, my się z kościoła znały. Ale tak coś jej nie widuję, to pytam innej kobity z ich wioski, co u tamtej, a ona mi na to: „Pani, toż już dwie niedziele, jak ją pochowali". Jajka zbierała, a na nosie miała taką jakby brodawkę. Kura wzięła i ją w to dziobnęła. Sprzeciwiło się i nawet ratunku dla kobity nie było. Tak to z tym rakiem. Na niego nawet ziela nijakiego nie ma. A ty co tak posmutniała? To stare dzieje są. Ot, posłuchać można, ale żeby sobie głowę zawracać, to nie ma czym.

Powzdychała jeszcze trochę, kawę dopiła i niechętnie poszła. Chyba miała nadzieję, że poproszę, aby została. Nie chciałam jednak jej towarzystwa. Chciałam, jak by to powiedziała Śliwowa, zostać sama z moim frasunkiem.

Tej nocy długo nie mogłam zasnąć. Przewracałam się z boku na bok. Robiło mi się na zmianę albo za zimno, albo za gorąco. Kiedy w końcu zapadłam w sen, okazał się mulisty i męczący. Lepiej byłoby już nie spać, ale teraz nie mogłam się obudzić. Brnęłam więc w ten dziwny majak. Śniło mi się, że biegłam najpierw szybko, potem coraz wolniej. Wokół mnie było ciemno, a w tej ciemności coś się czaiło, coś złego. Musiałam uciekać, ale nie dawałam rady. Przewracałam się, spadałam. Upadłam na ziemię. Na coś ciepłego i miękkiego. Przytuliłam się do tego czegoś, bo dawało poczucie bezpieczeństwa. „Juuuż dobrze" – usłyszałam aksamitny głos w ciemności. Wtedy zrobiło się jasno. Zobaczyłam, że leżę na krowich zwłokach. Właściwie nie zwłokach, bo krowa podnosiła do mnie łeb z koszmarnie wywalonym jęzorem i mówiła: „Juuuż dobrze". Potworny krzyk, który usłyszałam, mnie obudził. To był mój krzyk. Usiadłam na łóżku. Trzęsłam się, zlana potem. Pies stał oparty przednimi łapami o łóżko. Przyglądał mi się z zaciekawieniem.

– Śniło ci się coś? – zagaił. Skinęłam głową. – Mówią, że pierwszy sen na nowym miejscu się spełnia – dodał.

– Ten już się spełnił – rzuciłam z przekąsem. – Śniła mi się zdechła krowa.

– Wyrzuty sumienia, normalna sprawa.

– Muszę wam nadać imiona – poinformowałam zwierzaki.

Siedzieliśmy wszyscy w cieniu pod drzewem. Rano wyniosłam tu stół z pokoju, bo po co mi dwa stoły w domu?

Tylko zajmują i tak małą przestrzeń. Chciałam pozbyć się tego z kuchni, ale nie mieścił się w drzwi. Pewnie postawili go tam, zanim wybudowali dom. Teraz mogłam jeść posiłki na dworze. I pić tu kawę, rozwiązując krzyżówki.

– Ja już mam – poinformował mnie pies. – Nazywam się Pies.

Kot prychnął lekceważąco.

– Ja również imię zaposiadam, lecz moje prawdziwe jest. Zwę się Behemot.

Tym razem pies zachichotał, a ja popatrzyłam na kota, próbując dociec, czy mówi poważnie, czy żartuje. Trudno odczytać emocje z kociego pyszczka, ale chyba mówił serio.

– Zapomnij! – zaoponowałam. – Musisz mieć jakieś normalne, kocie imię.

– Azaliż Behemot kocie jest – upierał się kot.

– Może – przyznałam niechętnie. – Ale nie w tej bajce.

– Pozwolę sobie zaproponować Belzebub? – zaryzykował kot.

Pies tak się śmiał, że aż przewrócił się na grzbiet i machał łapkami.

– Nic na B – stanowczo oświadczyłam kotu.

– To może Schrödinger? – zaproponował pies.

Własny dowcip wywołał u niego kolejny atak śmiechu. Z ogromnej wesołości zaczął się tarzać.

Kot wskoczył na stół. Usiadł naprzeciwko mnie i nasze oczy znalazły się na tym samym poziomie.

– Pozwól wyjaśnić sobie kwestię imion dla zwierząt. – Mówił wolno i wyraźnie, żebym dobrze go zrozumiała. – Otóż kot, sam zwierzęciem dostojnym będąc, musi mieć imię dostojne. Na przykład Koloseum ze wszech miar jest odpowiednie. Może niezbyt praktyczne, ale to nie ma znaczenia, i tak używanym nie będzie. Nie wołasz kota, bo kot sam przychodzi, gdy uzna to za stosowne.

Pies przestał chichotać, wstał, podszedł i położył mi łeb na stopach.

— Natomiast imię dla psa musi być krótkie, tak jak psia pamięć. I łatwe do wypowiedzenia, bo w użyciu dziennym będzie i sto razy.

Psia warga zafalowała lekko. Poklepałam go uspokajająco po głowie. Na szczęście to ja decyduję.

— Ty będziesz Azorek — powiedziałam do psa. — A ty Mruczek.

Kot omal ze stołu nie spadł z oburzenia.

— Miejże litość! Tylko nie owo pospolite Mruczek. Proooooszę! — miauknął.

Kot „ze wszech miar" podkreślał swoją wyższość nad nami i z czystej złośliwości nazwałabym go Mruczkiem. Na kocie szczęście pies przyszedł mu z pomocą.

— Może Maurycy? — zaproponował.

Kot popatrzył na niego z uznaniem i kiwnął łebkiem na zgodę. Wyglądało mi to na początek wielkiej przyjaźni.

— Niech będzie — zgodziłam się. — No to chrzciny mamy za sobą. Przyniosę mleka, musimy to uczcić.

Siedzieliśmy sobie w cieniu, pili mleko, a ptaszki nad nami nuciły *Yellow Submarine*.

Najtrudniej ze wszystkiego było zapanować nad myślami. Strumień świadomości cały czas skręcał w niewłaściwą stronę. A to wywoływało emocje, których nie mogłam, nie potrafiłam okiełznać. A przecież przez tyle lat mi się to udawało. Bez jogi i tych bzdur. Zero ekspresji, nerwów, porywów serca. Teraz było zupełnie inaczej. Miałam masę emocji. Same emocje. Płakałam i ściskało mnie w gardle. Mdliło mnie. To było okropne. Dobrze, że postanowiłam przejść przez to wszystko sama. Nie będzie żadnych świadków mojego upokorzenia.

Ten dzień był jakiś trudniejszy. Od rana nie mogłam się na niczym skupić. Wyniosłam na dwór miskę z rzeczami do prania, ale ją zostawiłam, bo przecież nie można prać w zimnej wodzie. Wróciłam do domu, żeby podgrzać wodę, i wtedy uświadomiłam sobie, że muszę ją najpierw przynieść ze studni. Cokolwiek zaczynałam, napotykało jakieś trudności. Na dodatek przez cały czas pod moimi nogami plątał się pies. Jakby mu zupełnie nie przeszkadzało, że ciągle na niego wpadam, potrącam go i klnę za każdym razem, kiedy się o niego potykam.

Byłam w trakcie miotania się po podwórku i bicia się z destrukcyjnymi myślami, kiedy przyjechał weterynarz.

– Jestem, jak obiecałem – przywitał się.

Nie pamiętałam, żeby cokolwiek mi obiecywał, a nawet gdyby, nie miałabym mu za złe, gdyby nie dotrzymał słowa. Chyba wyczytał moje myśli z twarzy, bo wytłumaczył:

– Psa przyjechałem zaszczepić. Na wściekliznę. To obowiązkowe – dodał.

Zrozumiałam, że choć nie czuję się posiadaczką psa, mogę być winna jego złych uczynków.

– Dobrze – zgodziłam się. – Skoro trzeba.

Weterynarz skinął głową, że tak. I rozejrzał się po podwórzu.

– A gdzie jest mój pacjent? – To chyba miał być żart, ale jakiś nieśmieszny.

Pies, który jeszcze chwilę temu znajdował się tuż obok, jakby wyparował. Zagwizdałam, bez odzewu. Nastąpiła pełna niezręcznego milczenia chwila.

– No, skoro go nie ma, to wpadnę później – zapowiedział weterynarz.

– Nie mam pojęcia, gdzie się podział. Chyba się do mnie nie przywiązał. Ale będę pamiętała, że trzeba go zaszczepić.

Twarz weterynarza niespodziewanie rozjaśnił uśmiech. Patrzył rozradowany na coś za moimi plecami. Odwróciłam się. Chciałam powiedzieć coś grzecznego, coś w stylu: „No proszę, pacjent się zjawił", ale zamiast tego warknęłam: „Ty pieprzony kundlu!", bo nagle do mnie dotarło, co ta bestia robi. Rzeczony kundel podrzucał coś, szarpał i miętosił radośnie. Przez ułamek sekundy zastanawiałam się, co to też może być, ów strzępek materiału, jakby koronki różowej. A potem zrozumiałam, że to moje majtki. Weterynarz się śmiał. Ja kipiałam z gniewu. Rzuciłam się na psa. Chciałam najpierw odebrać mu zdobycz, potem życie. Bestia, zajęta zabawą, nie podejrzewała morderczych zamiarów, aż do chwili gdy moja ręka prawie dotknęła jej karku. Wtedy zerwała się, zaskomlała przeraźliwie i uciekła w krzaki z majtkami w pysku.

Andrzej zwijał się ze śmiechu.

– Dziś to raczej go nie złapiemy – wysyczałam czerwona ze złości i wstydu.

W tej chwili to ja potrzebowałam szczepionki na wściekliznę.

Weterynarz z trudem się pożegnał i odjechał ubawiony, ze łzami w oczach. Miałam nadzieję, że nie był to najzabawniejszy dzień w jego życiu.

Zdradziecka kreatura pojawiła w porze kolacji. Z pyska zwisała mu różowa nitka.

– Myślisz, że co? Że teraz żreć ci dam? – spytałam ostro, żeby zrozumiał, jaka jestem zła. – Podły kundlu! Co ci strzeliło do głowy, żeby latać po podwórku z moją bielizną?

Pies milczał.

– Co masz na swoje usprawiedliwienie?

– Wiesz, że psy nie mówią? – bezczelnie odpowiedział pytaniem na pytanie. – Poza tym ta rzecz dobrze pachniała.

Przeżyłam w swoim życiu kilka upokorzeń, ale to okazało się najgorsze. Nienawidziłam weterynarza.

Dzień był upalny. Tak to się jakoś porobiło. W maju upały, w czerwcu ulewy, a w lipcu wrzesień. Siedziałam na progu, opalałam nogi, czytałam kolorowy tygodnik dla kobiet i sączyłam mrożoną herbatę. Dzień wcześniej dokonałam genialnego odkrycia – jeśli do butelki przywiąże się długi sznurek, to można ją spuścić do studni. Wyciągnięty po jakimś czasie napój ma temperaturę jak prosto z lodówki. Naprodukowałam więc sobie masę orzeźwiającej *ice tea*.

Pies trochę się kręcił koło mnie, ale w końcu zmordowany poszedł spać w cień pod śliwę. I tylko kota cieszyła tropikalna temperatura. Leżał rozciągnięty tak, żeby jak największą powierzchnią chłonąć promienie słoneczne, a ja zastanawiałam się, czy możliwe jest, żeby się zapalił.

Urok tego idealnego dnia popsuło pojawienie się weterynarza. Jak zwykle przyjechał sprawdzić, czy u mnie wszystko w porządku. Oczywiście, że w porządku. Dom nie spłonął, mimo że paliłam w piecu. A od wczoraj piłam mrożoną herbatę, mimo że nie miałam lodówki. Poza tym umieram i trudno byłoby sobie wyobrazić gorszą rzecz, jaka mogłaby mnie spotkać. Więc mógłby się uprzejmie odwalić i przestać mnie kontrolować, szpicel jeden. Chciałabym mieć cywilną odwagę i powiedzieć mu to na głos, a nie wyżalać się później przed psem.

– Może mrożonej herbaty? – zaproponowałam grzecznie.

– Chętnie. – Skinął głową i się uśmiechnął.

Poszłam do domu po czyste szklanki. Nalałam do nich bursztynowego napoju, a te prawie natychmiast pokryły się nalotem. Podeszłam do weterynarza i podałam mu herbatę. Pił z wyraźnym zadowoleniem. Skończył, zanim ja zdążyłam wziąć dwa łyki.

Chciał podziękować, ale nie zdążył, bo zaczęły się dziać rzeczy, które nie powinny. Pies, do tej pory śpiący twardo jak kamień, nagle z dzikim jazgotem rzucił się na kota. Maurycy zerwał się, wygiął grzbiet, groźnie prychnął i idąc za podszeptem instynktu, rozejrzał się za czymś, na co mógłby się wspiąć. Tak się składa, że akurat znalazłam się najbliżej i z jakiegoś powodu głupi kocur uznał, że moja noga jest odpowiednio bezpiecznym miejscem. Wrzasnęłam przeraźliwie, gdy jego pazury zrobiły dziury w moim udzie. Niewiele myśląc, bo w takiej sytuacji raczej nie ma czasu na dogłębne analizy, skierowałam na kota jedyną broń, jaką dysponowałam – strumień zimnej herbaty. Tyle że kot, jakby przeczuwając, co się stanie, odczepił się i ruszył w kierunku sadu, a napój wylądował na głowie weterynarza, który ułamek sekundy wcześniej pochylił się, żeby siłą oderwać zwierzaka od mojego ciała.

Teraz się wyprostował, a ciecz spływała z jego włosów.

– Przepraszam – miauknęłam.

– Mam wrażenie, że od dawna chciała pani to zrobić – powiedział tak chłodno, że można by zmrozić herbatę jego słowami.

– Przyniosę ręcznik – zaproponowałam pojednawczo.

– Nie trzeba. – Chwycił koszulkę na plecach, zdjął ją, zwinął i użył do wytarcia głowy.

Ja w tym czasie gapiłam się na jego nagi tors. W głowie miałam jedno wielkie „łał!", migające na czerwono. Przemknęło mi przez myśl, że muszę jeszcze raz przeczytać *Kochanka Lady Chatterley*, bo właśnie zyskałam świeże spojrzenie. Z wrażenia zaschło mi w gardle.

Właśnie kropla herbaty spłynęła z jego włosów na szyję, potem przez wysklepienia piersi i kaloryfera, aż do pępka. Śledziłam ją wzrokiem jak zaczarowana.

– Co? – zapytał Andrzej.

Chciałam odrzec coś elokwentnego, ale powiedzenie czegokolwiek przekraczało w tej chwili moje możliwości. Dolna szczęka zrobiła się jakaś sztywna i nieruchliwa. Gdzieś poza świadomością mózg wysłał sygnał do ręki, a ta się uniosła i dotknęła koniuszkami palców miejsca na jego szyi, w którym krople zaczynały swoją podróż. Widząc, co robię, szybko cofnęłam dłoń. Na opuszkach pozostało palące uczucie ciepła.

Andrzej przyglądał mi się przenikliwie. Zawstydzona odwróciłam wzrok. Kilka metrów ode mnie pies obskakiwał drzewo, na którym siedział kot, ostentacyjnie wylizujący swoje jądra.

– Może chce pan wody? – zapytałam.

– Nie, dziękuję. Już się wystarczająco napiłem – odparł.

I poszedł sobie, zostawiając mnie z tym czymś palącym w środku.

Wieczorem pies i kot, pijąc mleko, o czymś między sobą szeptali. Zaintrygowało mnie to i przystanęłam posłuchać.

– Ale dlaczego poszło nie tak? – zastanawiał się Azorek.

– Konceptu nie mam. Wszak plan dobry był – stwierdził Maurycy.

Nagle zorientował się, że nie wyszłam, i prychnięciem dał psu znak. Rozmowa skończona.

Męczyło mnie to, więc nazajutrz wezwałam ich na dywanik.

– No dobra, chłopaki, obiecuję, że nie będę zła – zapewniłam. – Który wpadł na pomysł tej wczorajszej akcji?

– Żaden – odpowiedzieli zgodnie.

– Powiedzcie prawdę, bo inaczej nie dam wam kolacji – zagroziłam.

– Azaliż prawda to – zapewnił kot.

– To prawda, prawda – potwierdził pies. – To nie my, tylko ta mysz.

Maurycy syknął na niego, ale za późno. Usłyszałam.

– Jaka mysz? – zapytałam łagodnie.

– Ta, co ją Maurycy chciał zeżreć. A ona wtedy w płacz, że niby dzieci ma i jak Maurycy jej nie zeżre, to ona mu zdradzi tajemnicę. Tajemnicę – podkreślił.

– Było, jak pies raczy powiadać – potwierdził Maurycy. Stracił już zainteresowanie sprawą i lizał sobie łapkę.

– A co to za tajemnica? – drążyłam.

– Nic wielce istotnego, czcze mysie gadanie – odmruknął, nie przerywając wieczornej toalety.

Odniosłam wrażenie, że stara się ukryć prawdę, gdy tymczasem Azorek, który był chodzącą szczerością, aż trząsł się z niecierpliwości, żeby mi wszystko wyjawić.

– Twierdziła, że obserwuje cię, odkąd tu jesteś. I poznała twój sekret – wyrzucił z siebie w końcu i aż sapnął z ulgi.

Pomyślałam, że mysz wie o raku. Moja chęć ukrycia choroby przed wszystkimi, nawet zwierzętami, była trochę absurdalna.

– A ten sekret to… – kontynuował Azor, wyraźnie ignorując znaczące sykania Maurycego – …że podoba ci się weterynarz. Czuje w powietrzu tyle feromonów, że aż trudno oddychać, i trzeba was jakoś wepchnąć na siebie, to pójdzie już z górki. Tylko że ty zaczęłaś krzyczeć i Maurycy się przestraszył.

Wypuściłam z siebie nadmiar powietrza.

– A ta mysz to też mówi? – zapytałam.

Maurycego: „Skąd, wszak to tylko głupia mysz" i Azora: „Oczywiście" padły jednocześnie.

– Dawać ją tu! – rozkazałam. „Powiem jej, co myślę. Nie będzie mi się stworzenie, które nie ma nawet pięciu centymetrów, wtrącać w moje prywatne sprawy, knuć za plecami i namawiać przyjaciół do zdrady" – postanowiłam.

Popychana delikatnie łapą przez Maurycego mysz stanęła przede mną na stole. Wbrew moim oczekiwaniom nie przypominała Pani Tyciej Myszki. Żadnego zabawnego staroświeckiego fartuszka. Po prostu mała szara mysz, którą strach paraliżował tak, że wyglądała prawie jak martwa.

– Mam prośbę… – zaczęłam groźnie.

– Ja też. – Mysz stanęła słupka. Jej wąsiki ruszały się szybko, a czarne jak węgiel oczka przyglądały mi się ciekawie. – Nie kupuj więcej tego sera z niebieskim. Bo ja teraz młode karmię, a on mi szkodzi na mleko. Małe potem kolki dostają. W nocy zamiast spać, piszczą. Muszę im brzuszki lizać, noc zarwana i depresja poporodowa gotowa. A jak ma się depresję, to można pokarm stracić czy coś, to poważna sprawa. Okruszki z bułki są dla mnie najlepsze. I mogą być ziarna, byle nie strączkowe, kolka, sama rozumiesz. To jeszcze z tydzień potrwa, potem już niech sobie same radzą. Wiesz, ja się już nie mogę doczekać. Jak pójdą z gniazda, to sobie jakiegoś samczyka poszukam. Ale porządnego, nie takiego jak ich ojciec. Niby wszystko się dobrze zapowiadało. Seks był fajny. Tylko potem on się z inną zwąchał i poszedł sobie.

Byłam na krawędzi rozpaczy. Pomyślałam, że mogę zaakceptować mówiącego psa i kota. Ale mysz to już ponad moje siły. Czy ona musi tyle gadać? Wiem, że to niegrzeczne, ale nie wytrzymałam do końca jej monologu, wstałam i wyszłam. Usłyszałam jeszcze, jak Maurycy zwraca się z wyrzutem do psa:

– Mówiłem ci. Azaliż nie lepiej było poddać ją konsumpcji?

Andrzej przyjechał wieczorem. Obserwowałam go, kiedy parkował na poboczu, i potem, kiedy zmierzał w stronę mojej chałupki. Jak zwykle szedł powoli. Czekałam na niego, siedząc na stole w sadzie. To znaczy wcale nie czekałam. Nie sądziłam, że przyjedzie, po prostu spędzałam w ten sposób wieczór. I należało zejść, bo nie powinno się siedzieć na stole, jeśli za chwilę ma się rozmawiać z mężczyzną mierzącym zaledwie metr siedemdziesiąt. Który na dodatek ubrany jest w szaroniebieską koszulkę polo, jakby chciał zrobić wszystko, żeby sobie jeszcze ująć wątpliwej atrakcyjności. Potem w pamięci wyświetlił mi się obrazek z jego nagim torsem. Przypomniałam sobie mięśnie delikatnie drgające pod skórą, gładką i miękką jak jedwab. Moja krtań zamieniła się w pustynię. Piach mnie drapał i brakowało wody. Podszedł blisko. Za blisko. Poczułam ciepłą woń jego skóry. Mężczyźni, z którymi sypiałam do tej pory, pachnieli limonką, cedrem, kardamonem, a nawet czarną porzeczką, ale żaden nie pachniał mężczyzną. Zakręciło mi się w głowie, więc zsunęłam się ze stołu na ziemię, która znienacka wydała mi się odległa i mało stabilna. I nagle dzieliły nas już tylko centymetry. „Nie wiem, po co pan przyjechał, ale proszę już iść" – powiedziałam w myśli. I jeszcze raz. Ale nie byłam w stanie tego wyartykułować. W końcu podjęłam rozpaczliwą próbę.

– Nie pco przychał, ale psze już iść.

„Super. Pomyśli teraz, że jestem pijana" – przemknęło mi przez głowę.

– Chciałem zaszczepić psa, ale mogę to zrobić kiedy indziej, jeśli przeszkadzam.

– Tak. Nie. To znaczy... nie jestem pijana.

– Nie myślałem, że pani jest – zapewnił.

„Świetnie! Teraz na pewno tak myśli".

Wzięłam głęboki oddech, trzęsące się ręce unieruchomiłam w kieszeniach dżinsów i powoli, wyraźnie powiedziałam:

– Jestem panu bardzo wdzięczna. Ale to nie jest dobry moment. Chciałabym pobyć sama. – Poszło lepiej, jednak ciągle nie panowałam nad głosem.

– Oczywiście. Przepraszam. Już sobie idę – powiedział, ale z jakiegoś powodu nie ruszył się z miejsca. – Czy pani mnie nie lubi?

W tonie jego głosu pobrzmiewała jakaś zadziorność nastolatka, co mnie dziwnie zirytowało.

– Nie, skądże znowu. Uważam, że jest pan bardzo miłym człowiekiem. – Komplement w celu zmiękczenia przeciwnika przed zadaniem ciosu. – Nie wydaje mi się jednak, by moja sympatia lub jej brak miały dla pana jakiekolwiek znaczenie. – No i proszę. Durne zdanie rodem z opery mydlanej, ale ostrze dosięgło celu. Tylko po co? Oj, jaka ja głupia jednak jestem... – Napije się pan może herbaty? – zapytałam najuprzejmiej, jak umiałam.

Trochę za późno, bo złe słowa już przecież padły.

– Nie będę ryzykował, że teraz obleje mnie pani wrzątkiem – odrzekł uprzejmie.

I poszedł sobie. Po prostu poszedł. A mnie żądze rozszarpały na strzępy.

– Dlaczego się z nim po prostu nie prześpisz? – zapytała mysz, kiedy tylko weszłam do domu.

Siedziała na parapecie. Pewnie przypatrywała się całej tej idiotycznej scenie. W łapkach trzymała kawałek chleba. Pewnie wyciągnęła go z kredensu. „Rządzi się – pomyślałam. – Muszę jej zwrócić uwagę. Nie chcę jeść rzeczy, po których łaziła".

– To skomplikowane – odpowiedziałam.

– No coś ty? – zdziwiła się. – A co niby twoim zdaniem jest skomplikowanego w seksie? Nawet jeśli wcześniej tego nie robiłaś, to i tak sobie poradzisz. Wsłuchaj się w swój wewnętrzny głos…

– Robiłam to.

– No widzisz – ucieszyła się. – Nic nie stoi na przeszkodzie. To naturalne. – Przebiegła po parapecie, znalazła jakiś okruch, obwąchała go i włożyła do pyszczka. Oblizała łapki. – Spotykasz samca, idziesz z nim w jakieś spokojne miejsce, potem rodzisz młode, odchowujesz je i spotykasz kolejnego samca. Takie jest życie.

– Moje tak wyglądało, tylko bez młodych – zauważyłam.

– Ty wiesz, bez młodych to może nawet być fajnie. – Zamarła na chwilę. – E, nie. Młode są w tym wszystkim najfajniejsze.

– To skomplikowane – powtórzyłam.

Tym razem bardziej do siebie niż do niej.

Wiele razy zdarzało mi się uprawiać seks bez zobowiązań. Bo nic nie stało na przeszkodzie. Tym razem było inaczej. Teraz ja sama zamieniłam się w przeszkodę.

Dzień, kiedy Śliwowa nie zjawiała się na podwórku, można było uznać za udany. Babinie ewidentnie dokuczała samotność. Łaziła więc po chałupach od rana do późnego popołudnia, kiedy to w telewizji rozpoczynał się festiwal seriali. Najwięcej czasu spędzała u pana Stanisława. Widywałam ją często, jak szła do domu z czerwonym dachem. Ja byłam chyba druga na liście. Ciągnęła ją do mnie ciekawość i miałam nadzieję, że kiedy już ją zaspokoi, da mi święty spokój.

– Tobie się nie przykrzy tak samej siedzieć, a? – zagaiła Śliwowa.

– Nie – zaprzeczyłam. – Dobrze mi tu.

– A ten cały niby to projekt, co ty go miała robić? – drążyła.

Głową wskazałam na laptop. Bezużyteczny z powodu braku prądu służył mi jako przycisk do papieru. Jednak babina nie musiała o tym wiedzieć.

Technika zrobiła na niej oczekiwane wrażenie. Pokiwała ze zrozumieniem głową.

– Tera to wszystko w tych komputerach mają. A ten cały internet? Gadają, że mądre to jak człowiek. Ja to się na tym nie rozumiem. Ja to by se nawet ten internet kupiła, ale Elżunia mówi: „A mamie na co to? Telewizja wystarczy”. Może i wystarczy, ale ja to już nie mogę tej telewizji. W kółko to samo, człowiek całkiem durnieje. No ale i od tego interneta nie lepiej się dzieje. – Zamyśliła się na chwilę. – Powiedziałabym ci ja jedną taką rzecz, ale nie wiem, czy nie rozgadasz. – Popatrzyła na mnie krytycznie. Nie wiem, czy dobrze wypadłam, czy też pokusa plotkowania zwyciężyła, w każdym razie machnęła ręką i zaczęła: – Jest tu u nas na wiosce jedna taka Wioletka. Ona to... – rozejrzała się dookoła, jakby w każdym kącie chałupy czaił się szpieg – ...dziecka mieć nie mogła. Siedem już lat po ślubie, a tam nic. Tylko ty Stachowi nie gadaj, że wiesz – nakazała – bo to jego bratanica. Jakby on się dowiedział, że ja ci wygadała, toby mnie z chałupy pogonił. – Poczekała, aż kiwnęłam głową, że ani pary z ust, po czym kontynuowała: – A oni bogate byli. Tam wszystko, co tylko chcesz, w chałupie mieli. Matka jego już się denerwować zaczęła i mówiła, że to małżeństwo rozgonić trzeba, póki on jeszcze młody. Drugą se znajdzie, z drugą lepiej może mu pójdzie. Ja tam na to nic nie gadałam, nie lubię się wtrącać. No i ta Wioletka na koniec znalazła se w tym całym internecie klinikę, co z tej całej niby to bezpłodności leczy. I tak mi gada, bo ja tam akurat u nich byłam, ale za czym, to nie pamiętam, jakie to pieniądze kosztuje. Ale że pomoże, a jak to nie pomoże, to jej tylko kamień na szyję i do rzeki. To ja jej mówię: „Wioletka, ja ci pomogę i nie za pieniądze, tylko no tak, bo cię lubię, a ty Stachowa bratanica, a Stach dla mnie dobry, jakby syn rodzony, a mój syn w Gdańsku aż przecież". Tak jej powiedziałam, słowo w słowo. Wtenczas ona w płacz, że: „A co wy tam wiecie, Śliwowo". A ja na to: „Możem i stara, ale swój rozum mam". Bo to i prawda jest. Teraz się młodym wydaje, jakie to one mądre, że niby wszystkie rozumy pozjadali i na internecie się rozumieją, i na tych całych komórkach. Najpierw żrą chemię, żeby dzieciaków nie było, potem żrą inną, żeby znowu były. A ja doświadczona i stare sposoby znam. I co sto lat temu pomagało, to i dziś pomoże. Szkoda tylko, że następczyni nie znalazłam, bo moja Elżunia głowy do tego nie ma. Może ty by zechciała, bo ja czuję, że moc w tobie wielka jest?

Trochę się wyłączyłam, kiedy Śliwowa monologowała, więc teraz, wyrwana do tablicy, mogłam tylko wytrzeszczać na nią oczy. Babina westchnęła.

– Nie. Tylko tak mnie się zdawało. Ty za głupia. – Wzięła głęboki oddech i ciągnęła: – No i przyszła do mnie ta Wioletka. Tak jak ja jej kazała, wieczorem. A jak już wszystko narychtowała, tak jej mówię: „Ciasto zagniataj". Ona nic nie rozumie, ale posłuchała się. A to nie było takie zwykłe ciasto. Tam wetknęłyśmy i lubczyk, bo to na miłość, i mak na chłopskie nasienie, i mandragorę. Teraz to dobre czasy, mandragorę normalnie w aptece można kupić. No i ona ciasto zrobiła. Ja jej z tego ciasta dwa zgrabniutkie ludziki wylepiła. A jak się upiekły, to tak jej gadam: „Na kolację to zjedzcie, a potem do łóżka". Czasem od razu nie zadziała, a u nich jak raz. Przychodzi mi za miesiąc i mówi, że już w ciąży. I że ona mi się do końca życia nie wywdzięczy, bo ja u niej teraz warta każdych pieniędzy. Ja tam to nie dla pieniędzy zrobiła. Gorzej, że jak się worek rozwiązał, to na dobre, i ona już z czwartym w ciąży chodzi. Ot i tak to jest. – Westchnęła głośno. – To sposób najlepszy. Ty może zapisać sobie chcesz? – Znacząco popatrzyła na mojego laptopa.

– Może innym razem – zbyłam ją.

Spać mi się chciało, a cała ta historia znudziła mnie strasznie.

Śliwową chyba uraził mój brak zainteresowania, bo poszła sobie i przez całe trzy dni do mnie nie zaglądała, co jak na nią było absolutnym rekordem.

Zaskoczył mnie. Był późny wieczór. W migotliwym blasku lampy i świec usiłowałam skończyć rozwiązywać krzyżówkę panoramiczną dla szympansów. Wokół cicho i spokojnie. Nagle pies podniósł łeb, a ja podążyłam wzrokiem za jego spojrzeniem i zobaczyłam znajomą sylwetkę. Usiadł przy stole obok mnie i położył swoją dłoń na mojej. Nic nie mówił i ja nic nie mówiłam. W środku się wiłam. Chciałam posłuchać rady myszy i bałam się jednocześnie, bo wiedziałam, że pożałuję. Wtedy Andrzej podniósł moją rękę i ucałował koniuszek palca. Mówią, że palec serdeczny nazywa się tak, bo biegnie od niego żyłka do samego serca. To prawda. Poczułam się nie tak, jakby dotknął mojego palca swoimi wargami, ale jakby go włożył do kontaktu. Prąd mnie przeszedł aż do samego serca i ono na chwilę stanęło.

A on sobie poszedł i zostawił mnie bez nadziei na reanimację.

Pan Stanisław zjawił się jakoś tak, jak u Mrożka. Z tą różnicą, że bosy nie był, bo w plastikowych klapkach. Ale zafrasowany, i o sprawach damsko-męskich chciał rozmawiać.

– Weterynarz często zajeżdża – zagaił.

Zrobiłam unik i zamiast odpowiedzieć, zapytałam, czy nie napiłby się może herbaty. Nie, bo on na chwilę tylko.

– Po wsi zachodzą w głowę, za czym on tak jeździ – kontynuował.

– Sama nie wiem – odpowiedziałam absolutnie zgodnie z prawdą.

– On mądry, wykształcony, i panienka wyuczona, to nic dziwnego, że jego do panienki ciągnie, ot choćby i pogadać.

„O, tak! – zgodziłam się. – Gadamy sobie z panem Andrzejkiem jak gąska z prosiątkiem".

– Ja Andrzeja bardzo szanuję. On dobry człowiek. On nijak nie zasługuje, żeby mu kto krzywdę zrobił. – Spojrzał przy tym na mnie tak, że nie bardzo mi się to spodobało.

– Kto? Ja? – obruszyłam się. – Jak ja mu niby mam krzywdę zrobić?

– Ja tam nic nie mówię! – Pan Stanisław się zawstydził. A zaraz potem dodał: – Ale panienka nie nawykła do wsi. Wcześniej czy później panienka wyjedzie, a on zostanie.

Przypomniała mi się opowieść Śliwowej.

– Pan myśli, że jestem taka jak moja matka?

– Niby jaka? – zdziwił się.

– No, że jak ona złamała panu serce i uciekła do miasta, to i ja tak zrobię? – zapytałam wprost.

Pan Stanisław chwilę milczał, analizując moje słowa. A potem się szczerze roześmiał.

– Kto ci to nagadał?

– Śliwowa mówiła…

– Głupia stara głupot dziecku nagadała. Oj, córcia, córcia. Toż to zupełnie nie tak było.

I opowiedział mi zupełnie inną historię.

— My się z twoją mamą lubili bardzo. Od dziecka. Ale ona do wsi się nie nadawała. Trochę, ja ci powiem, nie obraź się, pusta była. Myślisz, że jak ja bym ją kochał, to ja bym jej do miasta pozwolił iść? Chciała, to poszła. Ja jej nie zatrzymywał. Ale ludzie już takie są, że jak sobie co w łeb wbiją, to nawet kłonicą nie wybijesz. Nagadali mojej Baśce nie wiadomo czego. Jak jeszcze do niej w kawalerkę chodziłem. I ona mi tak mówi: „Ty tylko dlatego mnie chcesz, żeby jakiejś pannie, co ją kochasz, na złość zrobić". A ja jej na to: „Ciebie kocham, a jak nie wierzysz, to będę jak ten pies pod płotem stać, aż uwierzysz". I stoję. To na wieczór było. Ona się do chałupy zabrała. A ja stoję, o płot żem się wsparł i calutką noc tak stoję. Rano jej matka wstała, wyszła krowy doić. Zobaczyła mnie i mówi: „Bój się Boga, Stach, ty tak całą noc stał?". A ja na to: „Całą. I wiedzcie, że jak trza będzie, to i drugą postoję". Ojciec wylazł z chałupy i mówi: „Idź, Stach, do domu, wstydu nie rób". To ja mu gadam: „Nie pójdę, póki Baśka mi nie uwierzy, że ja za nią szczerze jestem". A on na to: „Ludzie co inszego gadają". „Durne ludzie, to i durnoty gadają. Ja na płoty nic nie poradzę, ale Bóg widzi, co mam w sercu. A wy się zastanówcie, czy wolicie ludziom wierzyć, czy mnie". I tak mu jeszcze na koniec gadam: „A to jeszcze wam powiem, że ja za Baśką tak jestem, że ją wezmę, jak stoi, w tej jednej sukienczynie". Zdziwił się stary. Za babą swoją do obory poszedł. A potem oboje do chałupy. Co tam gadali, ja nie wiem. Na koniec Baśka do mnie przybiegła, caluteńka zapłakana. No i tak to było. A za Baśkę nic nie wziąłem. To znaczy potem, jak starzy szli na rentę, to jej pole przepisali, bo komu mieli to niby dać? Ale to już Zygmunt do szkoły chodził. A durne ludzie się dziwują, że ja tyle lat o grób dbam. Co mam nie dbać? Toż przyjaciele moi i sąsiedzi przez tyle lat. To obowiązek mój wobec nich, a i wobec ojca twego trochę, bo on mi pole dzierżawi, a drogo nie bierze.

Już zbierał się do wyjścia, ale coś mu się jeszcze przypomniało.

– Ty tak całkiem nie wierz we wszystko, co ci Śliwowa gada. Miesza jej się we łbie trochę ze starości, a trochę od tego bimbru, co go pędzi, i plecie, że strach. Wydaje jej się, że ona tą, no… wróżką jest. Ucieszna baba! – I zaśmiał się szczerze.

Po wizycie pana Stanisława postanowiłam, że porozmawiam z weterynarzem. W zasadzie nie było powodu, żeby przychodził. Przecież sprawy nie zaszły nawet w połowie tak daleko, jak się ludziom wydawało.

Nie raz w życiu zdarzało mi się powiedzieć facetowi, żeby spadał. Tylko tym razem jakoś trudniej było to zrobić. Coś jakby we mnie w środku ciągle chciało go widywać. Właściwie widzieć cały czas. Gdybym miała ochotę tylko się z nim przespać… Dziwne to i zupełnie nie w moim stylu, zważywszy na jego powierzchowność. Ale znalazłam proste wytłumaczenie – mój mózg umiera i powoli fiksuję. Skoro mogę rozmawiać z psem, to pewnie może mi się podobać taki karaczan. Ale szkopuł w tym, że ogarnęła mnie ochota nie tylko na jego ciało. Chciałam jego milczącego, gburowatego towarzystwa. Czyste szaleństwo.

Kiedy przyjechał, szczerze się ucieszyłam. Nie mówiąc już o tym, że czekałam na niego, bo nie pokazywał się od kilku dni.

– Pan Stanisław był u mnie... – zaczęłam niepewnie.

Zachęcająco kiwnął głową, więc kontynuowałam:

– Mówił, że ludzie o nas gadają.

– Przeszkadza to pani?

– Nie, zupełnie.

– To dobrze, bo nie zamierzam przestać pani odwiedzać – oznajmił stanowczo.

– Nie chciałabym, żeby pan przestał – rzekłam równie stanowczo. A potem już łagodniej dodałam: – Czy jeśli obiecam nic na pana nie wylać, to zechce pan się napić ze mną herbaty?

– Z przyjemnością.

I się roześmiał, a ja natychmiast pokochałam ten śmiech.

Trzy dni później zwyczajem już było, że Andrzej przyjeżdżał do mnie wieczorem na herbatę i kolację. Jedliśmy na dworze, opędzając się od owadów i ignorując proszące spojrzenie psa. Azor robił mi potem wymówki, opowiadając o swoim niedożywieniu, ale jego ciągnący się po ziemi brzuszek zadawał kłam tym słowom.

– Kiepska ze mnie kucharka – usprawiedliwiłam się, znowu podając Andrzejowi francuskie tosty.

– Przecież nie narzekam.

To w jego stylu. Mógłby pochwalić albo coś. Popatrzył na mnie, jakby zgadując moje myśli, i ciepło się uśmiechnął.

– Jestem wdzięczny. Za kolację i za towarzystwo. Ostatnio czułem się samotny.

– Ktoś odszedł? – zaryzykowałam pytanie.

– Nie. Raczej nigdy się nie pojawił.

No i na tym skończyła się ciekawa konwersacja tego wieczoru. W tej sytuacji nie dziwi, że rozmawiałam ze zwierzakami.

Śliwowa przylazła swoim zwyczajem przez krzaki. Myślałam, że przygnała ją ciekawość. Chodziło jednak o coś innego, bo jakaś dziwna się wydawała.

– O zielu ci powiem – zaczęła nagle niskim, jakby z trzewi się dobywającym głosem. – To ziele zapomnienia. Ty wiesz, gdzie rzeka płynie?

Powoli skinęłam głową. Trochę się jej teraz bałam.

– A na rzece kładka, wiesz gdzie? Tam droga skręca, bo się na wiosnę kałuża robiła i ją objeżdżali. A ty pójdziesz prosto, tak jak kładka pokazuje, aż pod las. Tam wedle trzech buczków skręcisz, pójdziesz w jar. W tym jarze przed wojną panna się powiesiła. Absztyfikant jej nie chciał. To znaczy na sianie chciał, a potem już nie. Na panieńskim truchle ziele zapomnienia wyrosło. Trzy listki na końcu gałązki ma. W tych listkach moc jest. Kiedyś dziewuchy nalewkę na nich robiły, ale tobie wystarczy, że do herbaty dodasz, nikt smaku nie poczuje, a zapomni i tydzień nazad. Albo i miesiąc, jak dasz więcej. Ale nie przesadzaj, bo wszystko zapomni i kłopot tylko potem.

Odwróciła się i ruszyła do siebie. Odetchnęłam z ulgą. Ale za wcześnie, bo coś się jej jeszcze przypomniało.

– A oka, pamiętaj, nie dotykaj, póki ręki dobrze nie umyjesz, bo ślepota murowana. I kubek, coś w nim ziele parzyła, stłucz i zakop. Ze stłuczonego moc szybciej ucieka. No to ja już pójdę – powiedziała.

I poszła.

Westchnęłam i doszłam do wniosku, że ludziom to się na starość we łbach kiełbasi. Dobrze, że mnie to nie czeka. No proszę, jak się dobrze zastanowić, to można znaleźć pozytywne strony choroby.

Pewnie do niczego by nie doszło. Pewnie dalej zachowałabym rozsądek. Pewnie trzymałabym Andrzeja na dystans. Tylko że czasem jest tak, że rzeczywistość wymyka się spod kontroli.

Cały dzień było parno i lepko. Trzy razy wzięłam improwizowaną kąpiel w wielkiej misce, ale nic nie pomogło. Wieczorem nagle zaczęło wiać. Niebo zniknęło za szarymi chmurami, po których przebiegały metaliczne błyski. Groźne pomruki zapowiadały to, co miało za chwilę nastąpić. I nagle niebo się rozerwało i lunęły z niego strumienie wody. Stałam w oknie, z przestrachem oglądając ten spektakl natury. Bałam się, że woda za chwilę zmyje mi dach. Zrobiło się tak ciemno, że zauważyłam samochód dopiero, kiedy zatrzymał się przed domem. Zanim Andrzej pokonał te kilka kroków, jakie dzieliły go od drzwi, zupełnie przemókł.

– Jeszcze się przeziębisz – powiedziałam z wyrzutem, podając mu ręcznik.

Jednak w środku czułam radość, że przyjechał mimo paskudnej pogody.

Andrzej wziął ode mnie ręcznik, przeciągnął nim po włosach.

– Już – powiedział, choć w zasadzie dalej był mokry.

– Masz. – Podałam mu swoją bluzę. – Zdejmij koszulkę, wyschnie przy piecu. Obiecuję, że nie będę podglądać – zażartowałam.

Choć w zasadzie to nie był żart i dla mojego dobra lepiej by się stało, gdybym nie patrzyła. To trochę tak jak w tej bajce, w której dziewczyna idzie po magiczny kwiat rosnący na szklanej górze. Dotrze tam tylko wtedy, jeśli się nie obejrzy. No to ja bym nie doszła.

– Jest pani taka piękna! – powiedział Andrzej, kiedy stanęłam naprzeciwko niego.

A kiedy ktoś mówi coś takiego i jeszcze patrzy w ten niesamowity sposób, to po prostu nie ma wyjścia i trzeba go pocałować. I tak zrobiłam. Potem on pocałował mnie, co uznałam za pozawerbalne przyzwolenie na wszystko, co się potem wydarzyło. Wiele się wydarzyło. Zachowywałam się jak aktorki w niemieckim pornosie. Okazuje się, że nie ma to jak seks z desperatką. Zazwyczaj kobiety w łóżku coś blokuje. Bo albo się boją, że zajdą w ciążę, albo desperacko chcą w nią zajść. Jak biorą pigułki, to maleje im apetyt; jak nie maleje, to facet nie taki, jak trzeba. A jak z facetem wszystko w porządku, to nie można przestać myśleć o jego wrednej matce. Ja myślałam tylko, że to ostatni raz w moim życiu i jeśli czegoś nie zrobię teraz, to kolejnej szansy nie będzie.

– Łał! – westchnął Andrzej, kiedy już było po wszystkim, i pocałował mnie w ramię.

– Ale ziemia się nie zatrzęsła – zaśmiałam się.

– Żeby się zatrzęsła, musiałbym cię wywieźć w jakiś bardziej aktywny sejsmicznie region.

„Musiałam iść z nim do łóżka, żeby zaczął mi mówić na ty. Dziwny facet" – zdążyłam jeszcze pomyśleć, zanim zapadłam w sen.

Kiedy obudziłam się rano, już go nie było. Cały dzień przełaziłam, gryząc się tym, że więcej go nie zobaczę, że go przestraszyłam i zniechęciłam.

– Podobało mu się. Na pewno wróci – pocieszała mysz.

– Nie jestem do końca pewna, czy o to mu chodziło – zwerbalizowałam swoje obawy.

– Samcom tylko o to chodzi.

– Ten sprawiał inne wrażenie.

– Ci, co sprawiają inne wrażenie, są najgorsi – wyjaśniła znawczyni samczej natury.

– Fakt – przyznałam.

Maurycy patrzył na nas pełnym oburzenia wzrokiem.

– Zaprawdę, romantyczne to wy nie jesteście – miauknął do nas z wyrzutem.

Andrzej się nie pojawił. Mysz nie miała dla mnie czasu, matkowała. Azor spał. Maurycy chyba też, albo udawał, bo nie chciało mu się ze mną gadać. Na dodatek znowu zbiera-

ło się na burzę. Powietrze było ciężkie i gęste. Wisiała w nim
ospałość i tylko muchy wydawały się bardziej podekscytowa-
ne niż zwykle. Niecierpliwie czekałam na deszcz, ale on nie
nadchodził. Za bardzo doskwierało mi gorąco, żebym mogła się położyć i zasnąć. W oddali usłyszałam jakby uderze-
nie młotem w wielki arkusz blachy. Powietrze zawibrowało.
A potem jeszcze raz, trochę bliżej i bliżej. Wraz z groźnymi
odgłosami zbliżały się chmury. Wielkie, czarne, skłębione,
a tak ciężkie od deszczu, że prawie dotykały ziemi. Mru-
czało w nich groźnie, a po ich czarnych szczytach prześliz-
giwały się raz po raz węże ze światła. Taka zapowiedź nie
wróżyła nic dobrego. I rzeczywiście. W ciągu kilku chwil ota-
czająca mnie rzeczywistość zmieniła się w scenografię filmu
katastroficznego. W ciemności, jaka nagle zapanowała, plą-
czące niebo pajęczyny błyskawic wyglądały strasznie. Chmury
trzęsły się od grzmotów. Nagle z głośnym hukiem pękły i woda zaczęła się z nich lać strumieniami. Na domiar złego zerwał się wiatr, przeciągłym gwizdem straszący, że jak dmuch-
nie, jak chuchnie, to mi chatkę zdmuchnie. Miałam ochotę się
schować, a jednocześnie czułam jakiś wewnętrzny przymus
podziwiania tego spektaklu przyrody. Nagle w świetle jednej
z błyskawic zobaczyłam twarz. Moje serce zamarło. Wpatry-
wałam się w ciemność, z przerażeniem oczekując kolejnego
błysku. Zajaśniało. I nic. Tam, gdzie przed chwilą wydawało
mi się, że kogoś widziałam, nic nie było. Westchnęłam z ulgą.

Burzy jakby przeszła pierwsza złość. Grzmiała jeszcze
i ciskała pioruny, ale już z mniejszą determinacją. W końcu sobie poszła. Zostały po niej deszcz i wiatr. I zwalona
jabłonka w sadzie.

Nazajutrz odwiedziła mnie Śliwowa. Co zasadniczo było do przewidzenia. Przychodziła pogadać zawsze, kiedy coś się stało albo we wsi, albo w polityce. Po charakterystycznym szeleście w krzakach poznałam, że się przedziera. Zerwałam się z łóżka, po drodze chwyciłam szlafrok i wybiegłam na dwór. Nie chciałam, żeby znowu zastała mnie w łóżku. Dziwnie wtedy na mnie patrzyła.

– Dzień dobry! – przywitałam ją grzecznie, zaciągając mocniej pasek od szlafroka.

– Oj, nie taki dobry. – Spoglądała na zwaloną jabłonkę.

– Oj, to się porobiło.

Śliwowa przesłała mi jakiś pozawerbalny sygnał, że szybko nie odejdzie. Zaproponowałam więc herbatę. Wróciłam do kuchni, żeby nastawić wodę, przy okazji tęsknie zerknęłam na łóżko, które powoli traciło przyjemne, rozleniwiające ciepło pościeli.

Śliwowa podeszła pod chałupę i ciężko przysiadła na krześle, które dla niej wyniosłam. Podobnie jak Maurycy gardziła cieniem i najchętniej przesiadywała na słońcu. Z wdzięcznością przyjęła szklankę herbaty, którą jej podałam.

– Stary człowiek się robi – westchnęła ciężko i teatralnie. – Ale ja źle nie chciałam. – Wypiła kilka łyków herbaty. – Oj, to się porobiło. Ja myślała, że tę twoją chatkę to w proch rozniosło.

– Mówi pani o burzy? – sprecyzowałam, bo jakoś nie rozumiałam nic z jej wynurzeń.

– No bo to się burza z tego zrobiła. A to deszcz miał tylko być. Stasiek się skarżył, że nie pada, w polu sucho jak na jakiej pustyni, nic nie rośnie. To ja se myślę, że trza sąsiadowi przysługę oddać. Co to dla mnie taki deszcz zakląć? Ale to, widzisz, starość. Ręka się zatrzęsła, za dużo *Veronica chamaedrys* mi się sypnęło. Najgorzej to tej jabłonki szkoda.

Westchnęła jeszcze parę razy rozgłośnie. Ja w końcu też westchnęłam, dla towarzystwa.

– Dobre jabłka miała. Kwaskowe takie. Ja je na naleweczkę zbierała. Mam jeszcze butelkę, jakby ty chciała popróbować, to zajdź. – Nostalgicznie pogapiła się chwilę na drzewo. – Tak to na starość człowiek do niczego się nie zda. No nic, pójdę już. – Wstała. – To się mogło trochę pomataczyć. Z tą burzą znaczy. Jakby ty co dziwnego zobaczyła, to się nie dziw. To chwilowe jest.

– Co dziwnego? – zapytałam zaciekawiona, bo nic nie rozumiałam.

– Żebym to ja wiedziała… – Śliwowa westchnęła znowu, głęboko i melancholijnie. – No, czas na mnie.

I poszła sobie.

A ja pomyślałam, że nic mnie tu już nie zdziwi.

Myliłam się.

Kiedy tylko sąsiadka zniknęła w krzakach, weszłam do domu. Nie wróciłam jednak do łóżka, jak wcześniej planowałam. Zrobiło się już zimne, a ja obudziłam się na dobre. Ubrałam się i zaparzyłam sobie dla odmiany kawę. Poszłam do sadu z długopisem i naręczem sudoku. Pani w kiosku mi je zaproponowała. Powiedziała, że to lepsze niż krzyżówki.

Miała rację. Nie wiem, dlaczego coś tak durnego może być jednocześnie tak wciągające.

Stałam w drzwiach, kiedy kątem oka zauważyłam jakiś ruch w pokoju. Cofnęłam się, żeby sprawdzić, ale chyba mi się wydawało, bo wszystko było w porządku. Wyszłam szybko na dwór, żeby nie myśleć o takich rzeczach jak halucynacje, paranoja i mózg.

Wpisywanie cyferek w kwadraty bez reszty mnie pochłonęło. Kiedy w końcu wróciłam do rzeczywistości, zrobiło się jakoś tak dziwnie. Świat wyglądał trochę jak w filmie 3D. Słońce świeciło, ale nie dawało ciepła.

Ten dziwny nastrój chyba udzielił się zwierzętom. Azor stał z podkulonym ogonem. Maurycy nerwowo przebierał łapkami, czujny, spięty.

Poczułam dziwny chłód, przenikliwy i nienaturalny. Jakby ktoś włączył klimę. Tylko że tu nikt nie zainstalował klimy, a sądząc po słońcu, powinien panować prawie trzydziestostopniowy upał. Wstałam, żeby wejść do domu po jakiś sweter.

Maurycy rzucił się do mnie.

– Nie! – miauknął przeraźliwie głośno. – Nie podążaj tam!

Zdziwiło mnie to, ale nie zamierzałam go słuchać. To znaczy może bym nawet posłuchała, ale jakaś dziwna siła ciągnęła mnie do domu.

– Leć po Śliwową! – nakazał kot Azorowi. – Ja ją powstrzymam, jak długo dam radę.

Widziałam, jak pies z podkulonym ogonem rzucił się w krzaki.

Przez moment zastanawiałam się, o co chodzi, ale krótko, bo kiedy weszłam do chaty, zamiast rozwiązania od razu pojawiła się kolejna zagadka. W środku przebywała jakaś obca kobieta. Stała w pokoiku, plecami do wejścia. Nie mogłam zobaczyć jej twarzy. Musiała usłyszeć, że nadchodzę, ale nawet się nie odwróciła. Zdziwiłam się, że zdołała wejść niezauważona. Czułam, że jej nie lubię.

– Kim pani jest? – zapytałam ostro.

Odwróciła się. Nie musiałam więcej pytać.

– Mama? – szepnęłam.

– No coś ty! – roześmiała się perliście. – Twoja matka nie żyje.

– Ale… – zaprotestowałam nieśmiało.

Wiedziałam, że ma rację. Moja matka nie żyła od dwudziestu lat. A gdyby nawet, to ta kobieta nie mogła nią być. Wyglądała jak dużo młodsza i anorektyczna wersja matki. Mogła mieć jakieś trzydzieści lat. Pewnie sprawiałaby wrażenie młodszej, gdyby nie gruba warstwa bardzo, bardzo jasnego pudru na twarzy.

Jednak z drugiej strony ten głos, spojrzenie, gesty. Nawet za milion lat bym je poznała. To była moja matka. Albo prawie.

– Jesteś moją matką – powiedziałam stanowczo. – A przy tym jakimś duchem, tak?

– Duchy nie istnieją.

„Jasne. Mówiące zwierzęta też nie. Istnieją proste rozwiązania. Nazywają się choroby mózgu".

– Właśnie – przytaknęła, jakby słyszała moje myśli. – Jestem tym, czym chcesz, żebym była. Starucha namieszała z tą burzą i pomogła mi się zmaterializować.

– Widziałam cię wtedy – przypomniałam sobie.

Twarz w burzy. Jak scena z dobrego horroru.

– Taa… – mruknęła lekceważąco.

Usiadła w fotelu i sięgnęła po gazetę. Nie wyglądało na to, żeby chciała sobie pójść.

Stałam i przyglądałam jej się bezczelnie. Wyglądała zadziwiająco realistycznie, jakby narodziła się z narkotycznej wizji.

– Jak długo planujesz tu zostać… mamo? – zapytałam w końcu.

A potem się zaśmiałam, bo kto by się zachował logicznie w takiej sytuacji?

Kobieta popatrzyła ma mnie z niesmakiem. Moje postępowanie nie przypadło jej do gustu.

– Po pierwsze nie jestem twoją matką, już ci mówiłam. Po drugie to zależy od ciebie. W końcu to ty mnie tu przywołałaś. Stara swoim abrakadabra ci pomogła, ale to, że się tu znalazłam, to przede wszystkim twoja zasługa. Tyle o mnie myślałaś ostatnio. I *voilà*! Oto jestem!

– Nie myślałam o matce – sprostowałam.

– A o czym? – zapytała tonem cierpliwej nauczycielki.

– O śmierci… – Nagle mnie olśniło. – Jesteś śmiercią? Umarłam? Nie tak to sobie wyobrażałam.

– Za dużo filmów oglądasz. Poczytałabyś coś. Brücknera polecam. – Zaśmiała się teatralnie. – Jeszcze żyjesz, ale już niedługo. Widocznie kiepsko sobie z tym radzisz, bo twój mózg stosuje mechanizmy obronne. Najpierw rozmawiałaś z psem, ale to widocznie nie pomogło. Spersonalizowałaś więc własną śmierć, żeby się z nią oswoić.

Patrzyłam na nią i za nic nie mogłam pojąć, o co chodzi w tej roszadzie.

– Nie nadążam – wyznałam.

– A wydawało się, że bystra z ciebie dziewczynka – wytknęła mi złośliwie. – W końcu ci się to wszystko poukłada.

Pomyślałam, że najlepiej będzie, jeśli wyjdę na dwór.

– Świeże powietrze dobrze ci zrobi – potwierdziła śmierć, jakby odpowiadając na moje myśli. – I prośbę mam. Nie nazywaj mnie śmiercią ani mamą. Mów mi Mona.

Wyszłam na dwór. Było cholernie jasno. I absolutnie cicho, żaden ptak nie śpiewał. Podniosłam oczy. Zdziwiłam się. Wokół mojej chaty ktoś rozciągnął bańkę mydlaną. Ślicznie opalizowała w promieniach światła. Chciałam do niej podejść, ale nie mogłam. Nieważne, ile szłam, i tak tkwiłam w miejscu. Na zewnątrz bańki stał Maurycy, walił w nią łapą i dałabym głowę, że klął.

Usiadłam na progu. Popatrzyłam na zwaloną przez burzę jabłonkę. Jej liście ciągle były zielone. Pomyślałam, że jesteśmy do siebie podobne. Rozpłakałam się.

Trochę trwało, zanim oswoiłam się z kolejną fantazją chorego mózgu. Co innego mówiący pies, a co innego własna matka jako jasełkowa kostucha. Skoro, jak mówi, to ja ją wymyśliłam, to dlaczego nie stworzyłam istoty miłej i mniej pretensjonalnej?

„Cholera! Prowadziłam spokojne życie z mówiącymi zwierzętami i osobistym doktorem Dolittle, nie mogło tak zostać? – westchnęłam w duchu. – Chyba powinnam z nią porozmawiać. Może jak dobrze to rozegram, to zdołam szybko się jej pozbyć".

Weszłam do pokoju. Mona siedziała w fotelu dokładnie tak, jak ją zostawiłam. Odruchowo potarłam ramiona.

– Tu nie jest zimno, to tylko złudzenie. Podobnie jak ja – wyjaśniła Mona.

– Oba jednakowo nieprzyjemne – zauważyłam szczerze.

– To akurat twój wybór – odpowiedziała.

Chyba ją uraziłam.

– Nie jestem tego taka pewna. Mówisz, że jesteś wytworem mojej wyobraźni. Ale mówiłaś też, że zmaterializowałaś się dzięki Śliwowej, która zupełnie nie wiem, co ma do mojego raka. Na dodatek wyglądasz jak moja matka i nosisz jakieś dziwaczne imię.

– Wybacz, moja droga, ale sama każesz się nazywać Jagą i twoim zdaniem to nie pretensjonalne?

Była urażona. Zimna, brzydka i drażliwa. Na gorszą babę trudno by trafić. Mogłaby zrobić oszałamiającą karierę w ZUS-ie.

– To co innego. – Uznałam, że kwestia naszych imion jest nieporównywalna.

– Ach tak? – mruknęła z ironią w głosie.

– Mam na imię tak samo jak siedemdziesiąt procent moich rówieśniczek. Muszę się jakoś wyróżniać.

– Ja też… To znaczy twoja matka też miała na imię tak, jak siedemdziesiąt procent jej rówieśniczek, więc muszę się jakoś wyróżniać. Poza tym Maria jakoś tu nie pasuje. Chodzi mi o konotacje religijne – wyjaśniła, jakbym była głąbem.

– Wiem, o co ci chodzi – zirytowałam się.

Ta rozmowa wiodła donikąd, bezsensem było ją prowadzić. Ale jakoś tak masochistycznie wciąż stałam naprzeciwko Mony i dawałam się wkręcać.

– Nie mogłaś wysilić wyobraźni i dać mi na imię jakoś inaczej?

– Miałam siedemnaście lat i właśnie urodziłam dziecko, moja wyobraźnia była zajęta czymś innym. Zresztą zdaje się, że twoja macocha zalicza się do kreatywnych i też nic dobrego z tego nie wyszło. – Zaśmiała się perliście.

– Skąd Halinka miała wiedzieć, że kilka lat po narodzinach Ariela wprowadzą na rynek proszek o takiej nazwie? – powiedziałam, ciągle jeszcze spokojnie.

– Może powinna jednak wysilić wyobraźnię? – odcięła się Mona.

– Czepiasz się Halinki! – oburzyłam się.

– Oczywiście. Skoro ty jej bronisz…

– Nie bronię. Jestem obiektywna.

– Na tym polega problem, Jago. Ty. Nie. Jesteś. Obiektywna – wyskandowała.

Gdzieś wewnątrz mnie zrodziła się jakaś olbrzymia złość. Przypominała balon, który rósł i rósł, aż w końcu pękł z wielkim hukiem i jego zawartość rozlała się po moim jestestwie, brudząc je na czarno. Znałam ten stan. Już to kiedyś przeżywałam. Bardzo dawno temu, kiedy matka jeszcze żyła, a każda rozmowa z nią zamieniała się w eksplozję złości.

– Nie będę z tobą rozmawiać! – krzyknęłam. Odwróciłam się w stronę drzwi z zamiarem wyjścia na dwór i pójścia sobie gdzieś daleko.

Nagle na dworze zaszumiało, zerwał się wiatr, a gwałtowny przeciąg zamknął drzwi.

– Nigdzie nie pójdziesz. Już nigdzie nie pójdziesz. Za późno – wycedziła Mona głosem tak zimnym, że dostałam dreszczy. A potem dodała zupełnie innym tonem: – Musimy sobie wiele wyjaśnić. Lepiej usiądź.

Usiadłam grzecznie, w duchu powtarzając sobie, że nie dam się sprowokować. Że to mi się tylko wydaje; że halucynacje mijają. Problem polegał na tym, że ta okazała się tak bardzo realistyczna. Bałam się. Wiedziałam, że koniec nadejdzie. Spodziewałam się bólu. Ale fizycznego. Tymczasem śmierć rozdrapywała rany w mojej duszy, przypominając mi matkę i te wszystkie złe emocje z nią związane. Czekałam, aż się odezwie, żeby jej powiedzieć, że już nie interesuje mnie udział w tej grze.

Ale Mona milczała. Przecież czytała w moich myślach.

– Mogę sobie chociaż zrobić herbaty? – zapytałam.

Łaskawie skinęła głową. Podeszłam do kuchenki i nastawiłam wodę.

– Też się napijesz?

Mona uśmiechem dała znać, że docenia mój dowcip.

– Tak wyglądały moje ostatnie lata z matką, prawda? Ciągle się kłóciłyśmy.

Skinęła głową.

– Dojrzewałaś – zaczęła usprawiedliwiająco – a ona miała swoje problemy. Jakoś to się wszystko skumulowało.

– Mogła po prostu pozwolić ojcu odejść – zasugerowałam.

– Po prostu. Łatwo ci powiedzieć. To były inne czasy. Wtedy rozwódkom żyło się trudniej niż teraz. Zostałaby bez męża, pracy, pieniędzy. I to w wieku trzydziestu lat.

– Jakby się z nim nie przespała jako szesnastolatka, to nie miałaby tego problemu.

– Jeśli mówiąc problem, masz na myśli siebie…

– Taka właśnie była! Zamiast rozmawiać, zawsze odwracała kota ogonem! – Zdenerwowana trzasnęłam drzwiczkami od kredensu tak, że aż próchno się z nich posypało.

Mona zlekceważyła mnie wyniosłym milczeniem.

Nalałam sobie wrzątku do kubka i patrzyłam na ciemne smugi naparu, rozpływające się po wodzie. Tak działo się ze mną. Złość sączyła się początkowo cieniutkimi strużkami, ale ostatecznie zalewała mnie całą.

– Zgadza się – potwierdziła Mona.

– Co? – Nie zrozumiałam.

– Jest dokładnie tak, jak mówisz. Zalewa cię złość.

– Nie powiedziałam tego – zauważyłam.

Monie zrobiło się głupio. Bąknęła: „przepraszam" i wróciła do wertowania gazety. Chciałam jej zrobić wymówkę za podsłuchiwanie cudzych myśli, ale zmieniłam zdanie.

– Dziękuję – powiedziała.

– Bardzo proszę – westchnęłam. Irytująca i wścibska. Dokładnie jak moja matka. – Czy to dlatego moje, czymkolwiek jesteś, powiedzmy alter ego, przyjęło jej postać? – zapytałam.

– To ty znasz odpowiedź, nie ja. Wszyscy kiedyś spotkamy się ze śmiercią, prawda? Ale na co dzień o niej nie myślimy. Tobie powiedziano, że umierasz, i nagle postanowiłaś załatwić wszystkie zaległe sprawy.

– Wcale nie. Uciekłam i siedzę tutaj. Nic nie załatwiam.

– Wprost przeciwnie. Pogodziłaś się z Juliuszem i w końcu zamknęłaś ten rozdział. Nawiązałaś przyjacielskie relacje, co prawda z czworonogami, ale zawsze to jakiś postęp, bo wcześniej nie miałaś ich w ogóle.

– Nie chciałam mieć. Nie zależy mi na fałszywych przyjaciołach. Wolę, żeby ludzie mnie nie lubili, niż żeby darzyli sympatią z niewłaściwych pobudek.

– Masz rację – potwierdziła z uśmiechem. – Wolisz, żeby ludzie cię nie lubili.

Łyknęłam herbaty. Była jeszcze zbyt gorąca i poparzyłam sobie wargi. Zaczęłam dmuchać w kubek, bo nie chciałam kontynuować tematu. W końcu się poddałam.

– Kiedy umarłaś, wszyscy się ode mnie odwrócili. Oprócz Juliusza.

– Kiedy umarłam, byłaś nie do zniesienia i nikt nie mógł z tobą wytrzymać. Poza Juliuszem, ale on jest dziwny, więc się nie liczy.

– To nieprawda! – żywo zaoponowałam.

– Pamiętaj, że tam byłam i wszystko widziałam. Nie możesz mnie okłamywać. Nie możesz siebie okłamywać w nieskończoność. To się źle skończy.

– I co? Zobaczę ducha zmarłej matki? – zażartowałam.

– Na przykład. – Mony jakoś nie bawił czarny humor.

Kiedy rodzice zamienili swoje małżeństwo w wojnę, ja przestałam się liczyć. Nie obchodziłam ich. Świat kręcił się jakby obok mnie. Jeśli okazywałam złość albo frustrację, byli na mnie wściekli. Jakby mieli pretensję, że istnieję i coś czuję. A potem mama zginęła i mogłam się złościć do woli, czepiać się ich bez powodu. Na wszystko mi pozwalano i korzystałam z tego. Zapomniałam tylko, że istnieje limit czasowy. Można gryźć ziemię i wyć z żalu, ale żałoba musi się kiedyś skończyć. Moja trwała od dwudziestu lat.

Nie nawiązałam żadnych przyjaźni, nie zakochałam się, nie wiedziałam nawet, co to szczęście.

– Mogę już iść? Chyba załatwiłyśmy sprawę.

– Dopiero zaczynamy, moja droga. – Mona uśmiechnęła się zimno i zrozumiałam, że wszelki opór jest bezcelowy.

Byłam więźniem własnej, chorej wyobraźni.

– To o czym mamy teraz rozmawiać?

– Może o tym, jak umarłam?

Milczałam długo.

– Nie chcę o tym myśleć, a tym bardziej mówić.

– Ale dlaczego? Może dlatego, że dręczy cię poczucie winy, co?

Trafiła w dziesiątkę. Zwalałam winę na ojca. Gdyby nie odszedł, nic by się nie stało. Ciągle mu to powtarzałam, chyba dlatego, że sama chciałam w to wierzyć. Ale to nie zmieniało faktu, że to ja ponosiłam winę. Gdybym była bardziej wyrozumiała, gdybym nie pokłóciła się z matką…

– Nie ponosisz odpowiedzialności za decyzje dorosłej kobiety – rozgrzeszyła mnie Mona.

– Mówisz jak mój psychoanalityk.

– Może powinnaś mu uwierzyć? A swoją drogą, to nie miałam pojęcia, że chodziłaś do psychoanalityka.

– Halinka mnie wysłała. Po twojej śmier… Zaraz, zaraz. Przecież mówiłaś, że jako moja halucynacja wiesz wszystko.

– Próbuję trochę ożywić naszą rozmowę. Ty tylko bla, bla, bla, jaka to ja biedniutka jestem. Tatuś mnie zostawił i poszedł do innej pani, a mamusia po pijaku wjechała na drzewo.

– Była pijana? – zdziwiłam się.

– Nie wiedziałaś?

– Nie. A to znaczy, że znowu przyłapałam cię na kłamstwie.

– To znaczy tylko, że są rzeczy w twojej pamięci, z których nie zdajesz sobie sprawy. Strzęp rozmowy, jakiś gest, którego jako dziecko nie rozumiałaś. A teraz jesteś już duża i potrafisz wyciągnąć właściwe wnioski.

– Zawsze się zastanawiałam, dlaczego wtedy wsiadła w samochód i pojechała do babci.

– To proste. Winiła ją za to, co stało się z jej życiem. Miała pretensje do matki, podobnie jak ty.

– Nie mam do niej pretensji.

– Akurat. Ze świecą szukać dorosłej córki, która nie wini matki za własne błędy.

Milczałam.

– No dobra – rzekła pojednawczo Mona. – Wywal to z siebie. Będzie ci lżej.

– Nie chcę, żeby było mi lżej. Chce mi się siku.

– To idź, przecież cię nie trzymam.

Drzwi uchyliły się z cichym skrzypnięciem.

Świat za nimi był piękny, żywy, zielony. Zachwycił mnie tak jak pierwszego dnia, kiedy tu przyjechałam. Przypomniał mi się zapach śmierci, który panował wtedy w domu. Udało mi się go pozbyć, ale nie na długo. Powrócił razem z Moną. Przez chwilę zastanawiałam się, czy to możliwe, że umarłam i to mój zapach.

Nagle jakby znikąd pojawił się Maurycy i otarł o moje nogi. Nic nie poczułam. Jakby zamienił się w widmo. Wtedy zauważyłam prawdziwego Maurycego. Drapał w niewidzialną ścianę i krzyczał. Nie mogłam go usłyszeć. Zorientował się. Zaczął mówić powoli i wyraźnie. Skoncentrowałam się na ruchu jego pyszczka. Szalenie zabawnie to wyglądało. Chyba mówił: „Nie idź" i „Miłość". „Prawdziwa miłość"? Nie. To musiało być coś innego. Nagle tam, gdzie stał Maurycy, pojawiła się ciemna plama i nic już nie mogłam zobaczyć. Próbowałam iść w jego stronę. Bezskutecznie.

Nie miałam ochoty wracać do chałupy. Przysiadłam na progu, ciesząc się światłem. Ostatnim, zanim w moim życiu nastąpi mrok. Zastanawiałam się, czy wyobraźnia potrafi mnie zmusić do powrotu. Tak naprawdę nie wierzyłam już, że wszystko dookoła to tylko halucynacja. Byłam raczej skłonna uwierzyć, że spotkałam ducha, może śmierć. Nieźle mnie te kilka tygodni zafiksowało.

W końcu się poddałam. Im szybciej Mona osiągnie to, na czym jej zależy, tym prędzej pójdzie sobie w diabły.

– Długo coś – przywitała mnie zgryźliwie.

– Tak ci się tylko wydaje. Za dużo herbaty wypiłam. Ale niech tam, zrobię sobie jeszcze jedną. – Uśmiechnęłam się do niej ładnie, choć nieszczerze. I sięgnęłam po czajnik. – Mam do ciebie, to znaczy do swojej matki, którą jesteś, pretensje, bo mnie olewałaś, jak byłam mała. A potem chciałaś, żebym realizowała w życiu twoje ambicje, a największy żal mam o to, że mnie zostawiłaś, kiedy najbardziej cię potrzebowałam.

– Łał! Jestem pod wrażeniem! – krzyknęła Mona. – Powinnam była zostać psychoanalitykiem czy czymś takim – ironizowała.

– Należałoby najpierw skończyć szkołę – zauważyłam złośliwie.

– No widzisz? I dlatego taki nacisk kładłam na twoją edukację. – Zrobiła minę zatroskanej matki.

– Mylisz nacisk z uciskiem, wyzyskiem i pańszczyzną. Zależało ci, żebym przeżyła swoje życie tak, jak ty chciałabyś to zrobić.

– W rzeczy samej – przyznała skwapliwie.

Podeszłam do okna i wyjrzałam. Na zewnątrz nie dostrzegłam nic poza oślepiającą białością.

– Nie mogłaś pozwolić mi przeżyć mojego życia po swojemu?

– Nie. Ponieważ ja tak próbowałam i nic dobrego z tego nie wynikło. Powinnam była słuchać matki.

– Powinnaś była posłuchać mnie! – wyrzuciłam z siebie z żalem. – Przez ciebie mam wrażenie, że życie przeciekło mi między palcami – wyznałam.

– Robiłaś to, co uznałaś za słuszne. Wydawało mi się, że lubisz swoją pracę.

Tak zupełnie szczerze, to nie. To znaczy sama praca była fajna i satysfakcjonująca. Tylko relacje, jakie w niej nawiązałam, okazały się zupełnie do dupy. Zamieniłam się w nadzorcę niewolników. A to, co dzięki temu osiągałam, nie było warte widoku wymiętych ludzkich twarzy. Mężów niewidujących żon, matek, którym brakowało czasu dla dzieci. Dziś chyba nie potrafiłabym spojrzeć im w oczy. I pomyśleć, że gdyby nie choroba, dalej bym się tak zachowywała. Ciekawe, ile osób cieszyłoby się, wiedząc, co mnie spotkało? Zbyt wiele. W zasadzie nie mam do nich żalu.

– Gdybym chociaż była szczęśliwa…

– Nie chciałaś. Szczęście to kwestia wyboru. Ty wolałaś złe emocje. Ze mną było podobnie. Ludzie mówili, że jestem ładna. Chłopcy za mną szaleli. Od tego przewróciło mi się w głowie. No i pojawiłaś się ty. A ja się nigdy z tego nie cieszyłam. Nie patrzyłam na ciebie jak na dar. Myślałam raczej o tym, co mi odebrałaś, bo mimo że iluzoryczne, stanowiło dla mnie większą wartość. Zmarnowałam życie twojemu ojcu i tobie i skończyłam rozpłaszczona na przydrożnym drzewie. Wybaczysz mi? – Uśmiechnęła się ładnie, serdecznie, prosząco. Przez ułamek sekundy wyglądała dokładnie jak mama, którą zapamiętałam. Taka piękna.

– Pogódźmy się i chodźmy stąd, tylko tracimy czas. Możemy wszystko naprawić.

W pierwszym odruchu chciałam się zgodzić. Ale z niewiadomego powodu pomyślałam o Juliuszu. O tym, że gdyby nie skrzywienie emocjonalne, jakim obarczyła mnie matka, nigdy nie pchałabym się w ten związek. Pozostalibyśmy przyjaciółmi, a ja ułożyłabym sobie życie z kimś takim jak Andrzej. Na jego wspomnienie ścisnęło mnie w gardle. Myśl o weterynarzu była iskierką spadającą na stos papieru, w który zamieniło się moje serce. Najpierw pojawił się dym, a potem płomienie i ciepło. Coraz więcej ciepła, które rozlewało się po moim ciele. Nagle zrobiło mi się bardzo gorąco.

– Chyba nie jestem na to gotowa – rzekłam. – Chcę tu zostać jeszcze jakiś czas.

Na twarzy Mony wykwitł grymas złości. Nie, czystej wściekłości. Nie wyglądała już ładnie i nie przypominała mojej matki. Chciała coś powiedzieć, ale wtedy ktoś zapukał, drzwi skrzypnęły i do środka wparowała Śliwowa.

– A co ty tak w chałupie siedzisz, Jaguś, kiedy na dworze taka piękna pogoda? – zapytała, ale nie czekała na odpowiedź. – Zajdziesz do mnie? Trza mi pomóc fasolę przebierać, Stasiek dał mi worek takrocznej. Zajdziesz? – Popatrzyła na Monę, jakby ją widziała. – Mamusia pozwoli.

Mona powoli podniosła się z fotela. Ze złością zacisnęła wargi.

– Jasne, niech idzie. Ja już wychodziłam.

Ruszyła w stronę drzwi. Mroźny powiew szedł za nią. Przechodząc koło Śliwowej, syknęła: „Jeszcze się policzymy", ale babina tylko prychnęła lekceważąco. Mona, przekroczywszy próg domu, po prostu rozpłynęła się w powietrzu.

– No i dobrze poszło. – Śliwowa westchnęła z ulgą. – Myślałam, że nie dam rady, staram już. Gorzałki nie masz aby?

– Tylko piwo – odpowiedziałam.

Kiwnęła głową. Podałam jej puszkę. Patrzyłam, jak grubym pazurem podważa blaszkę. Spieniony płyn polał się jej po ręku. Przystawiła puszkę do ust. Zagulgotało. Piła i piła.

– Całkiem dobre, choć słabe. W chałupie nalewkę mam, to se golniem. No chodź. – I ruszyła przodem, a ja skołowana za nią.

– Widziała ją pani? – dopytywałam, kiedy przedzierałyśmy się przez krzaki, żeby dojść do domu Śliwowej.

– Com miała nie widzieć? Zdarza nam się spotkać. To wszystko przez tę burzę. A pieska tego, co masz, to szanuj, bo to mądra bestia. On mi dał znać, że coś nie tak.

– Powiedział pani? – zdziwiłam się.

Śliwowa wybuchnęła rechotliwym śmiechem.

– Toż psy nie gadają! Choć ten całkiem jakby mówił. Tak skomlił, tak łapką robił, za spódnicę mnie ciągnął. No i zmiarkowałam, że mam za nim iść. A jak przyszłam, to widzę, że się porobiło. Ale nic to, grunt, żeśmy se z nią dały radę.

Podeszłyśmy pod dom Śliwowej.

– Siadaj! – bardziej rozkazała, niż zaprosiła. Wskazała przy tym dwa plastikowe krzesła, które razem ze stołem stały pod ścianą. – Ja po gorzałkę skoczę. – I zniknęła we wnętrzu domu.

Usiadłam. Gapiłam się na muchę, która na białej tafli plastiku poszukiwała resztek jedzenia.

– No, masz, pij na zdrowie. – Zachęciła babina, podając mi szklankę, prawie do połowy pełną.

Myślałam zawsze, że nalewkę pije się z malutkich kieliszeczków. Łyknęłam. Płyn okazał się gęsty, cholernie mocny, lepki od cukru i gorzkawy, ale aromatyczny od ziół. Smakował mi. Więc wypiłam kolejny łyk.

– Pij, pij – zachęcała gospodyni. Sama też sobie nie żałowała. – Nie pogodziłaś się z nią aby? – zapytała.

Nie bardzo rozumiałam, kogo ma na myśli. Monę? Nie do końca wierzyłam, że widziała moją halucynację. Kiwnęłam głową, co mogło równie dobrze oznaczać, że nie, jak i cokolwiek innego.

– To tak szybko nie przyjdzie. Jakbyś chciała o wszystkim zapomnieć, to ci na to ziela mogę dać. Ciekawam wiedzieć, co w tobie takiego jest, że ona gadać z tobą chciała. Nie z każdym gada.

– Kto? – zapytałam.

Śliwowa popatrzyła na mnie, potem machnęła ręką.

– Do dna wypij, a potem prędko leć do domu, zanim cię usiecze – poradziła.

Wypiłam, podziękowałam. Ruszyłam w stronę domu, a cały świat razem ze mną. Nogi mi się plątały z rękoma. Szłam i szłam, a prawie nie ruszałam się z miejsca. Długo trwało, zanim dotarłam do łóżka. Zwaliłam się na nie i zapadłam w nicość.

Nie mam pojęcia, jak długo spałam. Sądząc po zawartości pęcherza, bardzo długo. Obudziłam się zdezorientowana, ale rześka i wypoczęta. Widocznie kaca też przespałam. Może w ogóle mnie nie dręczył kac, tylko dziwny sen? Po chwili namysłu doszłam do logicznego wniosku, że to był sen. Okropny. Najmroczniejszy sen w życiu. Stwierdziłam, że muszę poprosić Andrzeja, by ze mną sypiał.

Poczułam głód. Zjadłam resztkę krakersów, bo tylko one wyglądały na ciągle jadalne. Resztę rzeczy wyrzuciłam. Stanowiły jeszcze jeden dowód na długi sen. Powinnam pojechać na zakupy, ale nie miałam na to ochoty.

Wyszłam do sadu i usiadłam na pniu zwalonej jabłonki. Słońce świeciło mi na twarz. Niebo było błękitne. Azor pojawił się nie wiadomo skąd i bez słowa położył się koło moich stóp. Czułam się świetnie, choć zaburczało mi w brzuchu. Azor podniósł łeb.

– Też bym coś zjadł – wyznał.

– Nie chce mi się jechać do sklepu – powiedziałam.

– To daj kluczyki, ja podjadę. – Parsknął, ubawiony własnym żartem. A potem popatrzył na mnie, robiąc wielkie, prawie na wierzch wypadające ślipka. – Głodnym – zaskomlił.

– No dobra. – Poddałam się. – Może przejedziesz się ze mną? – zaproponowałam.

Azor całym ciałem wyraził entuzjazm dla pomysłu. Zamienił się w kauczukową piłeczkę, która raz rzucona, ciągle się odbija. Radość trwała, dopóki nie podeszliśmy do auta.

– Boję się – wyznał pies.

Podkulił ogon i podniósł przednią łapkę. Jego nos poruszał się powoli, dokonując szczegółowej analizy wszystkich samochodowych zapachów.

– Nie ma czego – uspokajałam. – No, dalej, hop! Wskakuj! – zachęciłam.

A widząc, że nie może się przemóc, po prostu podniosłam go i wepchnęłam do auta. Zaskomlał, ale było już za późno. Zamknęłam za nami drzwi. Uśmiechnęłam się, widząc, jak strach walczy z ciekawością. Poczekałam chwilkę, żeby oswoił się z sytuacją, i w końcu przekręciłam kluczyk. Silnik zawarkotał, pies zaskomlił. Wcisnęłam gaz i ruszyliśmy.

– Przesuwa się! Tam za oknem się przesuwa, a ja mam łapki tu! – piszczał pies.

Kręcił się na fotelu. Trząsł się cały.

– Wszystko w porządku? – zapytałam.

– Super jest! Ale kota nigdy nie zabieraj, dobra?

Kiwnęłam głową, że okej, i skoncentrowałam się na drodze. Nie chciałam stracić zębów na wybojach.

W końcu nasza wycieczka dotarła do miasteczka. Kazałam psu nigdzie się nie ruszać. Potem zamknęłam go w samochodzie. Tak dla pewności. Następnie wróciłam, uchyliłam okno na dwa palce, zapewniłam, że nie będzie mnie najwyżej dziesięć minut, i znowu poprosiłam, żeby się nie ruszał, bo zaraz wracam. A jak będzie grzeczny, to dostanie kość. I żeby z nikim obcym nie rozmawiał.

Kupiłam tyle niepotrzebnej żywności, jakby jutro miała nadejść Wielkanoc. Ładowałam torby do samochodu, kiedy pies zaczął szczekać.

– Co znowu? – zapytałam.

Zamiast odpowiedzieć, spojrzał na mnie jak na idiotkę. Żadnych rozmów w miejscach publicznych.

Odwróciłam głowę w stronę, którą obszczekiwał, i zobaczyłam Andrzeja. Stał może pięćdziesiąt metrów od nas i żywo dyskutował z jakimś starszym panem. Kiedy nasze spojrzenia się spotkały, podniósł rękę i skinął do mnie. Odmachałam, po czym zaczęłam gramolić się do samochodu. Widząc to, Andrzej szybko się pożegnał i prawie do mnie podbiegł.

– Dzień dobry, jak się spało? – zapytał ciepło.

– Skąd wiesz?

Wysiadłam z samochodu, żeby nie patrzeć na Andrzeja z góry. Staliśmy teraz bardzo blisko siebie. Pies na zmianę szczekał i rozpłaszczał nos na szybie.

– Odwiedziłem cię wczoraj – wyjaśnił. – Ale tak mocno spałaś, że postanowiłem cię nie budzić.

– Trzeba było. – „Pęcherz mi omal nie eksplodował" – dodałam w myśli.

– Chciałaś tak bez słowa odjechać? – mruknął z dezaprobatą.

– Przecież wiesz, gdzie mnie szukać. – Starałam się nadać głosowi lekkie brzmienie.

Że niby to wszystko żarty i w ogóle. Bo jak miałam powiedzieć, że bardzo chciałam do niego podejść, ale wstydziłam się tego starszego pana, który zresztą ciągle tam stał i się na nas gapił? I bez względu na to, co o mnie myślał, miał rację.

– A może dla odmiany ty wpadniesz do mnie? – zaproponował Andrzej, przerywając moje głupie dywagacje.

– Czemu nie? – Podałam mu kluczyki. Wziął je nie bez przyjemności. Widziałam, jak delikatnie pogładził kierownicę. Lubił mój samochód. „Zostawiłabym ci go w prezencie, kochany – pomyślałam – gdybym się nie bała, że to będzie zbyt bolesne".

Przejechaliśmy przez centrum miasteczka, czyli to miejsce, gdzie w jednym budynku mieściły się bank i poczta. Obok stał maluteńki ośrodek zdrowia i niewiele większa szkoła. Dwie uliczki dalej – kościół. Skręciliśmy tuż za nim, a jakieś dwieście metrów dalej Andrzej wjechał na małe podwórko i się zatrzymał.

– No to jesteśmy. Zapraszam na herbatę.

Wysiadłam. Wzięłam psa pod jedną pachę, a kość dla niego pod drugą i pomaszerowałam za gospodarzem.

Dom był parterowy, z suterenią. Nad prowadzącymi do niej schodkami wisiała strzałka i napis: „Gabinet weterynaryjny. Czynny pon.–sob. 6–18". Wejście do domu znajdowało się po przeciwnej stronie. Pozwoliłam Andrzejowi iść przodem, żeby mógł mi otworzyć drzwi. Pies był ciężkawy i niespokojnie się wiercił, próbując dosięgnąć kości. Z ulgą

115

postawiłam go na ziemi, kiedy tylko znaleźliśmy się w ciasnej sieni.

– Może tu jeść? – zapytałam.

– Jasne – rzucił Andrzej niefrasobliwie.

Zostawiłam psa, czule obejmującego kość, w przedpokoju i weszłam za Andrzejem w głąb domu.

Mieszkanie bez wątpienia wyglądało na kawalerskie. Od razu zauważyłam, że właściciel nie ma ani czasu, ani ochoty, żeby o nie dbać. Nad moim warszawskim apartamentem pracowało dwóch dekoratorów, zanim udało nam się stworzyć przestrzeń idealną. Tu jakieś dwa pokolenia mieszkańców zrobiły, co się dało, żeby ją zniszczyć. A weterynarz pewnie wszedł i tylko rzucił torbę pod łóżko. Peerelowski segment uzupełniała przedwojenna szafa. Do tego ława, komoda i jakiś stolik, każde w innym kolorze. Komplet wypoczynkowy z bazaru. Narzuta na ścianie, święte obrazy w towarzystwie landszaftu, zasłony z zielonego pluszu i brudne okna. W segmencie książki powoli wypierały porcelanowe filiżanki i różowe słoniki. Całość dopełniała szklana ryba na telewizorze.

– Na dole mam porządek – usprawiedliwił się Andrzej, widząc moją minę. – Kupiłem ten dom z meblami. Po tygodniu miały się znaleźć na śmietniku, tymczasem mieszkamy razem już pięć lat. Mama zaoferowała pomoc, ale nie przyjąłem, bo jestem dorosły. – Popatrzył na meble z niechęcią. Westchnął. – Zaparzę nam herbaty.

Poszłam za nim do kuchni. Urządzona była w tym samym stylu co pokój. Może właściciel nie miał dobrego gustu, za to miał czajnik bezprzewodowy. I lodówkę. Patrzyłam na nie z pewną zazdrością. Nagle przyszło mi do głowy, że pewnie ma też łazienkę.

– Mogłabym się wykąpać? – zapytałam nieśmiało.

Roześmiał się ciepło, tak jak rodzice śmieją się ze swoich dzieci.

– Czemu nie, zaraz włączę bojler. Poczekasz chwilę?

Skinęłam głową.

Jakieś pół godziny później leżałam w wannie pełnej ciepłej wody. Udało mi się nawet uzyskać trochę piany, choć żel pod prysznic nie pienił się zbyt dobrze. Pomyślałam leniwie, że może Andrzej zaprosi mnie jeszcze kiedyś i wtedy przyniosę własne zabawki.

Kiedy wyszłam, znalazłam go siedzącego w fotelu. Pił piwo. Obok niego drzemał obżarty pies.

– Co robisz? – zapytałam.

Popatrzył na mnie tym swoim spojrzeniem, od którego nogi robiły mi się miękkie, a w gardle zasychało.

– Jestem szczęśliwy.

– Mogę się przyłączyć?

Skinął głową. Podeszłam i usiadłam na podłodze, położyłam głowę na jego kolanach. Kropelki wody z moich włosów spadały mu na spodnie. Pies położył łeb na moich nogach.

„Być szczęśliwym – pomyślałam – jakie to czasem proste".

Rano obudził mnie pies. Musiałam go wyprowadzić. Kiedy wróciłam, Andrzej już nie spał. Zjedliśmy razem śniadanie. Było między nami tak do bólu normalnie. Potem on zajął się pracą, a ja wróciłam do siebie. Nakarmiłam Maurycego, porzucałam psu patyk, poczytałam książkę. Od lat nie czułam się tak fajnie.

Pod wieczór przyszła Śliwowa. Na moje szczęście bez nalewki.

– Do weterynarza jeździła może? – zapytała bez ogródek.

Skinęłam głową. Nie było sensu kręcić, wszyscy i tak wiedzieli. Pamiętałam czasy, kiedy sąsiad nawet nie znał mojego nazwiska, a prywatne życie należało naprawdę do mnie i rzeczywiście było prywatne.

– Jakbyś znowuż do niego zajeżdżała, to końskiej maści mnie weź. Tylko pamiętaj, rozgrzewającej. Coś mnie po kościach łamie. Ale prawdziwej, dla konia, a nie tej ludzkiej podróby – nakazała.

– Będę pamiętać – zapewniłam. – Napije się pani herbaty? – dodałam uprzejmie.

– A zrób, zrób. W chałupie może wypijemy, bo komary już kąsają. – I bez ceregieli ruszyła do domu, a ja za nią.

Badawczym spojrzeniem zlustrowała mieszkanie, jakby sprawdzając, czy Mona nie czai się w jakimś kącie. Potem ciężko klapnęła na krzesło. Siorbała prawie wrzącą herbatę, wyciągając przy tym wargi jak koń, gdy mu się podaje cukier.

– Ja tak czułam, że z tobą coś jest nie tak – zagaiła nagle babina. – Jak tyś przyjechała, ja karty rozłożyłam. Ot tak. Z czystej ciekawości, kto to za płotem mieszka. I nic w nich zobaczyć nie mogłam.

Pokiwała głową. Ja dla towarzystwa również.

– Raz już tak miałam. To w czterdziestym piątym było. Niby już po wojnie, ale chłopaki się jeszcze po lasach tłukli. A ja nie mieszkałam tak jak teraz, we środku wsi, tylko tak raczej chatę za wsią miałam. Raz pod wieczór patrzę się ja, a tu na podwórko zachodzi oddział. Z dziesięciu ich było, może i nie. O nocleg pytają. Ja noclegu nie żałowałam. Rozłożyli się w stodole, posnęli. Tylko dowódca jakiś taki, spać nie chciał, po obejściu mnie łaził. Na koniec przyszedł, niby że za wodą, ale raczej wypytywać chciał. Co ja robię, pyta. „A co mam niby robić? – ja na to. – Ot, normalnie, na odrobki chodzę, jak kto chory, ziół naparzę, położnicy doglądnę". To on znów pyta: „Wróżycie?". „A co mam nie wróżyć?" – ja na to. Tak ci powiem, ale nie rozgaduj, że na kartach to człowiek jeszcze najlepiej wychodzi. I wtenczas tak było. To on mnie na to: „A mnie byście, matko, powróżyli?". To ja jemu mówię, że powróżę, bo niby co mam powiedzieć? – Przerwała na chwilę, zadumała się.

Siedziałam cicho, nic nie mówiąc, bo niby co miałam powiedzieć?

– No i tak – sapnęła. – Wyciągam karty zza pazuchy. Rozkładam. Nic. Czarno. Ino jeden, dziewięć, cztery, dwa, takie liczby widzę. Rozkładam drugi raz i trzeci, tak samo. Więcej nie można. On, niby ten dowódca, śmieje się, mało mu brzucha nie rozsadzi. I tak do mnie mówi: „Znam ja was, babko, i to wasze na dwoje wróżenie. Przyjdzie jaka panna, a wy jej prawicie, jak to kawaler koło niej się kręci. A panna kraśnieje i grosza nie skąpi. Ale mnie kłamać i kręcić się boicie, to gadacie, że nic nie widać".

Pytałam ja potem o nich, co to za jedni mogli być. Nikt ich tu nie znał. Potem mi jeden z sąsiedniej wioski gadał, że ich znał. Ale to inni musieli być, bo tamtych Niemce w zasadzce jak kaczki wystrzelali jesienią w czterdziestym drugim. Tak to z kartami bywa.

Śliwowa westchnęła. Jej westchnięciu odpowiedziało dziwne ni to parsknięcie, ni to chichot spod stołu. Babina błyskawicznie się pochyliła. Ja też, tylko znacznie wolniej. Pod stołem siedział Maurycy. Lizał sobie łapkę. Pewnie zakrztusił się kłaczkiem i stąd to prychanie. Ale Śliwowa była chyba innego zdania. Przyglądała się kotu uważnie, badawczo.

– A więc to twoja sprawka? – zwróciła się do kota. – Zmyliłeś mnie, boś nie czarny.

Maurycy popatrzył na nią z niechęcią w ślipiach.

– Rasistka – prychnął.

Padłam ofiarą najścia. Chyba tak to można nazwać. Z samego rana przylazł chłopina z wielkim nosem. Że to chłop, poznałam od razu po plastikowych klapkach. Zasiadł przy stole w sadzie i zamarł w bezruchu. O tym, że żyje, świadczyło to, że od czasu do czasu strzykał brązową śliną. Nie odzywał się, nie nawiązywał kontaktu wzrokowego. Na pytania odpowiadał pomrukiem, a ja za nic nie mogłam dojść, czy mruczy na tak, czy na nie. Szaleństwo jakieś. Doszłam do wniosku, że nie jest normalny. Potem zaczęłam się go bać, po dwóch godzinach bałam się paranoicznie. Nie miałam telefonu, żeby wezwać policję. Mogłam wrzeszczeć z nadzieją, że Śliwowa usłyszy. Ale zanim by przyszła, już byłabym martwa. Nie wiem czemu, ale jakoś nie chciałam ginąć z rąk psychopaty.

W połowie trzeciej godziny odezwał się wreszcie: „Trza się pomału zbierać". Ale albo „pomału" było tak wolne, że niezauważalne, albo „trza" jeszcze nie nadeszło, bo siedział dalej. Ja tymczasem dokonałam rozdwojenia iście metafizycznego, ponieważ ze strachu moja dusza uciekła bardzo daleko, a pozbawione jej ciało tępo patrzyło przed siebie, oczekując rychłego końca.

Dusza moja docierała właśnie do przedmieść Paryża, kiedy z krzaków wylazła Śliwowa.

– Dzień dobry, Kaziu – przywitała właściciela największego nosa, jaki w życiu widziałam.

– Dzień dobry wam, Śliwowo – odpowiedział chłop.

– A co was tu sprowadza? – zapytała sąsiadka.

– A interes żem załatwiał.

– I jak gadasz, będzie z tego co? – W jej głosie słyszałam zaciekawienie, ale i troskę.

– Pan Bóg pokaże – odparł chłop sentencjonalnie.

Po czym zapadło długie milczenie. Ze Śliwową na podwórku poczułam się bezpieczniejsza. Moja dusza wracała piechotą przez Niemcy.

W końcu chłop wstał, mruknął: „widzenia" i poszedł. Odetchnęłam z ulgą.

– Kto to był? – zapytałam sąsiadki.

– Ty go nie znasz? Toż to Kaziu Dziechcior. Pole koło was ma.

„Doprawdy, dziwne, że nie znałam" – pomyślałam z ironią.

– Nie wie pani, czego on mógł chcieć? – zaryzykowałam pytanie.

– Toż on względem tego pola. Kupić chce. – Dla Śliwowej była to oczywista oczywistość.

– Nic mi o tym nie mówił. – W zasadzie w ogóle nic nie mówił.

– To taka technika, ta mark… merk… tingowa taka. Kazika syn już sześć lat ekonomię studiuje, ma chłopak łeb. On to ojcu wyjaśnił, że najsampierw trza klienta zmienkczyć, to łatwiej na jego warunki pójdzie. A Kazik chce, żeby ty z ceny zeszła.

– Ale ja nawet nie myślałam o sprzedaży – wyznałam zdziwiona.

– A to nie moja rzecz. Ja się do waszych interesów wtrącać nie będę, żeby potem co na mnie nie było.

I radośnie zmieniła temat na polityczny.

Stwierdziłam, że w zasadzie ma ten Kazik łeb. Bo jak przyjdzie następnym razem, to mu pole za darmo dam, żeby tylko nie siedział i nie straszył.

Przyjechał jak zwykle i jak zwykle niewiele mówił. Poczułam ulgę, kiedy go zobaczyłam, a dobry humor dopisywał mi przez cały wieczór, który ku mojej radości skończył się w łóżku. Podobnie następny i kolejny. I zawsze kiedy się budziłam, już go nie było.

– Dlaczego wychodzisz w nocy? – zapytałam w końcu.

– Wychodzę rano. Tylko moje rano i twoje wypadają w różnym czasie – zażartował.

Uśmiechnęłam się i wtuliłam twarz w jego ramię.

– Jesteś niezwykła – powiedział Andrzej do sufitu. – Nigdy wcześniej nie poznałem takiej kobiety.

Podniosłam się na łokciu, żeby lepiej widzieć jego twarz.

– To w zasadzie twoja zasługa. Ty tak na mnie działasz – zagruchałam, delikatnie całując go w ramię.

Roześmiał się jak z dobrego żartu.

– Nie to mam na myśli.

Zrobiło mi się strasznie głupio, więc znowu opadłam na pościel, żeby nie zobaczył, jak się rumienię.

– Moi rodzice pochodzą spod Lublina – zaczął. – W młodości wyjechali na Śląsk, bo tam była praca, mieszkania. Zasymilowali się. Moi starsi bracia skończyli AGH. To już prawdziwi Ślązacy. Tylko mnie zawsze jakoś inaczej w duszy grało. Matka na pytanie, czym się zajmuję, odpowiada, że jestem lekarzem. Zapomina tylko dodać, że od zwierząt.

Nie wiem, kiedy ojciec dowiedział się o chorobie. Ukrywał to przed nami. Aż doszło do wypadku. To cud, że nikt nie zginął. Wtedy się przyznał. Stwardnienie rozsiane. Odszedł z kopalni. Załamany zaczął pić. Mama nie dawała sobie z tym rady. Dziewczyna, z którą wtedy byłem, też. Wspólnie otworzyliśmy gabinet, a ja zamiast w pracy cały czas siedziałem w domu.

Braci trochę gryzły wyrzuty sumienia, bo się nie angażowali w pomoc. Zafundowali rodzicom wczasy w Zwierzyńcu. To był dobry pomysł. Zmiana otoczenia świetnie im zrobiła. No i w końcu przenieśli się tu na stałe. Nie chciałem, żeby mama została sama, wśród obcych, z tym wszystkim.

Rzuciłem gabinet weterynaryjny razem z dziewczyną i zacząłem pracę tutaj.

Zaimponował mi. Nigdy jeszcze nie wypowiedział przy mnie tylu słów naraz. Widocznie prawdą jest, że seks zbliża ludzi. Jeśli chodzi o jego historię, wiedziałam, że moja by ją przebiła. Tylko ja nie zamierzałam się spowiadać.

– Czyli jednak ktoś był w twoim życiu? – zapytałam, żeby rozmowa dalej kręciła się wokół niego.

Popatrzył ma mnie pytająco.

– Mówiłeś, że z nikim się nie spotykałeś – przypomniałam mu.

– Dziś nie do końca wiem, jak określić charakter naszego związku. Chyba nie dość mocno się zaangażowałem. Długo byłem tym facetem, który boi się, że ktoś złamie mu serce.

– A teraz? – zapytałam, nie wiem po co, bo przecież nie chciałam znać odpowiedzi.

– Dam ci szansę.

Pomyślałam, że jego słowa są profetyczne.

– Dziękuję, ale nie jestem zainteresowana.

Przyciągnął mnie do siebie i pocałował w szyję.

– To nie ma znaczenia, bo ja jestem. Bardzo – szepnął zmysłowo.

Pomyślałam, że mysz znowu będzie robić mi wymówki, bo jej dzieci się przeze mnie nie wysypiają.

Śliwowa nabrała dziwnego zwyczaju przychodzenia do mnie drogą na skróty, przez krzaki, które kiedyś pewnie uchodziły za zadbany szpaler. A może i nie, w każdym razie kiedyś pewnie było ich mniej. Teraz rozrosły się na potęgę, gęste i kolczaste, a nadejście sąsiadki brzmiało trochę jak skradanie się nosorożca. Nie rozumiałam, dlaczego nie chodzi naokoło. Wygodnie, a zajęłoby jej to tyle samo czasu.

Tym razem jednak urocza sąsiadka postanowiła zadziałać niekonwencjonalnie. Stałam właśnie przy studni, z której usiłowałam nabrać wody. To wcale nie takie łatwe, bo albo wiadro nie chciało się zanurzyć, albo było pełne i ciężkie – wtedy się chybotało i woda się wylewała. Skoncentrowana na tej czynności, przestałam zwracać uwagę na świat wokół mnie. Kiedy więc ktoś za plecami krzyknął mi: „dzień dobry", tak się wystraszyłam, że aż puściłam korbę. Zawirowała wariacko szybko, a ja miałam dużo szczęścia, że nie pozbawiła mnie przy tym uzębienia czy nawet życia.

– Mocniej trza trzymać – doradziła z serca babina. – I uważaj, bo jeszcze zęby ci wybije.

– Tak – odpowiedziałam grzecznie, klnąc ją w myślach, że ho, ho!

– Ja to wodę w chałupie mam. To wygoda jest.

„Też tak miałam, ale postanowiłam z tego zrezygnować".

Śliwowa jakby przez chwilę rozważała, czy kontynuować rozmowę o dobrodziejstwach cywilizacji, czy przejść do bardziej interesujących tematów. Wybrała to drugie.

– Po wsi gadają, żeś ty się z weterynarzem zwąchała – zagaiła.

„Nie pani interes!" – pomyślałam. Ale nic nie powiedziałam, bo jak wiadomo mowa jest tylko srebrem.

– Ludzie ciekawe, pytają mnie, czy ja co wiem. Ale ja ludziom nic nie gadam.

„Bo twoje drugie imię to Dyskrecja?". Jakoś w to wątpiłam.

– Ja może i stara jestem, ale dzisiejszemu światu się nie dziwię jak niektóre. Taka na przykład Bronka Majowa, Staśka ciotka, to ona nic, tylko się dziwuje i wyrzeka, że za naszych czasów takiej obrazy boskiej nie było. Ale co nie było? Było to jak świat światem. Albo i gorzej. Kiedyś to ojce się zgadali, młodych pożenili, a on na ten przykład nie bardzo chętny był do tych rzeczy. To się człowiek, jak go przycisnęło, po sąsiedzku ratował. A to wszak grzech, bo się wierność przysięgało. A tu grzechu ni ma. Ty wolna, on wolny, to co to komu by miało przeszkadzać, że sobie troszka użyjecie?

Seks jak szklanka soli? Nawet ja nie byłam tak bezpruderyjna.

– To ja już pójdę – powiedziała Śliwowa. Mogła sobie spokojnie odejść, kaczkowatym krokiem starej kobiety. Ale nie. Ona postanowiła to zrobić z pieśnią na ustach: – Tiriritkum, tiriritkum, zawiązałam sobie nitkom – nuciła. – Nitkom sobie zawiązałam, bym Jaśkowi nie dawała!

Zatkałam uszy, nie chciałam wiedzieć, co będzie dalej.

Kiedy Juliusz mnie opuścił, znalazłam się na seksualnej pustyni. Wróć. Tkwiłam tam już od dawna i dlatego Juliusz odszedł. Przestaliśmy ze sobą sypiać, kiedy zaczęłam pracować. Wczesne wyjścia z domu, późne powroty. I zmęczenie. Cały czas byłam zmęczona. Wracając do domu, modliłam się, żeby Juliusz już spał. Czasem nie spał i wieczór kończył się awanturą. Myślałam, że to przejściowe kłopoty i za kilka dni wszystko się ułoży. Wynagrodzę mu wszystko i będzie między nami okej. Pamiętam wieczór, kiedy wróciłam i nie zastałam Juliusza. Myślałam, że dłużej pracuje na uczelni, i poszłam spać. Obudziłam się w nocy, a jego ciągle nie było. Zaniepokoiłam się. Mógł nocować u matki. Zdarzało mu się to, kiedy z różnych przyczyn autobusy nie kursowały, czyniąc dotarcie na nasze peryferia niemożliwym. Ogarnęło mnie złe przeczucie i zaraz po ósmej zadzwoniłam na uczelnię. Kiedy usłyszałam jego głos, odetchnęłam z ulgą. „Gdzie byłeś w nocy? Martwiłam się". „Spałem u matki" – wyjaśnił. „Wszystko u niej w porządku?" – zapytałam przez grzeczność. W słuchawce cisza. Ciężkie westchnienie. „U niej tak, u nas nie". „Wiem, porozmawiamy o tym później, dobrze?". Znowu cisza. „Już nie mamy o czym rozmawiać. – Cisza, westchnienie. – Aga, ja się wyprowadziłem tydzień temu, a ty dopiero dziś to zauważyłaś". I odłożył słuchawkę. A mnie ulżyło.

Długo cieszyłam się wolnością, a potem zaczęło mi brakować mężczyzny, który spałby po drugiej stronie łóżka. Czasami. Miałam mylne wyobrażenie o przypadkowym seksie. To wcale nie było takie łatwe. Trochę trwało, nim się nauczyłam odróżniać facetów z mojego gatunku od całej reszty. Problem polegał na tym, że im dłużej to trwało, tym bardziej pustoszałam w środku.

Był dżdżysty dzień. Jeden z tych, które ciągną się godzinami i bez przerwy jest jedenasta trzydzieści. Pamiętałam takie dni z dzieciństwa. Skutecznie zamykały człowieka w domu, odbierając sens i urok każdej zabawie. Przez ostatnie lata nie miewałam takich dni. W świecie, w którym żyłam, pogoda była tylko za oknem. Klimatyzowane pomieszczenia, do których można dojechać klimatyzowanym samochodem, podziemne parkingi, zakupy w centrach handlowych pozwalają zapomnieć o niedogodnościach wody lejącej się z nieba.

Teraz siedziałam w domu, przenikała mnie wilgoć, w piecu palił się ogień smętny i przygaszony. Było jak w młodopolskiej poezji. Nic dziwnego, że jej twórcy tyle pili, też bym sobie chętnie golnęła. Niestety, nie miałam alkoholu, a zdobycie go wiązało się z opuszczeniem domu. Udawałam więc, że herbata to whisky, i dla zabicia czasu bawiłam się z myszą.

Zabawa nie była skomplikowana. Polegała na tym, że przesuwając dłonie, robiłam myszce mostek, po którym ona biegła i biegła. Nawet nie wiem, dlaczego dawało nam to tyle przyjemności.

Zajęte zabawą nie zauważyłyśmy pojawienia się gościa. Zdradziło go skrzypnięcie podłogi. Obie podniosłyśmy głowy; poczułam, jak ciało myszy zamiera. A potem nagle wystrzeliła i jak szara strzała popędziła w kierunku swojej norki.

Andrzej patrzył za nią z wyrazem kompletnego niedowierzania na twarzy.

– To była mysz? – zapytał.

– Myślałam, że na weterynarii uczą takich rzeczy – zażartowałam w odpowiedzi i nogą odsunęłam drugie krzesło od stołu, zapraszając go w ten sposób, żeby ze mną usiadł.

Ale Andrzej zignorował zaproszenie. Przeszedł przez dom i przykucnął przy łóżku.

– Ma tam norkę – wyjaśniłam.

Patrzył pod łóżko, jakby w nadziei, że mysz do niego wyjdzie.

– Przestraszyła się. Nie wyjdzie.

– To zwykła dzika mysz? – chciał wiedzieć Andrzej.

– Nie znam się. Nie wiem, czy to mysz dzika. Nawet nie wiedziałam, że istnieje taki gatunek. Myślałam, że każda mysz to mysz.

Andrzej się roześmiał.

– Wydaje mi się, że to akurat jest mysz domowa. Pytałem, czy była dzika, a ty ją oswoiłaś?

– Sama się oswoiła – odparłam, a w myślach dodałam: „Przyszła i zaczęła narzekać na catering. Na dodatek jest wścibska, ale ją lubię". Tylko tego nie mogłam mu powiedzieć.

– Musisz uważać na kota – ostrzegł mnie Andrzej. – Może zrobić jej krzywdę.

– Maurycy? – zdziwiłam się. – On ją w gruncie rzeczy lubi.

„Ojoj! Chyba nie powinnam tego przedstawiać w ten sposób" – zreflektowałam się.

Andrzej wreszcie usiadł przy stole. Patrzył na mnie tak, jakby za chwilę miał powiedzieć: „Z tego, co mówisz, wynika, że słyszysz głosy zwierząt". Poczułam, jak wilgotnieją mi dłonie.

– Kiedy jeszcze pracowałem w gabinecie, zauważyłem, że są dwa rodzaje ludzi kochających zwierzęta. Jedni, którzy bez względu na to, ile zwierzak dla nich znaczy, widzą w nim tylko zwierzę. I drudzy, obdarzeni jakąś niezwykłą wrażliwością, którzy przekraczają międzygatunkowe granice i traktują zwierzę jak partnera. Zawsze mnie to wzruszało. – Położył dłoń na mojej.

Chciałam wytłumaczyć, że to nie tak. Że ja nawet za bardzo nie przepadam za zwierzętami. A mówiące to już naprawdę mnie irytują. Doszłam jednak do wniosku, że lepiej być postrzeganą jako WWF, niż przyznać się do chorego mózgu. Zaproponowałam więc herbatę i zmieniłam temat na bezpieczniejszy.

Andrzej nie został na noc. Wyjechał późnym popołudniem, po tym, jak znaleźliśmy tysiąc cudownych sposobów na nudę.

Tymczasem deszcz przestał padać i przez dziury w szarych jeszcze chmurach prześwitywały kawałki łagodnego błękitu. Ptaki nuciły *Deszczową piosenkę*. Krople wody z dziurawej rynny spadały miarowo na ziemię, rozbryzgując się ładnie. Wróciłam do domu po ciepły sweter i koc. Otuliłam się szczelnie i przysiadłam na progu. Patrzyłam na niebo. Na przepływające wielkie chmury, które powoli znikały w oddali. Na niebo, jasne i czyste. Na słońce, które powoli staczało się na zachód, zmieniając kolor z żółtego na pomarańczowy. W końcu dotknęło linii horyzontu i nagle wszystko jakby stanęło w ogniu. Słońce, niebo, chmury zapaliły się niezliczonymi odcieniami czerwieni. A potem szary mrok zalał wszystko, a ja zmarznięta i skostniała położyłam się do łóżka.

„Co ja robię z tym Andrzejem? To znaczy wiem, co robię, jestem już duża i słowo seks znajduje się w moim słowniku. Tylko czy to w porządku wobec niego? Jest dorosły i niegłupi. Rozumie, że niczego mu nie obiecywałam. Że to tylko... przygoda?". Gdy tylko to pomyślałam, to jakoś mi się smutno zrobiło. Nie do końca chciałam być seksualną przygodą w życiu wiejskiego weterynarza. Tyle że w obecnej sytuacji nie miałam szans na nic więcej. A gdybym nie była chora? Szybko sobie odpowiedziałam na to pytanie: „Wtedy nigdy byśmy się nie spotkali. Powinnam się pozbyć wątpliwości. Albo mu powiedzieć. Ale niby dlaczego mam być z nim szczera? Dobrze jest tak, jak jest".

Myśli o Monie wracały. Próbowała mi wmówić, że była halucynacją. Ale to nie mogła być prawda, skoro Śliwowa ją widziała. Tyle że może nie widziała i całe to wydarzenie mi się przyśniło. Albo poszłam do Śliwowej i tak zapiłyśmy, że zupełnie mi się pochrzaniło, co sen, co jawa. Trudno jest żyć, kiedy nie możesz ufać własnemu mózgowi. Myślałam, że halucynacje to coś jak malarstwo abstrakcyjne. Albo po prostu różowe króliki. Powinnam była poeksperymentować na studiach, kiedy Juliusz namawiał. Miałabym wtedy ogólne wyobrażenie, z czym mogę mieć do czynienia.

W końcu uznałam, że najlepiej będzie wypytać Śliwową. Ale jakoś tak ostrożnie, żeby się nie podłożyć. Może stara była zakręcona jak twist, ale nie głupia. Przygotowałam więc sobie zestaw podchwytliwych pytań i czekałam. Czekałam. I jeszcze trochę, bo babinka jakby o mnie zapomniała. W końcu zebrałam się w sobie i ruszyłam przez krzaki do sąsiadki.

Śliwowa siedziała jak zwykle. Przy plastikowym stole nad fasolą. Nie była sama. W pierwszej chwili myślałam, że to jej córka. Ale nie. Dziobać fasolę pomagał jej nie kto inny, jak moja halucynacja.

Siedzą, herbatkę popijają, śmieją się z czegoś wesoło, a mi włosy dęba stają, bo nie wiem, co to za świat, na którym żyję. Jeśli żyję.

Śliwowa mnie zobaczyła w momencie, kiedy postanowiłam zawrócić.

– Agusia, a co za niespodzianka! – wykrzyknęła radośnie. – Chodź, siadaj. Pomożesz troszkę, bo nam to jakoś kiepsko idzie.

– Co ona tu robi? – zapytałam nieuprzejmie.

– A fasolę przebiera – odpowiedziała Śliwowa. – Mnie samej ciężko, oczy słabe. Stary już człowiek.

– Nie takieście jeszcze, Śliwowo, starzy. – Mona pojechała fałszywym komplementem, ale babinie najwyraźniej to nie przeszkadzało i podziękowała jej szerokim, bezzębnym uśmiechem.

– Że przebiera, to widzę. – Moje mierniki złości wskazywały maksimum. – Skąd się u pani wzięła?

Śliwowa patrzyła na mnie jak na wariatkę. Super!

– No a gdzie bidulka miała się podziać? – zapytała. – Ty ją z chałupy pogoniła, to do mnie przyszła. Toż to niebożątko nikogo na tym świecie nie ma.

Niebożątko przytaknęło starej energicznie i oczy wytrzeszczyło, żeby podkreślić całą swoją biedność.

– Nie wiem, gdzie miała się podziać. I prawdę powiedziawszy, mało mnie to obchodzi. – Obie popatrzyły na mnie pełnym wyrzutu i potępienia wzrokiem. – Przecież ona jest halucynacją! – krzyknęłam.

Śliwowa zapytała Mony, co to takiego jest ta halucynacja, a ta jej odpowiedziała, że omam. Usłyszawszy to, stara wybuchnęła takim śmiechem, że aż jej się gruby brzuch trząsł.

– A to ci paradne – chichotała. – A kto ci takich głupot nagadał, że ona to omam jest?

– Sama mi tak powiedziała. I jeszcze, że jest moją śmiercią i duchem mojej matki.

– I ty jej, głupia, uwierzyłaś? – zapytała Śliwowa, wycierając w brudny fartuch załzawione od wybuchu radości oczy.

Pewnie, że jej nie uwierzyłam. Halucynacja albo sen to najlogiczniejsze wytłumaczenia. Ale teraz, wobec Mony przebierającej fasolę w komitywie ze Śliwową, jakoś nie bardzo mi pasowały. Zwłaszcza że się uszczypnęłam i bolało.

– Proszę mi powiedzieć, o co chodzi – poddałam się wreszcie.

Do Śliwowej w końcu dotarło, jak bardzo jestem skołowana. Wstała, podeszła do mnie, wzięła za rękę jak dziecko i zaprowadziła do stołu.

– No siadaj, siadaj. Tu nic dziwnego się nie dzieje. Ale ty miastowa i młoda, ty się na takich rzeczach nic nie wyrozumiewasz. Głupia ja stara, ale ja myślała, że jak moc w tobie jest, to ty to wszystko widzisz i rozumiesz. Herbaty ci zrobię. A może ty co mocniejszego chcesz? – zapytała z troską w głosie.

– Herbata wystarczy.

Śliwowa pobiegła do chałupy i rozgłośnie tam brzdękała sprzętami kuchennymi. Tymczasem Mona unikała mojego wzroku. Skupiła się na przebieraniu fasoli. W końcu gospodyni wróciła, niosąc mi lekko obity i nie pierwszej czystości kubek, wypełniony brunatnym napojem, który nie pachniał herbatą.

– Ziółek ci naparzyła. Lepsze. I ty spokojniejsza będziesz – odpowiedziała na moje pytające spojrzenie.

Z pewnym niepokojem zanurzyłam usta w kubku. Napar był gorzki jak chinina.

– Ty się, Aguś, na Monę nie złość. Może ona co ci tam bzdur nagadała. Ale to nie ze złości czy na przekór. To ze strachu było. Ona lekko tera nie ma, na jej życie nastają.

„Ja pierwsza" – pomyślałam.

– Ta bidulka nareczniczka... Ty wiesz, jaką ona panią była, ale to dawno temu. Teraz nikt jej nie szanuje. Nikt nawet o niej nie pamięta, nie wspomni. Ona na tym świecie samiuteńka jak palec. Siostry jej obie księdze ubili. Jedną za króla Kazimierza, a drugą zaraz przed pierwszą wojną. Tak się u mnie schroniła. Jak ja mieszkała jeszcze w innej wsi, to tam od wioski daleko było, mało kto zaglądał. Tu trudniej było bidulę ukryć. Jak Kowalczyki pomarli, to ja jej mówię: „Idź, Mona, tam się schowaj", no i tak siedziała tam w cichości. A tu jak raz ty przyjeżdżasz.

– To ona tam była cały czas? – zbulwersowałam się.

– Tak powiedzieć, że była, to nie do końca można. – Śliwowa poklepała mnie po ręku i znacząco na kubek spojrzała. Łyknęłam więc niechętnie wstrętnego płynu. – Niematerialna była. Ty ją wywołała.

– Co to, to nie! Nie wołałam jej. I proszę nie wierzyć, że o niej myślałam. Czymkolwiek jest.

Śliwowa westchnęła, chciała coś powiedzieć, ale niespodziewanie wyprzedziła ją Mona.

– Myślałaś o mnie. – Nie mówiła teraz głosem mojej mamy. Miała ładny, dźwięczny głos. Zabrzmiało w nim coś takiego, że choć chciałam jej przerwać, nie mogłam. – Uwierzyłaś we mnie. Po raz pierwszy od wielu lat ktoś tyle o mnie myślał. To było jak modlitwy, a jak jeszcze Śliwowa poczarowała... Nie chciałam źle. Przepraszam. – Podniosła na chwilę oczy, ale szybko znowu je opuściła. – Myślałaś o swoim losie, a ja jestem boginią przeznaczenia.

– Nemezis?

– A czy ja ci wyglądam na Greczynkę? – Mona poczuła się dotknięta do żywego.

– Wybacz, ale myślałam, że boginię przeznaczenia nazywa się Nemezis – tłumaczyłam się.

– Tak to właśnie jest, jak dzieci w szkole czytają mitologię grecką zamiast słowiańskiej – zwróciła się Mona do Śliwowej i obie smutno pokiwały głowami.

Chciałam im wyjaśnić, że dzieci w szkole to nie czytają, ale machnęłam ręką.

– Mówią o mnie rodzanica, narecznica albo sudiczka. Moje siostry i ja opiekowałyśmy się ludzkim losem. – Jakby usłyszała moją myśl, bo dodała: – Mnie przypadły w udziale narodziny. Moja najstarsza siostra szalała z nożyczkami. Szkoda, że nie możesz jej poznać, to dopiero była zgrywuska. – Mona zachichotała. – Oj, wybacz – zreflektowała się.

– Nie mogłabyś się teraz jakoś odmaterializować? – zapytałam wprost.

Mona się uśmiechnęła.

– Mówiłam ci już wtedy. To, jak długo tu zostanę, zależy od ciebie.

– Ode mnie? – zdziwiłam się.

– Wierzysz we mnie. Póki mam wyznawców, istnieję.

Już miałam powiedzieć, że to nieprawda, że ja w nic nie wierzę, kiedy sobie uświadomiłam, że dziurę po moim chrześcijańskim nic jednak czymś wypełniłam. „No to czas się nawrócić" – pomyślałam. A na głos powiedziałam:

– No dobra, miłe panie, to ja się będę zbierać. – Jednym haustem dopiłam ziółka, wstałam i ruszyłam do siebie.

Już prawie weszłam w chaszcze, kiedy dogoniła mnie Śliwowa.

– Ty by może wzięła ją do siebie? – ni to zapytała, ni to poprosiła.

– Mowy nie ma! Bzdur mi naopowiadała, matkę moją udaje! Nic z tego. – Śliwowa chciała coś powiedzieć, ale jej nie pozwoliłam: – Niech mi się na oczy nie pokazuje! Bo ja z wodą święconą poszaleję! – krzyknęłam głośno, żeby Mona usłyszała.

I poszłam do domu. Po drodze rozmyślałam o tym, jak bardzo jestem świrnięta.

W pierwszej chwili uznałam, że to listonosz albo ktoś, kto zgubił drogę. Po co miałby mnie odwiedzać jakiś mężczyzna? Poznałam go dopiero, kiedy znalazł się jakieś dziesięć metrów ode mnie.

– Juliusz? – zapytałam idiotycznie, bo przecież widziałam, że to on.

– Cześć! – przywitał się takim tonem, jakbyśmy się pożegnali kilka dni temu, a nie kilka lat. – Ciężko tu do ciebie trafić.

– To po co próbowałeś? – W moim głosie rosły kaktusy.

– Zupełnie nie mogłem się dodzwonić. Masz wyłączony telefon – oznajmił z wyrzutem.

– Rozładowany – wyjaśniłam.

Nawet mnie to rozśmieszyło. Pamiętam, jak biegałam po centrum handlowym, żeby znaleźć ładowarkę, bo została mi jedna kreska. Dziwna to była kobieta, ta ja sprzed kilku tygodni.

– Więc któregoś dnia po pracy wpadłem do twojego taty – tłumaczył mój były. – A on powiedział, że wyjechałaś na wakacje. Przeraziłem się, bo ty jak na wakacje, to pewnie jakaś Majorka. Tymczasem on mówi, że jesteś na Roztoczu. No to wsiadłem w samochód i jestem. – Prawie usłyszałam fanfary.

– To akurat widzę. Po co? – zapytałam głosem śledczego.

– Strasznie trudno tu trafić. Zgubiłem się i kręciłem w kółko pół dnia. A nie jest łatwo się zgubić, jak się ma GPS. – Juliusz nawet nie próbował odpowiedzieć na moje pytanie.

Pomyślałam, że łatwo jest się zgubić, jak się ma jego mózg. GPS nic tu nie winien. Po prostu mój były jest życiowo przystosowany równie dobrze jak dront dodo. Nie wymarł tylko dlatego, że zaradna matka objęła go ścisłą ochroną.

– Po co? – Nie dałam za wygraną.

– Co: po co?

– Po co przyjechałeś?

Zupełnie mnie to nie interesowało. Ale wiedziałam, że im prędzej wyjaśnimy sprawę, tym szybciej pozbędę się Juliusza z podwórka. Wiem, że kiedyś potrafiłam z nim przegadać całą noc. Ale to było dawno i nieprawda. Moje całkiem niedawne ja zupełnie go nie akceptowało. Moje obecne ja mogło go z ciekawości potrącać patykiem jak zdechłą żabę, i tyle.

– Remont mają – wyjaśnił Juliusz.

Matka Juliusza chciała, żeby zdawał na ekonomię albo bankowość. Ja poradziłam mu, żeby poszedł za głosem serca. Posłuchał mnie i wybrał filozofię. Trudno mi wyobrazić sobie inne miejsce, gdzie równie dobrze by pasował. Jednak teściowa mnie nie cierpiała. Mówiła, że zmarnuję mu życie. Obiektywnie rzecz biorąc, miała rację. Przez chwilę rozważałam, czy przed śmiercią powinnam zadzwonić i ją przeprosić? Mogłoby być zabawnie.

– O, to ciekawe. Jakie kafelki wybrali? – ironizowałam.

– Kto?

– Ci od remontu.

– A skąd ja mam wiedzieć? O co ci chodzi, Agnieszko? – Wyraźnie się zirytował. – Jadę taki kawał drogi, a ty znowu próbujesz to zrobić.

– Co? – zapytałam, choć dobrze wiedziałam, dokąd zmierza.

– Wplątać mnie w rozmowę o swoich pretensjach.

– Nie mam żadnych pretensji.

– Owszem, masz. Nawet jak byliśmy razem, miałaś.

– Bo harowałam po dwanaście godzin dziennie, żebyś mógł napisać doktorat, i nawet „dziękuję" nie usłyszałam – wygarnęłam mu.

– Nie zamierzam znowu tego wysłuchiwać. Rozstaliśmy się, rozwiedliśmy. Mamy to za sobą. Dla mnie to przeszłość. Zamknąłem ten rozdział – pojechał gadką z terapii grupowej.

– To po co przyjechałeś? – Teraz ja zirytowałam się na dobre.

– Bo chcę zacząć nowe życie.

– Nie ze mną, jak sądzę.

– Nie mylisz się.

– To co tu robisz?

– Przecież ci mówiłem, jest remont.

– Gdzie?

– W urzędzie.

Zakręciło mi się w głowie. Nagle jakbym przewinęła film o moim życiu do najgorszego momentu. Komunikacja werbalna nie należała nigdy do naszych mocnych stron. Gdy byliśmy młodzi, Julek zanudzał mnie pseudointelektualną gadką o Bergmanie, którego nie oglądałam, Eco, którego nie czytałam, i Dawkinsie – nawet nie wiem, kto to jest. Później się zakochaliśmy i tak długo analizowaliśmy ten stan, aż nic z niego nie zostało. Potem już tylko prowadziliśmy przepychanki słowne, podobne do tej. Chyba dlatego lubię milczenie Andrzeja. Jest cudownym przeciwieństwem tego wszystkiego. No i jest lepszy w łóżku.

„Nie mogę pozwolić Juliuszowi tak ze mną rozmawiać – stwierdziłam. – Moja planeta, moje zasady".

– Juliusz, czy możesz założyć, tak czysto teoretycznie, że ja nic nie wiem i zacząć od początku? – poprosiłam uprzejmie i bez nerwów.

KASIA BULICZ-KASPRZAK

– Ja i Pati postanowiliśmy, że weźmiemy na razie ślub cywilny. Właściwie to ja tak postanowiłem. Ale w urzędzie jest remont, a ja potrzebuję swojego aktu urodzenia. U mamy nie ma, ale pomyślałem, że może ty masz jakiś? – W jego głosie cichutko pobrzmiewała nadzieja.

No proszę, dowiedziałam się w końcu, o co chodzi. Nawet łatwo poszło.

– Źle pomyślałeś – zgasiłam go, choć wcale się nie pomylił. Mam głęboko zakorzeniony szacunek do dokumentów i wszystkie starannie przechowuję. Takie podejście wiele razy mi pomogło, gdy robiłam karierę w korporacji. Ale Juliusz nie musiał tego wiedzieć. Chciałam go spławić, więc skłamałam. – Prowadzę bardzo ekologiczny tryb życia. Zbędne papiery oddaję na makulaturę. Weźmiesz odpis, jak skończą remont, a teraz pa.

I ruszyłam do chałupy, żeby podkreślić, że audiencja skończona. Jednak Juliusz podreptał za mną. Odsunął sobie taboret od stołu i ciężko na niego opadł.

– Pati nie bardzo może już czekać – powiedział, tępym wzrokiem wpatrując się w ścianę przed sobą.

– Pati?

– Patrycja – wyjaśnił.

Przypomniała mi się dawna sąsiadka, która mówiła, że woli rozmawiać ze swoim kotem niż z ludźmi. Teraz rozumiałam ją doskonale. Na dodatek mój kot był zabawny, szarmancki i czarujący.

– Czy Pati to twoja dziewczyna?

– Narzeczona. Ona… ona jest w ciąży – wyrzucił z siebie.

I zrobił bardzo niespodziewaną rzecz – rozryczał się. A ja uciekłam. Bo niby co innego można zrobić, gdy – teraz już zupełnie obcy – mężczyzna płacze na twoją ceratę?

Podeszłam do okna. Pomyślałam, że na wszelki wypadek lepiej kontrolować sytuację. Żeby cokolwiek zobaczyć, musiałam wspiąć się na podmurówkę. Płakał. Podparł głowę rękami, ale widziałam łzy płynące po jego twarzy.

– Co robisz? – zapytał Andrzej.

Nie słyszałam jego samochodu. Tak się przestraszyłam, że omal nie spadłam. Podtrzymał mnie, a potem wdrapał się obok i też zajrzał do środka.

– Kto to? – zapytał szeptem.

– Mój mąż – odpowiedziałam. – W zasadzie były – dodałam szybko.

– Nie wiedziałem, że miałaś męża – powiedział to takim tonem, jakby chodziło o ospę wietrzną.

– Wielu rzeczy o mnie nie wiesz.

– Płacze, bo go zostawiłaś?

– To on zostawił mnie. Dawno temu. – Streściłam historię mojego małżeństwa. Andrzej wzruszył ramionami.

– To czemu teraz płacze?

– Wspomniał coś o narzeczonej, która jest w ciąży.

– Chyba raczej powinien się cieszyć, nie? Może powinnaś z nim porozmawiać? – zaproponował.

– O czym? Nie widziałam go z dziesięć lat – oburzyłam się.

Andrzej westchnął, zeskoczył na ziemię.

– Więc ja z nim porozmawiam – oświadczył.

No i wszedł do domu.

Przez chwilę rozważałam, czy być naocznym świadkiem. Uznałam, że nie, i też zeskoczyłam na ziemię. Pokręciłam się w pobliżu drzwi, przekonana, że rozmowa nie potrwa długo. Trwała. Znudzona zabrałam z auta czasopismo ilustrowane dla blondynek i poszłam do sadu.

– Nie budzi zainteresowania twego, o czym dyskurs wiodą? – zapytał Maurycy, drzemiący na nagrzanym słońcem stole.

– Mysz mi potem wszystko opowie.

Jakieś półtorej godziny później wyszli. Wyglądali na zaprzyjaźnionych.

– Juliusz zostanie z tobą na kilka dni – spokojnie poinformował mnie Andrzej.

– Jak to zostanie? Ze mną? – zdziwiłam się.

– Jest wewnętrznie rozdarty – tłumaczył. – Przyda mu się towarzystwo życzliwej osoby.

– Nie jestem mu życzliwa! – fuknęłam.

– Ty nie. Mówiłem o sobie.

Siedzieliśmy we trójkę przy stole w sadzie i rozmawialiśmy. To znaczy Andrzej z Juliuszem rozmawiali, a ja się burmuszyłam. Nie mogłam wziąć udziału w dyskusji, nawet gdybym chciała, bo była taka typowo męska, o paliwie i polityce.

Przesunęłam się troszkę w bok, żeby móc widzieć ich obu. Andrzej przy Juliuszu wyglądał jak marabut przy pawiu. Tak. Czas działał na korzyść mojego byłego. Jego jasne włosy ściemniały, co prawda, trochę, ale zachowały dawny blask i miękkość. Zmarszczki, które pojawiły się wokół ust i oczu, świadczyły, że Juliusz lubi się śmiać. Same oczy z wiekiem nabrały takiej mądrej głębi, kojarzyły się teraz z leśnymi jeziorami. Podobny kolor i spokój. Skóra na twarzy pozostała młoda i gładka. Może leciutko się przygarbił, normalna kolej rzeczy, przy jego trybie życia mola książkowego, nie psuło to jednak ogólnego dobrego wrażenia – był wysoki i zadziwiająco harmonijnie zbudowany. Kiedyś śliczny chłopiec, a teraz przystojny mężczyzna. Pamiętam, jaki zachwyt budziło we mnie jego ciało. Pierwsze męskie ciało, jakie widziałam. Wodziłam po nim palcami, wzbudzając w nas niespodziewane i zaskakujące reakcje. Miałam wtedy prawie osiemnaście lat i czułam się bardzo dorosła. Myślałam, że wiem, co robię. Że to coś wzniosłego i ważnego. A okazało się, że to tylko pożądanie. Tak silne, że każdy następny mężczyzna był podobny do Juliusza – ładny, wysoki, o delikatnej, gładkiej skórze.

Nieźle zaczęłam. Koniec już nie wyglądał tak dobrze. Właściwie nie wyglądał w ogóle. Popatrzyłam na Andrzeja krytycznie. Niski. Nogi miał za krótkie, a łeb za wielki. Siwiał, a jego ciało było twarde i żylaste. Tyle że to, co kryło się w tym lichym opakowaniu, było bezcenne.

Pierwszy mężczyzna, z którym się spało, nie powinien siedzieć przy jednym stole z ostatnim.

W końcu Andrzej, którego aktualnie nie lubiłam, powiedział, że czas na niego. Co oznaczało, że dziś wieczorem znowu zasnę sama. Mało przyjemna perspektywa. Byłam jakby szczęśliwsza od czasu, kiedy chudy weterynarz rozgościł się w moim łóżku. Spokojniejsza. No i lubiłam się z nim kochać.

Kiedy Andrzej się podniósł, ja wstałam również. Zaproponowałam, że go odprowadzę do samochodu. Pięć minut sam na sam.

– Bądź dla niego miła – poprosił Andrzej.

– Chyba nigdy nie byłam.

– Opowiesz mi o swoim małżeństwie? – poprosił.

– Nie ma o czym. On odszedł, ja zostałam i okazało się, że tak jest o wiele lepiej.

– Nie lubisz go. – Roześmiał się, jakbym opowiedziała mu dobry żart.

– Nie lubię – przyznałam. – Chyba nigdy nie lubiłam.

– To dlaczego za niego wyszłaś?

– To skomplikowane. Powodem, dla którego ludzie się pobierają, nie zawsze jest chęć życia razem długo i szczęśliwie.

Andrzej przez chwilę rozważał moje słowa. Pomyślałam, że nie stawiają mnie one w najlepszym świetle. Przez moment zastanawiałam się, czy mu nie powiedzieć. Wolałam jednak, by myślał sobie, co chce, niż rozdrapywać zabliźnione rany. To, że pojawił się duch przeszłości, nie znaczy, że ja muszę do niej wracać. Kiepska była. Przyszłość wyglądała za to na całkiem fajną. Szkoda, że będzie krótka.

– Mimo wszystko bądź dla niego miła – powtórzył. – Zostanie ojcem. Dla facetów to trudny moment. Zaczynają świrować.

– Wiesz to z własnego doświadczenia? – skrzypnęłam jak długo nieoliwiony zawias. Nawet w moich uszach zabrzmiało to nieprzyjemnie. – Przepraszam – dodałam skruszona. – W sumie to nie moja sprawa.

– Dlaczego? Ciekawość to normalna reakcja. Zazdrość też. – Mocno złapał mnie za ramię, gwałtownie przyciągnął do siebie i pocałował tak, że lewitowałam.

Zanim mnie pocałował, chciałam powiedzieć, że nie jestem ani zazdrosna, ani ciekawa, ale teraz uznałam, że politycznie najlepszą decyzją będzie milczenie. Zwłaszcza że Andrzej wyglądał na zadowolonego, a nie urażonego. Przytulał mnie delikatnie i patrzył z sympatią.

– Wiem z książek. Zdarza mi się czytać – zapewnił.

Pocałował mnie w czoło. Czekałam z nadzieją, że jego usta znowu wylądują na moich. Ale on nie miał tego w planach.

– Dziś musi ci to wystarczyć – powiedział, wsiadając do samochodu.

Uraziły mnie jego słowa. „A co ja jestem? Nimfomanka jakaś?" – oburzyłam się. Mimo to pomachałam mu, gdy odjeżdżał, choć w ciemności pewnie tego nie widział.

Kiedy światła weterynarzowego samochodu zniknęły za zakrętem, zrobiło się absolutnie ciemno. Szłam powoli, bo nie byłam w stanie niczego zobaczyć.

– Uważaj! – usłyszałam głos Juliusza obok moich stóp.

Idiota! Śmiertelnie mnie przeraził.

– Wystraszyłeś mnie – zrobiłam mu wymówkę.

Obydwiema rękami przyciskałam serce, żeby mi nie wyskoczyło z klatki piersiowej.

– Długo nie wracałaś. Zacząłem się przyglądać niebu. No wiesz: „Niebo gwiaździste nade mną…". – Po czym zaczął z zupełnie innej bajki: – Fajny ten twój chłopak.

– Owszem, fajny, ale to nie jest mój chłopak.

Juliusz wydał z siebie serię mrukliwych dźwięków, które równie dobrze mogły znaczyć: „Jak tam sobie chcesz" albo: „O, super".

– No ale ty tak będziesz stała? Wskakuj na kocyk. – Macnął mnie w okolicach łydki, chyba żeby zachęcić.

– Nie, dzięki.

– Nie żartuj. – Juliusz macnął intensywniej. – Pamiętasz, Aga, jak jeździliśmy do Kampinosu obserwować niebo?

– Taa...

Jak mogłabym zapomnieć? Kiedy wracaliśmy, byłam tak zmarznięta, że nie mogłam opanować szczękania zębami. Raz aż mi się jeden ukruszył.

Z niechęcią położyłam się na kocu. W bezpiecznej odległości. Nie żebym się bała, że do czegoś dojdzie, jak to zwykle bywało w Kampinosie. Sama myśl o kontakcie z Juliuszem, nawet intelektualnym, wywoływała we mnie gwałtowną falę mdłości.

– Wiesz, Aga, ja naprawdę doceniam to, co dla mnie robisz – zaczął eks nieśmiało.

– A co robię? – zainteresowałam się, bo w zasadzie tylko go bardzo nienawidziłam, a chyba nie to miał na myśli.

– No, pozwalasz mi tu pobyć i się odnaleźć – tłumaczył. – Czuję się tak, jakby ten okres, kiedy się ciągle kłóciliśmy, był za nami. Jakbyśmy znów zostali przyjaciółmi.

– Aha – powiedziałam, bo cóż innego mogłam powiedzieć? Miałam absolutnie odmienne uczucia.

– Widzisz Niedźwiedzice?

– Widzę.

Odkąd tu przyjechałam, podziwiałam je prawie codziennie. I nie tylko je. Dawno, dawno temu Juliusz zabrał mnie na wycieczkę za miasto. Pokazał mi niebo. Masę jasnych punkcików rozsypanych na czarnym pluszu. Okazał się cierpliwym i zdeterminowanym nauczycielem. Tłumaczył tak długo, dopóki nie zobaczyłam. Gwiazdozbiory. Galaktyki. Minęło wiele lat, ale nadal pamiętam ich nazwy. Jedyną romantyczną rzeczą, jaka we mnie została, była tęsknota za gwiazdami. Jeśli śmierć to tylko ciemność, to chciałabym, żeby była jak niebo w pogodną noc. Miałabym zajęcie na całą wieczność. Oczy mnie zapiekły. Za jakiś czas gwiazdy nie dla mnie będą świeciły. Myśl o rzeczach, które wraz z życiem zostaną mi zabrane, była przytłaczająca. Wstałam.

– Idę spać – powiedziałam szybko.

W ciemności nie miał szans zobaczyć moich łez.

W domu rzuciłam się na łóżko i łkałam w poduszkę.

Kula ciepła pojawiła się przy moich stopach, a potem wędrowała wzdłuż ciała, aż dotarła do piersi. Tu się zatrzymała i przytuliła.

– Cześć, Maurycy – chlipnęłam.

– Nie ma sensu wylewać łez – pocieszył mnie kot. – Pomruczę ci, to spokój odnajdziesz. Jeśli cię to pocieszyć ma, również afektem go nie darzę. Nie lubię go wręcz.

– Juliusza?

– Stół nakazał mi opuścić rękoczynem. Żywię nadzieję, że jego pobyt tu trwać długo nie będzie.

– Też mam taką nadzieję.

Przytuliłam kocura i zaczęłam go drapać za uchem. Rozmruczał się, a ja, zasłuchana, zasnęłam.

Dzień mijał mi na unikaniu Juliusza. Nie było to łatwe. Jak na kogoś, kto przyjechał po ciszę i samotność, zachowywał się nad wyraz towarzysko. W końcu wzięłam psa i poszliśmy w pola.

Pies był zachwycony. Najpierw biegał w kółko jak wariat. Potem trochę szedł spokojnie, teraz intensywnie szukał czegoś w suchych trawach na brzegu drogi.

– Kto to jest mąż? – zapytał niespodziewanie.

– Jak by ci to wytłumaczyć...? – Zwierzęce pojmowanie świata różniło się od mojego. – To samiec, z którym obiecujesz spędzić całe życie.

– To niefajnie. Bo co, jak zechcesz być z innym samcem?

– Problemy.

– To teraz będziesz je miała – rzekł smutno.

– Nie, dlaczego? – zdziwiłam się.

– No bo ten dziwny to twój mąż, a ty teraz chcesz, żeby weterynarz był twoim mężem.

– To nie tak. To mój były mąż. Problemy i on zniknęli z mojego życia już dawno temu.

Zamierzałam dodać, że wcale nie chcę być z weterynarzem, ale bałam się tego, co mogłabym usłyszeć w odpowiedzi.

– Opowiedz. O mężu i o problemie opowiedz – zachęcił mnie Azor.

– Nie ma o czym.

– Ty myślisz, że tylko kot i mysza umieją słuchać – wytknął mi z wyrzutem. – Ja też dobrze słucham. – Gwałtownie się zatrzymał, podniósł przednią łapkę i poruszył nosem.

Rzucił się do przodu, w trawę. Węszył tam intensywnie. – Mów, mów – nalegał.

Zaczęłam opowiadać, a pies cały czas odbiegał, węszył i próbował coś złapać w trawie. Z całą pewnością mnie nie słuchał. Ale gdy tylko milkłam, zaraz namawiał do kontynuowania. Wyszło na to, że sama sobie opowiedziałam historię swojego małżeństwa.

Historia mojego małżeństwa. Szczerze i bez oszukiwania. Kiedy poznałam Juliusza, miał cztery zęby. O cztery więcej niż ja. Niewiele mogę powiedzieć o początkach naszej znajomości, znam je z opowiadań. Pewnego letniego dnia, trochę po południu, mama Juliusza wyszła jak zwykle na spacer. Jakże się zdziwiła, kiedy pod drzewem, które rosło na naszym małym podwórzu, zobaczyła inny wózek. Podniosła Julka, żeby mógł zobaczyć dzidzię, a wtedy i on, i ja się roześmieliśmy. Ta historia zawsze wydawała mi się lekko naciągana, zwłaszcza że poznałam matkę Juliusza jak mało kto i wiem, że jej drugie imię to Konfabulacja.

Moje najwcześniejsze wspomnienie związane z Juliuszem wcale nie jest urocze. Dużo w nim łez i bólu. Powinnam je była przywołać, zanim strzeliło mi do głowy, żeby za niego wyjść, bo dokładnie tak wyglądało całe wspólne życie. W tym wspomnieniu siedzimy pod stołem w naszym mieszkaniu. Mam na sobie ładną sukienkę, więc to pewnie niedziela. Płaczę z bólu i walę Juliusza po twarzy drewnianym klockiem. W samoobronie, bo Juliusz usiłuje wyrwać mi włosy z głowy. Właściwie chodzi mu nie tyle o moje włosy, ile o gumę do żucia, którą przed chwilą przykleił mi do głowy, nie wiem w jakim celu. Teraz zrobiło mu się szkoda gumy, więc próbuje ją odzyskać. On również płacze. Za gumą i z bólu, bo ja go mocno tłukę tym klockiem. To tyle. Podobno zaraz potem przyszła moja mama. Podobno trzeba mi było gumę wyciąć z włosami. Podobno do wieczora ślicznie się razem bawiliśmy. Podobno. Ale ja już tego nie pamiętam.

Jako dzieci z jednego rocznika zawsze trafialiśmy w te same miejsca: jedno przedszkole, jedna szkoła. Wybraliśmy też jedno liceum, ale z różnych powodów. Ja praktycznie – bo było najbliżej. Juliusz przez wzgląd na rodzinną tradycję, bo tam uczyła się jego matka.

Przez długi czas Juliusz i ja byliśmy tylko dzieciakami z jednego podwórka. Bawiliśmy się razem w piaskownicy, kiedy nasze mamy plotkowały na ławce. Moja mama odbierała Julka z przedszkola, kiedy jego musiała zostać dłużej w pracy. Wspólnie nudziliśmy się w wakacje, kiedy inne dzieci wyjeżdżały. Pewnie Juliusz zostałby na zawsze kolegą z klasy, gdyby nie śmierć mojej mamy. Zważywszy na to, jak okropną osobą się wtedy stałam, nie dziwi mnie, że ludzie powoli odsuwali się ode mnie. W końcu zostałam sama. Nie licząc Juliusza. Potrafił godzinami wysłuchiwać, jakimi to wstrętnymi ludźmi są moi rodzice i że śmierć mamy to wina ojca. Juliusz utrzymywał mnie na powierzchni, kiedy nade wszystko pragnęłam utonąć. Łączyła nas wtedy bardzo silna więź, ale w najlepszym wypadku można to było nazwać przyjaźnią.

Zmiana nastąpiła nagle. Chyba pod koniec trzeciej klasy liceum. I w zasadzie winę za wszystko ponosiła jego matka.

Matka Juliusza, zwana również panią Michałowską albo panią Grażynką, zaliczała się do osób, które przez lata darzyłam wielką sympatią. Przede wszystkim dlatego, że w przeciwieństwie do mojej mamy była... mamą. Lubiłam to ciepło, które od niej biło. Rodzina stanowiła cały jej świat. Juliusz był jej szczęściem, gdy tymczasem ja dla mojej mamy byłam przeszkodą na drodze do szczęścia.

A potem przyszła klasa maturalna. Dużo bzdurnego gadania o tym, jak to wybór studiów zdeterminuje naszą przyszłość. Dobre studia to dobra praca. Dobra praca to dużo pieniędzy. Powtarzali to wszyscy, w kółko, do znudzenia. Ja oczywiście miałam to w dupie. Ciężko poraniona psychicznie planowałam studiować psychologię. Żeby pomagać tym wszystkim biednym świrom, nad którymi nikt się nie użalił. Żeby zostać zbawicielką.

Juliusz najbardziej na świecie pragnął studiować filozofię. Ale jego matka dobrze wiedziała, że filozofowie przymierają głodem, mieszkają w beczkach, a jak mają mniej szczęścia, to piją cykutę. Nie takiego losu pragnęła dla jedynego dziecka. Jej zdaniem Juliusz powinien iść na ekonomię. Popierała ją nasza matematyczka, znająca wybitne zdolności Julka, i wychowawczyni, którą widmo beniaminka stojącego w kolejce do pośredniaka po prostu przerażało. No i Julek znalazł się w klasycznej sytuacji sam przeciw wszystkim. No, prawie sam. Stanęłam po jego stronie. Pamiętam jak dziś. To był zimny marcowy dzień. Poszliśmy pieszo na Starówkę. Od rzeki ciągnęło wilgotnym chłodem. Czułam się, jakbym już została psychologiem. „Musisz zrobić to, co cię uszczęśliwi. Tak naprawdę twoja mama tego właśnie dla ciebie chce –

szczęścia. Tylko inaczej je pojmuje. Załóżmy, że zdasz na ekonomię, skończysz ją i pójdziesz do jakiejś nudnej pracy. Będziesz niezadowolony. Mama będzie miała do siebie żal". „Kiedy to mówisz, brzmi tak rozsądnie, ale może ona ma rację?" – Juliusz był jednym wielkim niezdecydowaniem. Jego słabość dodawała mi siły. Przekonywałam i przekonywałam, aż w końcu dopięłam swego. I wtedy poczułam się za niego odpowiedzialna. Zrezygnowałam z psychologii i sama poszłam na ekonomię. Bo Juliusz powiedział, że mnie kocha. I kiedy to usłyszałam, wydało mi się, że też go kocham.

Matka Juliusza źle to zniosła. Z listy przyjaciół trafiłam na listę wrogów. Na sam jej szczyt. Zabijała mnie wzrokiem za każdym razem, kiedy widziała, jak trzymamy się za ręce. Bałam się, że stanie między nami, a Juliusz był jedyną bliską mi osobą. Chyba dlatego namówiłam go, żebyśmy wzięli ślub.

Zrobiliśmy krok w dorosłość na początku maja. Podobno małżeństwa majowe nie są szczęśliwe. Myślę, że nie data ma znaczenie, ale ludzkie uczucia. Niewątpliwie byliśmy sobie bliscy, niewątpliwie zależało nam na sobie, niewątpliwie ze sobą sypialiśmy. Tyle że to za mało. Juliusz spełniał się na studiach. Robił karierę naukową. Ja próbowałam pogodzić studia z pracą. Bez względu na to, jak kombinowałam, zawsze wypadało na korzyść pracy, bo z czegoś musieliśmy żyć. Harowałam po dwanaście godzin dziennie i ciągle jadłam. Jakbym chciała zrobić zapasy. Bałam się, że jeżeli stracę pracę, nie będziemy mieli co włożyć do garnka. Czułam na sobie odpowiedzialność za naszą dwuosobową rodzinę. Nie chciałam przyznać się do porażki przed matką Juliusza i moim ojcem.

A potem Juliusz odszedł. Ja zaś schudłam. Wszyscy myśleli, że z rozpaczy, a to tylko dlatego, że odzyskałam wolność i mogłam robić, co chciałam.

Ostatni raz widzieliśmy się na rozprawie rozwodowej. Jadąc do sądu, obiecywałam sobie, że zrobię to kulturalnie. Nie wyszło mi. Zamieniłam rozprawę w piekło. Pod koniec odniosłam wrażenie, że sędzina ma poczucie spełnienia dobrego obowiązku. Jakby uratowała Juliusza przed potworem. Miałam to gdzieś. W drodze do domu kupiłam szampana i upiłam się do nieprzytomności.

Juliusz siedział na trawie w sadzie i wyglądał jak siedem nieszczęść. Pomyślałam, że sam sobie winien. Jak można w jego wieku wpędzić dziewczynę w kłopoty, jak by to ujęła Śliwowa.

Stwierdziłam, że nie powinno mi go być żal. Ale jakoś tak wbrew sobie się użaliłam.

– Siemka, Jul! – zawołałam.

Chciałam go nawet klepnąć po plecach, ale uznałam, że to już będzie przesada.

– Cześć, Aguś – mruknął bardzo, bardzo smutno.

– Jaga, jeśli możesz – poprosiłam. Nie chciałam, by nazywał mnie tym zdrobnieniem, bo nie byłam już jego żoną.
– Przez ostatnie kilka lat ludzie się tak do mnie zwracali. Przyzwyczaiłam się.

– Jaga? A wiesz, że ładnie? Na Patrycję wszyscy mówią Pati. Bardzo mi się to podoba – powiedział Juliusz Porcjusz Katon.

Zapadła chwila dziwnego milczenia. Czułam, że Juliusz chce za mną porozmawiać i czeka tylko na znak. Ale ja nie byłam gotowa.

– Jadłeś coś? – zapytałam, żeby uciec w bezpieczny temat.

– Jakoś nie jestem głodny. – Smutek, dużo smutku.

– Mogę ci zrobić kanapkę albo tost. – Zignorowałam jego uczucia, bo jestem zimną suką.

Tak mnie kiedyś nazwał i dobrze to zapamiętałam.

– Jaga, tu nie chodzi o tost! – eksplodował Juliusz.

– No dobra – poddałam się. – To o co chodzi?

– O to, że jestem filozofem. Etykiem! – dramatyzował. – A zachowałem się jak…

– Jak zwyczajny człowiek. Wierz mi, Jul, to się zdarza.

Mówiąc to, chciałam go pocieszyć. Chyba nie bardzo wyszło, bo popatrzył na mnie tak, jakbym powiedziała coś bardzo niestosownego, i westchnął.

– Daj spokój. Przecież nikogo nie zamordowałeś – próbowałam żartować.

– Ty zawsze wszystko sprowadzasz do prostej retoryki – oburzył się. – Co z tego, że nikogo nie zamordowałem, skoro i tak niewinni ludzie będą cierpieć?

Chciałam mu przypomnieć, że jako filozof – etyk! – powinien zdawać sobie sprawę z tego, że cierpienie, również niezasłużone, jest składnikiem naszej egzystencji. Zdecydowałam się jednak użyć prostej retoryki.

– To nie ja upraszczam, tylko ty komplikujesz. Ożenisz się z dziewczyną i już.

– To nie takie proste. – Westchnienie i jeszcze trochę smutku.

– Nie chce cię? – Wcale bym się jej nie dziwiła. Juliusz pokręcił głową. – Ma kogoś? – Znowu zaprzeczenie. – Ty masz kogoś? – Trafiłam. W końcu przytaknął. Łał! Zrobiło się ciekawie. – No to opowiadaj! Albo nie, czekaj. Przyniosę sobie herbaty.

Pobiegłam szybciutko do kuchni i wróciłam z wielkim kubkiem herbaty i kocem. Rozsiadłam się wygodnie.

– Teraz opowiadaj! – zachęciłam.

– To zaczęło się, kiedy ode mnie odeszłaś – wymamrotał.

– Zaraz! – zaprotestowałam gwałtownie. – To ty mnie zostawiłeś – sprostowałam.

– Nie. Ja się wyprowadziłem, ale dopiero wtedy, kiedy mnie duchowo opuściłaś – rzekł powoli i dobitnie.

„Duchowo opuściłaś?!" – jęknęłam w duchu. – I to mówi facet, z którym zamierzałam spędzić resztę życia? Niewielką stratą jest to, że rak zje mój mózg, skoro i tak go nie używałam!".

– A możesz mi powiedzieć, co ty dla mnie duchowo zrobiłeś w tym czasie, kiedy ja fizycznie pracowałam po dwanaście godzin, żeby nas oboje utrzymać? – Milczał, więc jechałam dalej: – A po pracy musiałam jeszcze prać, sprzątać i gotować. Bo jak nic nie ugotowałam, to jechałeś do mamusi na skargę. A ona mi nawet zupy do słoika nie nalała, tylko zaraz dzwoniła z pretensjami, bo ty głodny chodzisz i co ze mnie za żona! – Fajnie mi się zrobiło, kiedy to z siebie wyrzuciłam.

Juliusz milczał dość długo.

– Masz rację – przyznał. – Nic dla ciebie nie zrobiłem. Skoncentrowałem się na doktoracie i myślałem, że to rozumiesz.

– Rozumiałam. Zachęcałam cię do pisania, pamiętasz? To było dla mnie równie ważne jak dla ciebie. Tylko po prostu byłam zmęczona.

– Chyba za mało wtedy ze sobą rozmawialiśmy – stwierdził Juliusz.

Przypomniałam sobie kłótnie, w które zamieniała się każda rozmowa.

– Raczej za dużo. – Smutno westchnęłam.

– Nie mam na myśli mówienia do siebie, tylko rozmowę.

Pogładził mnie po ręce i przez chwilę było tak, jakbyśmy znów mieli po piętnaście lat i Juliusz był moim najlepszym przyjacielem. Jedynym człowiekiem, który mnie znał, rozumiał i kochał.

– No dobra, opowiadaj – zmieniłam temat, bo nie chciałam go na nowo polubić.

– No więc kiedy się rozstaliśmy – zaczął Jul – naprawdę się załamałem. Było mi ciężko. Koleżanka z wydziału bardzo mi wtedy pomogła. Dużo ze sobą gadaliśmy. Pamiętam, jak powiedziała, że powinienem postrzegać siebie, tylko się nie obraź, jak współczesnego Sokratesa. Spojrzałem na siebie w zupełnie innej optyce, przez pryzmat platońskiego stoicyzmu. Dużo mi to dało. Nawet taki artykuł napisałem, bardzo ciepło przyjęty przez środowisko.

„Szkoda, że ja nie zdołałam na to spojrzeć ze stoicyzmem, a moje środowisko uznało, że jestem jędzą, od której nawet mąż uciekł" – pomyślałam z ironią.

– No i? – ponagliłam, bo mimo szumnych zapowiedzi wcale nie robiło się ciekawie.

– Ta koleżanka, Magdalena – wypowiedział to imię trochę, jakby je wymiotował – zajmuje się filozofią współczesną. Bardzo światły umysł. Spędziliśmy razem dużo czasu. Przedstawiłem ją mamie. Mama ogromnie ją polubiła.

O, w to akurat nie wątpiłam. Polubiłaby nawet bezzębną szympansicę, grunt, żebym to nie była ja.

– Nawet myślałem, żeby jakoś związek z Magdaleną, no nie wiem, zalegalizować. Tylko ciągle coś się działo. Najpierw ona broniła doktoratu, więc brakowało czasu. Potem ja wyjechałem na stypendium. Potem profesura i jakoś tak nie wychodziło. Dobrze nam było razem, a teraz tak to się pokomplikowało. – Westchnął ciężko.

– Czyli kochasz Magdalenę? – Teraz zrozumiałam, dlaczego Juliusz tak dziwnie wymawiał to imię. Stawało mu w gardle. – Czemu nie mówisz na nią Magda?

Spojrzał na mnie jak na kompletną ignorantkę.

– Bo Magda i Magdalena to dwa różne imiona – wytłumaczył.

– No coś ty? – Tak jak Aniela i Angelika? Albo Agnieszka i Jagna? Zadziwiające, że tacy niby wykształceni ludzie, a mają braki w elementarnej edukacji. – To jak, kochasz ją? – ponowiłam pytanie.

– Tak mi się zdawało. Dopóki nie pojawiła się Pati.

– A Pati to…?

Juliusz uciekł wzrokiem, a miejsca, w których oprawki jego okularów dotykały policzków, zrobiły się czerwone.

– Studentka – szepnął ledwie dosłyszalnie.

Aż gwizdnęłam z wrażenia. No to profesor Juliusz zaszalał. W duchu hedonizmu, można powiedzieć.

– Ale ja nie miałem z nią zajęć – usprawiedliwił się szybko.

– To ma jakieś znaczenie? – zdziwiłam się i zachichotałam.

– Myślę, że gdyby to była moja studentka, wyglądałoby to jeszcze gorzej.

– Fakt.

– Zrozum, Aga, ja nie wiedziałem, że to tak wyjdzie. Od kilku lat organizuję dla swoich studentów wyjazd do Królewca. Wiesz, poznaj filozofa *in locum*. Jeśli są miejsca, to chętni z innych grup mogą się przyłączyć. Tak się poznaliśmy. Któregoś wieczoru, po kolacji, zszedłem do hotelowej jadalni. To właściwie nie hotel, bardziej hostel i mają tam taką samoobsługową kuchnię, otwartą cały czas. Nie mogłem zasnąć i pomyślałem, że zrobię sobie herbaty. Ona tam była. Czytała Kanta. W oryginale, wyobraź sobie. Powiedziała, że koleżanki ją pogoniły, bo im światło przeszkadzało. Zaczęliśmy rozmawiać. Była taka pełna pasji. Tym mnie ujęła.

– I co? – ponagliłam, bo wreszcie zaczęło się robić ciekawie.

– I nic. Porozmawialiśmy. Potem poszliśmy spać. Nie mogłem przestać o niej myśleć. Szukałem jej wzrokiem. Poszedłem następnego wieczoru do kuchni, w nadziei, że tam będzie...

– Nie było – zgadłam.

– Skąd wiesz?

– Zdarzało mi się uwodzić facetów. – I nawet mi nieźle szło. Ale o tym mój były wiedzieć nie musi.

– To nie tak. Patrycja mnie nie uwodziła. Mam wrażenie, że raczej unikała.

Och, Juliuszu! Jakiś ty naiwny!

– Tydzień po powrocie spotkałem ją na korytarzu. Chwilę rozmawialiśmy. Zaprosiłem ją na kawę. Nie powinienem był – przyznał. – Nie powiedziałem Magdalenie. Tydzień później znowu poszliśmy na kawę.

– A w końcu do łóżka – dokończyłam za niego, bo nie mogłam się już doczekać konkluzji.

– Nie planowałem tego. Podobała mi się. Zafascynowała mnie. Jej młodość, uroda, spontaniczność. Ale nie chodziło mi o to, żeby się z nią przespać. To czysty przypadek. Zaczęła się sesja. Chodziła bardzo zmartwiona. Za trzy dni miała egzamin, a nie mogła nigdzie znaleźć podręcznika. Miałem taki w domu, więc zaproponowałem, żeby wpadła.

– No i wpadła. – Zaśmiałam się, szczerze ubawiona tą grą słów.

– To nie jest śmieszne! – zbulwersował się Juliusz.

Skarcił mnie wzrokiem.

– Właśnie, że jest – chichotałam. – Co dalej? – zapytałam, gdy już się nieco uspokoiłam.

Juliusz trochę się naburmuszył. Mój frywolny ton nie przypadł mu do gustu. Z ociąganiem kontynuował:

– Przyszła. Dałem jej książkę. Poczęstowałem herbatą. Chwilę rozmawialiśmy. Nie wiem, jak do tego doszło, ale... Och! Bez urazy, Jaga, ale to był najlepszy seks w moim życiu. Nawet nie przypuszczałem, że może tak być. Przez cały kolejny tydzień na samo wspomnienie...

– Oszczędź mi szczegółów, dobrze? – przerwałam mu ostro. – Nie jesteśmy już małżeństwem. Może mi się zrobić niedobrze.

Juliusz się speszył.

– Przepraszam – mruknął. – Chciałem ci lepiej naświetlić… Wpadłem w jakąś obsesję na jej punkcie. Myślałem tylko o Pati. O jej oczach, uśmiechu, o tym, że lubi zieloną herbatę. Nawet kiedy byłem z Magdaleną, ciągle myślałem o…

– Zaraz, zaraz. Spałeś z obiema naraz? – spytałam zaskoczona.

– W zasadzie tak – bąknął Juliusz, czerwony jak dzieciak przyłapany na gorącym uczynku. – To naprawdę skomplikowane – tłumaczył się. – Byłem w związku z Magdaleną. Seks stanowił jego część.

– Uczciwość chyba też powinna – zauważyłam.

Juliusz jeszcze bardziej poczerwieniał.

– Toteż próbowałem zerwać z Pati. Powiedziałem jej, że to niestosowne. Że jest wspaniałą kobietą i w ogóle, ale że powinna poszukać sobie kogoś młodszego.

– I co ona na to?

Ja bym go za takie słowa kopnęła w krocze. Najchętniej więcej niż raz.

– Powiedziała, że dobrze, że mam rację. Przyszła do mnie jakiś miesiąc później. Wyznała, że próbowała zapomnieć, ale nie może. Kocha mnie. Chciała, żebym wiedział.

– A ty?

– Co ja? Przez ten miesiąc prawie zwariowałem z tęsknoty za nią. Poprosiłem, żeby mi dała trochę czasu na zakończenie związku z Magdaleną. Ale to nie takie łatwe, wiele nas łączyło.

– Srututu! Zachowałeś się jak świnia, Juliusz.

Zaszokował mnie i zdenerwował. Nie spodziewałam się po nim czegoś takiego. Dlaczego to ja byłam tą złą? Owszem, zdarzało mi się w życiu kłamać, knuć i intrygować. Głównie w pracy, chociaż i poza nią. Ale postępować jak dwulicowa świnia? Okłamywać osoby, na których podobno mi zależy, pchać się w związek na trzeciego, to nigdy. Prawda jest taka, że jak w związku źle się dzieje, to on się rozpadnie wcześniej czy później. Wystarczy poczekać.

— Mówiłem ci, Aga, że ludzie będą przeze mnie cierpieć.

— I myślisz, że to daje ci prawo, żeby dalej zachowywać się jak podły padalec?

— A co ty byś zrobiła na moim miejscu? — odpowiedział pytaniem.

— Przede wszystkim nie jestem taka głupia, żeby znaleźć się na twoim miejscu. Powiedziałabym Magdzie, zanim dowie się w kościele z zapowiedzi.

— Nie wezmę ślubu kościelnego. To wbrew moim przekonaniom.

— A co z przekonaniami Patrycji?

Nie żebym żywiła jakieś ciepłe uczucia wobec Patrycji. Jawiła mi się jako lolitkowata cwaniara, która uwiodła starego, głupiego profesora. Tyle że ja znałam tego profesora całe życie i dlatego zrobiło mi się jej szczerze żal. Juliusz to męska wersja bluszczu. Od zawsze wspierał się na kobietach, na matce, na mnie, pewnie i na Magdalenie. Może gdyby poszedł do zwykłej roboty, pomiędzy normalnych chłopów, toby dorósł i zmężniał. Ale trafił w dziwaczne miejsce, pomiędzy oderwanych od rzeczywistości ludzi, gdzie radośnie hołubiono jego wariactwo i egzaltację, bo im większe, tym lepiej.

– Może warto – kontynuowałam – żebyś pomyślał, czego chce Patrycja. W końcu zostanie matką twojego dziecka.

– Nie bardzo ze sobą rozmawiamy – przyznał się.

– Jak to?

– Właściwie wcale nie rozmawialiśmy, od kiedy przyszła mnie poinformować o ciąży. Nie wiedziałem, co powinienem powiedzieć, więc uznałem, że lepiej nic nie mówić. Że może trzeba szybko wziąć ślub cywilny, aby dziecko nosiło moje nazwisko, a potem się zobaczy. Tyle że tego aktu nigdzie nie ma i jakoś tak... przyjechałem tutaj...

– Uciekłeś – skonkludowałam z rozbawieniem. – Zostawiłeś ją samą z tym wszystkim? Nawet nie powiedziałeś, że się cieszysz, i uciekłeś?

Kiwnął durnym łbem. Miałam ogromną ochotę go palnąć. Skopać go tak, żeby mu krew nosem poszła. Za mnie, za Magdalenę, nawet za Patrycję.

Juliusz miał szczęście, że się nie odezwał. Myślę, że gdyby powiedział choć słowo, nie powstrzymałabym furii, którą we mnie obudził. Siedział jednak cicho i coraz bardziej kurczył się w sobie.

– To co mam zrobić? – mruknął niepewnie.

– Na początek dorośnij – doradziłam z serca. – Twoja dziewczyna będzie wkrótce miała dziecko i raczej nie da sobie rady z dwojgiem. Całe życie ktoś się tobą opiekował. Może dla odmiany ty zaopiekujesz się kimś?

– To znaczy, że mam się z nią ożenić?

„I po co ja się produkuję?" – jęknęłam w duchu. – Nie wygląda, żeby coś do niego docierało".

– To znaczy, że masz wybrać to, co najlepsze dla twojego dziecka.

– Myślisz, że powinienem zadzwonić do Magdaleny? – zapytał idiotycznie, potwierdzając tym samym, że jest takim właśnie durniem, za jakiego go miałam.

– Przede wszystkim powinieneś zadzwonić do Patrycji.

Poszedł. Chwilę go nie było. Wrócił z miną zbitego psa.

– Nie odbiera.

– Nie dziwię się. – Gdybym ja znalazła się na jej miejscu, posłałabym Juliusza w diabły. A potem pozwałabym go o alimenty. Bardzo wysokie alimenty.

– I co teraz?

– Może wyślij SMS-a?

– Sądzisz, że to dobry pomysł? To takie bezduszne – obruszył się.

Chciałam powiedzieć, że równie bezduszne jak całe jego zachowanie, lecz zmieniłam zdanie. Nie zamierzałam go aż tak dołować. W końcu Andrzej prosił, żebym była miła.

– Mój drogi, to są listy dwudziestego pierwszego wieku – wyjaśniłam uprzejmie.

Juliusz z pewnością był przeżytkiem dwudziestego wieku, za to jego dziewczyna była prawie nastolatką.

– I co napisać? – poradził się jękliwie.

– Że się cieszysz, że twoje reakcje były przesadzone, że przepraszasz, że kochasz ich oboje – zaproponowałam, jakbym to ja była w związku z Pati.

– Jak ty to robisz? – Juliusz popatrzył na mnie z podziwem.

– Co? – Nie bardzo rozumiałam, o co mu chodzi tym razem.

– Mówisz dokładnie to, co ktoś chce usłyszeć.

– Na tym polega... polegała moja praca. – „Zrobimy to, panie prezesie. Bez problemów, będzie na wczoraj. To doskonała decyzja. Jeśli chcemy, żeby to zostało dobrze załatwione, zlećmy to firmie zewnętrznej".

Patrząc, jak Juliusz w pocie czoła naciska klawisze w telefonie, doszłam do wniosku, że ostatnimi czasy mój były hibernował. Nic innego nie tłumaczyło jego nieporadności. Ciekawe, czy wie, że istnieje pisanie słownikowe? Chyba nie. Jego telefon wyglądał na kompromitująco stary. Mógł mieć nawet dwa lata.

– Nie odpowiada – zauważył smutno Juliusz, tępo gapiąc się w wyświetlacz.

– Nie dziwię się. Bez urazy, Jul, ale złamas z ciebie. – Pewnie nie powinnam mu tego mówić, ale to była prawda. Bardzo oddalił się od tego dobrego, wrażliwego chłopca, którego znałam i poślubiłam. – Musisz jej udowodnić, że jesteś facetem, który zbuduje dom, posadzi drzewo i wychowa syna – poradziłam po przyjacielsku.

Juliusz podniósł na mnie wzrok.

– Będę mieć syna! – zachwycił się niespodziewanie.

– Albo córkę.

– Ale powiedziałaś, że syna. – Popatrzył na mnie z wyrzutem, jak dziecko, któremu właśnie odebrano zabawkę.

– Bo tak się mówi. To nie ja jestem w ciąży. Nie wiem, czy pamiętasz, ale w tej kwestii nie mam żadnego doświadczenia. Niemniej nawet ja się orientuję, że można to sprawdzić.

– Myślisz, że Patrycja sprawdziła?

– Ją zapytaj. Zadzwoń do niej jeszcze raz.

Juliusz podniósł się z trawy i poszedł w odleglejsze rejony próbować naprawić swoje życie. Przez telefon! Gdybym ja była Juliuszem, a na przykład Andrzej Pati, i gdyby zaszedł w ciążę, to piechotą bym do niego poszła, byle tylko dodać mu otuchy, żeby nie czuł się samotny i opuszczony. Żeby wiedział, jak bardzo go... wspieram.

Juliusz w końcu się dodzwonił. Wprost promieniał.

– Pati przyjedzie! – oznajmił.

– Gdzie?!

– No, tu – wyjaśnił.

– Czyś ty oszalał, Jul?! Ona jest w ciąży, a my tu mamy *Przypadki Robinsona Crusoe*!

– To co mam zrobić? – zapytał po raz nie wiem który. Chyba uparł się, że mnie zirytuje. – Jak powiem, żeby nie przyjeżdżała, to się znowu obrazi.

– A dlaczego ma nie przyjeżdżać? Niech przyjeżdża, byle nie tu. Jakiejś agroturystyki poszukaj. W końcu to Roztocze. Są turyści, są noclegi.

– A ty wiesz, że to dobra myśl?

I pojechał szukać, pozbawiając mnie swojego, wątpliwej jakości, towarzystwa na resztę dnia i wieczór.

Poszłam sobie do chałupy, umościłam się na łóżku i jadłam krakersy, krusząc przy tym obficie. Nie trzeba się przejmować okruszkami, jak ma się mysz za przyjaciółkę. Zbierała je z precyzją odkurzacza.

– Ciekawe, co by zrobił, jakby mu obie zaciążyły? – zastanawiałam się. – Jak on mógł tak sypiać z obiema? To obrzydliwe.

Mysz stanęła słupka i poruszała noskiem.

– Przecież to normalne. Jak samiec jest dobry, to każda chce, żeby ją pokrył.

– Widziałaś Juliusza?

Przez chwilę rozważała sprawę.

– Fakt, to dziwne – przyznała wreszcie.

– Wiesz, że to kiedyś był mój... samiec? – wyznałam zawstydzona. Miałam dużo szczęścia, że mnie nie pokrył.

– Wy, ludzie, nie macie instynktu – westchnęła myszka. – Jakbyś miała instynkt, toby ci podpowiedział, że lepiej od tego samca uciekać.

– A Andrzej? – zapytałam.

Mysz zachichotała. Ja też zaczęłam się śmiać. Szkoda, że nigdy nie miałam prawdziwej przyjaciółki. To znaczy takiej na dwóch nogach.

Obudziły mnie dziwne hałasy i posapywania pod oknem. Wyjrzałam. Zobaczyłam Juliusza, a właściwie górną jego połowę, zlaną potem. Dół Juliusza tkwił w dole.

– Co ty robisz, Jul? – zapytałam zaintrygowana.

– Drzewo sadzę – odparł.

Duma po prostu go rozpierała.

– Tutaj? O szóstej rano?

– Nie mam czasu. Muszę zasadzić drzewo i zbudować dom, zanim urodzi się mój syn. To znaczy nie wiadomo jeszcze, czy to będzie chłopiec, czy dziewczynka, bo Pati nie chciała sprawdzać beze mnie. Ale mam tu drzewo. I o domu też pomyślałem. Zamieszkamy z moją mamą.

Biedna Pati! Nic nie powiedziałam, bo nie miałam ochoty na kolejną sesję psychoterapeutyczną.

Na podwórku zjawił się Andrzej.

– Tylko nic nie mów, proszę. Mam dość gadających facetów na dziś.

Andrzej się zaśmiał.

– I zawieź mnie gdzieś, gdzie go nie będzie – dodałam, ruchem głowy wskazując na Juliusza.

Pojechaliśmy w jakiś las i kochaliśmy się w samochodzie. Ze śmiechem próbowałam się z powrotem ubrać. W tamtą stronę poszło dużo łatwiej. Walczyłam już z bluzką, kiedy pojawił się ubrany na zielono człowiek. „Gajowy" – pomyślałam. Przyjrzał się autu i od razu spróbował włożyć łeb do środka przez uchyloną szybę. Widocznie to lokalny zwyczaj.

– *Nu, diewoczka, pasport u tiebia jest?* – zagaił.

„Ożeż ty! – pomyślałam ze zgrozą. – Wiózł mnie weterynarz przez las i wiózł, aż wywiózł za granicę".

– *Izwinitie pażausta, naczalnik, no pasport ja astawiła doma* – wytłumaczyłam.

Andrzej prychnął śmiechem, aż mu łzy z oczu poszły. Nie widziałam w tym nic śmiesznego, dawno nie mówiłam po rosyjsku, słów mi brakowało, ale gramatycznie chyba było okej. Zielony widocznie zgadzał się ze mną, bo zwrócił się do Andrzeja:

– A pana co tak bawi? – zapytał całkiem po polsku.

– Dlaczego on mówi do mnie po rosyjsku, a do ciebie po polsku? – zapytałam z kolei ja.

Andrzej nikomu nie odpowiadał. Bezskutecznie próbował opanować wesołość.

– Bo wziął cię... za... ukraińską... prostytutkę – wycharczał między kolejnymi atakami.

– No wie pan! – oburzyłam się na zielonego.

– Przepraszam panią – powiedział szczerze skruszony. – Ale uprawianie seksu – zmieszał się trochę, wypowiadając to słowo – w miejscu publicznym jest zabronione i podlega karze grzywny.

– Ale to nie jest miejsce publiczne – zaoponowałam.

– Owszem, jest. Ludzie tu chodzą.

– Jacy ludzie?! – zacietrzewiłam się.

– Na przykład ten pan – wtrącił Andrzej, który na moment odzyskał powagę.

– Wypiszę mandat – oświadczył mundurowy.

– Odkąd to gajowi wypisują mandaty? – zapytałam oburzona i gniewna.

– Nie jestem gajowym! – Widać, że go to uraziło. – Jestem strażnikiem granicznym – dodał z dumą.

Nie miałam pojęcia, na czym polega różnica, ale ton jego głosu powiedział mi dobitnie, że lepiej nie pytać. Zwłaszcza że pan strażnik wyjął już kajecik.

– Nazwisko? – zapytał.

– Agnieszka Jaguszewska – odrzekłam z rezygnacją.

– Da pan spokój – odezwał się Andrzej z niezwykłą łagodnością. – Poproszę Wieśka Guzdrałkę, żeby się tym zajął.

Pogranicznik dumał chwilkę.

– A, jak aspirant Guzdrałko, to inna sprawa. Bardzo pana przepraszam. – Skinął Andrzejowi głową. – A jeśli chodzi o panią, to żeby mi to było ostatni raz.

Kiedy wracaliśmy, Andrzej cały czas chichotał. I nic nie mówił.

– Czemu nic nie mówisz? – zapytałam wściekle.

– Bo kazałaś mi się nie odzywać, *diewoczka*.

Palant! Ale w końcu i ja nie zdołałam zachować powagi.

– Wyglądam tak kiepsko, że można mnie wziąć za dziwkę?

– Obniżyłaś ostatnio standardy – przyznał Andrzej – ale mnie to pasuje.

Juliusz wyraźnie ucieszył się z naszego powrotu. Przestał mi marudzić i skoncentrował się na wylewaniu żalów przed Andrzejem. „Dobrze mu tak. Śmiał się ze mnie, szuja. Swoją drogą, ciekawe jak ja teraz wyglądam. Czy choroba daje już o sobie znać? Czy moje ciało się zmieniło? Trudno to ocenić bez lustra, a lustra tu brak. Podobnie jak żelazka, więc nie mogę prasować ubrań. Czyżby to miał na myśli Andrzej, mówiąc o obniżeniu standardów? Że zrobiłam się niechlujna? – zastanawiałam się. – No przecież nie zapytam".

– Muszę jechać. Pacjent – pożegnał się Andrzej, machając telefonem jakby na dowód, że nie oszukuje.

Akurat. Wykorzystał okazję, bo też nie mógł znieść Juliusza. Tylko dlaczego to ja muszę na tym cierpieć? Juliusz zawsze pozbawiał mnie fajnych rzeczy. Począwszy od włosów w dzieciństwie, które trzeba było ściąć z powodu jego gumy, przez cnotę w młodości, aż po weterynarza teraz, kiedy jakiegoś lekarza naprawdę potrzebowałam.

– Juliusz mówił, że spodziewa się narzeczonej. To zaprosiłem ich w niedzielę na obiad. Mam nadzieję, że ty też się pojawisz, bez względu na to, jak ich nie cierpisz – powiedział, kiedy żegnaliśmy się przy samochodzie.

– Oczywiście – zgodziłam się radośnie. To prawie jak podwójna randka. Moja drużyna przeciw Pati i Juliuszowi. Super. Lubię wygrywać.

– To świetnie, mama się ucieszy. – Andrzej cmoknął mnie w czoło.

Mama? Jaka mama? W końcu do mnie dotarło, kto będzie gotował. Zapragnęłam udusić Juliusza gołymi rękami.

– Nie wiem, jak mama to przyjmie – żalił się mój były. Zaszyłam się w sadzie z książką, ale nie dał się nabrać na to, że czytam. – Boję się jej powiedzieć.

– To normalne w twoim wieku.

– Tak? – ucieszył się.

– To była ironia – wyjaśniłam. – Na twoim miejscu bym się nie przejmowała, będzie świetną babcią.

– Tak myślisz? – ucieszył się ponownie. – Wiesz, ja zawsze sądziłem, że ty za nią nie przepadasz.

– Poprawka. To ona nie przepada za mną.

– A jak uważasz, polubi Pati? Z Magdaleną dogadywała się świetnie, to może z Pati też?

Stwierdziłam, że marne szanse, jeśli prawdą jest to, co Juliusz mówił o matce swojego dziecka. Ale mogłam się mylić.

W końcu przez wiele lat żyłam w przekonaniu, że pani Grażynka darzy mnie sympatią.

– A Magdalenę to lubiła dla niej samej czy dlatego, że nie była mną? – zapytałam z ciekawości.

Ale Jul milczał, strapiony. Nie znał odpowiedzi. Pomyślałam, że to żałosne, przecież na co dzień rozprawiał się z paradoksami i tautologiami, a proste, życiowe pytanie sprawiało mu problem. Może dlatego, że życiowe, bo Jul to życiowy zbytnio nie był.

– Widzisz, Julek, kobiety nie zawsze muszą się lubić, żeby działać zgodnie. Patrycję i twoją mamę będziecie łączyć ty i dziecko. Wasze dobro może się okazać dla nich ważniejsze niż własne sympatie. Problem tkwi w tobie, w tym, jak je do siebie wzajemnie nastawisz.

– Co masz na myśli?

– Twoja mama mnie nie cierpiała tylko dlatego, że biegłeś do niej na skargę za każdym razem, kiedy coś się między nami źle zadziało.

– Nie biegłem na skargę! – obruszył się. – Szedłem porozmawiać. Przyjaźnię się ze swoją mamą.

– No to teraz zaprzyjaźnij się z Patrycją – poradziłam szczerze i wróciłam do lektury.

Juliusz nie zraził się tym, że go zignorowałam, i nie poszedł sobie. Siedział obok i wyglądał na zadumanego. Może uruchomił zwoje mózgowe, a może symulował.

– Wiesz, Jaga, zawsze byłaś mądra. Ale teraz to mówisz jak stara kobieta.

Podzielił się ze mną owocem swej pracy intelektualnej, wkurzając mnie tym bezmiernie. Bo miał rację. Patrzyłam na wszystko z innej perspektywy, jakby od drugiej strony życia. Z cholernego, smutnego dystansu.

Wstałam najszybciej, jak się dało, ale i tak za wolno. Juliusz zdążył zobaczyć łzy na mojej twarzy.

– Ależ, Agnieszko, nie w tym sensie, że stara jesteś. Bardzo dobrze wyglądasz jak na swój wiek. Wcale nie staro. No, nie obrażaj się! – krzyczał za mną.

Poszłam do chałupy, trzaskając drzwiami. Dałam w ten sposób Juliuszowi do zrozumienia, że nie będę z nim już dziś rozmawiać.

– Zadzwoniłem wczoraj do Magdaleny – oznajmił mi nazajutrz. – Nie przyjęła tego dobrze.

„Widać nie jest stoiczką" – pomyślałam.

– Chociaż – kontynuował Juliusz – i tak lepiej, niż przypuszczałem. Wiesz, tak jakoś odniosłem wrażenie, że Magdalena też nie miała o mnie najlepszego zdania. Jakby się spodziewała, że ją zawiodę. – Westchnął ciężko. – Aguś, co jest ze mną nie tak?

– Wszystko z tobą w porządku. – Język mnie świerzbił, żeby powiedzieć, że to genetyka i nic na to nie poradzi. Ale się w niego ugryzłam i po prostu skłamałam. – Musisz tylko być blisko Patrycji, reszta sama się ułoży – pocieszyłam nieszczerze.

I zmyłam się pod pozorem wyjścia na spacer z psem, który prawie całe dnie spędzał na dworze. Cóż, nie wymyśliłam nic bardziej naglącego, a nie miałam już ochoty na rozmowy z Juliuszem. Trudno być miłą, kiedy pierwszą rzeczą, jaką widzisz rano, jest od dawna były mąż, a pierwszą, jaką słyszysz – jego sercowe dramaty.

Kiedy wróciłam, nie znalazłam go nigdzie i pomyślałam, że życzenia się spełniają. Przez chwilę rozważałam możliwość, że był tylko halucynacją, ale pojawił się Maurycy i wszystko mi wyjaśnił.

– Oddelegował swoją osobę w nieznanym mi kierunku. Kartkę jakowąś tobie adresowaną na stole pozostawił. Ale mysza poddała ją zeżarciu. Powiedziała, że to na gniazdo dla potomstwa swego licznego.

– Trudno. – Wzruszyłam ramionami. Cokolwiek miał mi do zakomunikowania Juliusz, na pewno nie było to tak ważne jak komfort małych myszek. Swoją drogą, mysz nie chwaliła się, że znowu jest w ciąży. – A mówił coś? – zapytałam.

– Dużo słów wypowiadał. Do tego małego przy uchu, ale nie słuchałem z atencją. Nie żywię do niego wszak sympatii – odpowiedział Maurycy. Wygiął grzbiet. Popatrzył na mnie kocim, przenikliwym spojrzeniem. – To naprawdę twój samiec był? – Nie mógł uwierzyć.

– Młoda byłam – usprawiedliwiłam się.

– On pachnie kompletną porażką.

Że też nie pomyślałam o tym, żeby powąchać Juliusza, zanim się z nim związałam!

Wieczór spędziłam, ciesząc się samotnością. I taką przyjemną ciszą, w której dźwięczą odgłosy natury. Szumią drzewa, cykają świerszcze, ptaki nucą Presleya. Chętnie podzieliłabym się tą ciszą z weterynarzem, ale bez niego też było dobrze.

Zawartość Juliuszowego listu poznałam następnego dnia, wczesnym popołudniem. Samochód zaparkował przed chatą, a on sam wyskoczył z niego jak konik polny. Paroma susami obiegł auto, otworzył drzwi od strony pasażera i pomógł się wygramolić jakiemuś grubemu dziecku. Chwilę trwało, zanim dotarło do mnie, że to może być Patrycja. Ludzie! Wyglądała, jakby niedawno skończyła piętnaście lat. Gdybym ja była jej ojcem, to Juliusz nie byłby już mężczyzną. Jak on w ogóle mógł jej dotknąć?

– Agnieszko, poznaj Patrycję. Pati, to Agnieszka – kurtuazyjnie przedstawił nas mąż.

Mój były, jej przyszły.

Pierwsza wyciągnęłam rękę.

– Jaga – sprostowałam.

Patrycja uścisnęła moją dłoń. Jej pulchna łapka była lekko spocona.

„Denerwuje się" – pomyślałam.

Dziewczyna wyglądała zupełnie inaczej, niż ją sobie wyobrażałam. Sądziłam, że okaże się zdzirowata i cwana. Tymczasem sprawiała wrażenie zagubionej i zdezorientowanej.

– Dziękuję, że z nim pani porozmawiała – powiedziała, gdy na chwilę zostałyśmy same. – Nie wiedziałam, co z nami będzie – dodała, kładąc rękę na brzuchu.

Zastanawiałam się, czy ma na myśli siebie i Juliusza, czy siebie i dziecko.

Niespodziewane pojawienie się Andrzeja spowodowało wzrost mojej irytacji na Juliusza i oblubienicę. Zupełnie nie pomyśleli, żeby się taktownie zmyć. Że też niektórzy mają taki instynkt stadny i zawsze dążą do bycia w większym towarzystwie! Na domiar złego Pati wyraźnie chciała ze mną porozmawiać. Zupełnie nie wiem dlaczego, bo ja na przykład nie miałabym ochoty na jakiekolwiek kontakty z byłą żoną. Ale Pati, podobnie jak Juliusz, dziwna jakaś była.

– Juliusz dużo mi o pani opowiadał – zaatakowała od razu, kiedy tylko na moment zostałyśmy same.

– Nie wiem, czy to dobrze, czy źle.

Przestałam już zachęcać ją do mówienia mi po imieniu.

– Mówił, że to dzięki pani poszedł na filozofię i tak daleko zaszedł.

– To akurat prawda. Wspierałam Julka. Chyba za bardzo.

– Tak mi się wydawało, że pani to jednak nie jest taka do końca zła. W przeciwieństwie do tej całej Magdaleny. – Imię rywalki wylało się z niej jak wiadro pomyj.

Kiwnęłam głową, bo nie zamierzałam w żaden sposób tego komentować. Niestety, Pati zinterpretowała to jako zachętę do głębszej analizy poprzedniego związku mojego eksa.

– Okropna baba. Tkwili w toksycznym związku. Pomiatała Juliuszem. On wcale a wcale nie był z nią szczęśliwy. I w ogóle się nie rozwijał. Przy mnie będzie. Chciałabym stać się dla Juliusza kimś takim jak pani – partnerem i przyjacielem. Pchnąć go do działania – oznajmiła z egzaltacją.

„O, to akurat nie jest łatwe" – stwierdziłam. Chętnie powiedziałabym coś mądrego, żeby sobie zbyt wiele nie wyobrażała i nie oczekiwała, bo jaki Juliusz jest, każdy widzi, ale w końcu wszystkie moje myśli zamknęły się w dwóch słowach:

– Rozstaliśmy się.

– To nie znaczy, że założenia były złe, tylko w realizacji coś nawaliło. Gdybyście przetrwali kryzys, to... ja dziś nie byłabym w ciąży. – Roześmiała się, szczerze ubawiona swoimi słowami.

Z przerażeniem pomyślałam, że może mieć rację. Gdybyśmy przetrwali tamten kryzys, ciągle bylibyśmy małżeństwem. Masakra! Tkwiłabym u boku zupełnie obcego mi człowieka, którego nawet nie bardzo lubiłam.

– Chyba i tak byśmy się rozwiedli – wyraziłam głośno konkluzję swoich przemyśleń. – Nie chciałabym się zestarzeć z Julem. Nie wyobrażam sobie tego.

Pati się zaśmiała. Mogła to robić bezkarnie. Bruzdki, które powstawały na jej twarzy, kiedy się uśmiechała, rozprostowywały się idealnie. Tysiąc lat temu ja też byłam taka młoda.

– Ja sobie wyobrażam – westchnęła z rozmarzeniem w głosie.

Zamierzałam jej powiedzieć, że starość Juliusza nadejdzie dwadzieścia lat szybciej niż jej, że on może umrzeć, zanim ona przejdzie na emeryturę. Ale pomyślałam też, że choć Pati ma dopiero dwadzieścia lat i niewiele wie, to nie musi się mylić.

Nazajutrz była niedziela. Ten dzień. Jeszcze nigdy w życiu tak się nie denerwowałam. Po pierwsze od dwóch miesięcy nie jeździłam dalej niż do sklepu spożywczego i nabawiłam się czegoś w rodzaju agorafobii. Na dodatek na pobyt tu spakowałam tylko praktyczne rzeczy, nic niedzielnego. A jak w takim zwykłym ubraniu iść do ludzi zupełnie obcych? „Nienawidzę Andrzeja – stwierdziłam. – To jakiś psychopata jest. Normalnie powinien nie cierpieć Juliusza, wszak to mój były mąż. I powinna go zżerać zazdrość, a tak nie jest. W zasadzie czemu ma być? Sypiam z nim, nie z Juliuszem. Może dlatego się nie przejmuje, że to, co nas łączy, to tylko sypianie? I w zasadzie czemu ja się tak denerwuję? Pewnie powie matce, że jestem zwykłą znajomą".

– Świetnie wyglądasz – pochwaliła Pati.

Podlizywała się wyraźnie, ale i tak wiedziałam, że to prawda. Od wielu lat wyglądałam świetnie. Bałam się chwili, w której czas zacznie to zmieniać. Tymczasem okazało się, że niepotrzebnie, bo nie dane mi będzie przeżywać starości.

Pojechaliśmy. Moim samochodem. Bo był najwygodniejszy. Pozwoliłam Andrzejowi prowadzić, przecież jestem nowoczesna.

Zajechaliśmy najpierw do Krasnobrodu. To takie małe miasteczko na Roztoczu. Pati koniecznie chciała zobaczyć sanktuarium. I pójść na mszę. Andrzej też chciał się wybrać. Ja nie, ale towarzyszyłam im, żeby się nie manifestować, bo wszak nie jestem ateistką walczącą, tylko jakoś tak wyszło, że nie bywam w kościele. Ale dlaczego Juliusz się zdecydował, to nie wiem.

Przez całą mszę obserwowałam Andrzeja. Dziwnie mi było patrzeć na pogrążonego w modlitwie mężczyznę. Mój ojciec nie był religijny. Dumałam chwilę, jak się weterynarzowi relacje z Bogiem układają. Bo mnie raczej kiepsko. Obarczyłam go winą za śmierć bliskich mi osób i się obraziłam. Od lat ze sobą nie rozmawiamy.

Nabożeństwo wreszcie się skończyło i razem z tłumem wiernych wylaliśmy się z kościoła prosto na chodnik. Ruszyłam nim prosto w kierunku samochodu, ale okazało się, że musimy jeszcze popielgrzymować do źródełka. Pati bardzo na tym zależało. Byłam jedyną osobą w barwnym roju, która się nie napiła. Jakoś nie liczyłam na cud.

O pierwszej zajechaliśmy przed dom rodziców Andrzeja – drewniany, po gruntownym remoncie. Ładnie wyglądał. Pożałowałam, że nigdy wcześniej nie pomyślałam o domu babci. Mogłam o niego zadbać lata temu i mieć świetne miejsce na urlopy.

Dom otaczał przepiękny ogród. Potem się dowiedziałam, że to ojciec Andrzeja się nim zajmuje, i zrozumiałam, dlaczego tak do mnie przemówił – przeżywaliśmy te same emocje.

Matka Andrzeja była miła i zmęczona. Zresztą może nie zmęczona, tylko strudzona. Wyglądała, jakby udała się w długą podróż, która powoli zaczyna ją dobijać. Nic dziwnego, ojciec Andrzeja był człowiekiem chorym. I to przede wszystkim na duszy. Przebywanie z nim musiało być trudne i wyczerpujące psychicznie. Dla wszystkich poza mną. Szybko nawiązaliśmy kontakt, wszak należeliśmy do tego samego bractwa.

– Tak nagle zjawiłaś się w życiu mojego syna – stwierdziła mama Andrzeja, kiedy znalazłyśmy się same w kuchni.

Zaoferowałam pomoc przy myciu naczyń. Bardzo tego teraz żałowałam, bo nie miałam szans na ucieczkę.

– Przepraszam – bąknęłam. Posłała mi pytające spojrzenie. – Przepraszam, bo prawdopodobnie równie nagle odejdę – dokończyłam.

Matka Andrzeja milczała.

– On będzie cierpiał, ale nie zdołam go przed tym uchronić – wyznałam.

Poklepała mnie po ramieniu i ciepło, choć smutno, się uśmiechnęła.

– Cierpienie jest częścią życia. Mój syn jest teraz szczęśliwy. Po raz pierwszy w życiu. Nawet jeśli cierpienie jest ceną, to nie myślisz, że warto ją zapłacić za kilka chwil takiego absolutnego szczęścia?

Kochałam tę kobietę. Była dobra i mądra. Dlaczego nie mogła być moją teściową dłużej niż przez jedno popołudnie?

Gdybyśmy wykrzesali z siebie choć odrobinę przyzwoitości, zmylibyśmy się zaraz po obiedzie. Zostawanie aż do kolacji było nieuprzejme i niebezpieczne. Każde z nas mogło powiedzieć coś kompromitującego. Ja najbardziej. Dlatego trzymałam się na uboczu, udając, że podziwiam ogród. Niestety, Pati zwęszyła okazję i od razu ją wykorzystała.

– Andrzej to twój chłopak? – zapytała bez ogródek.

– Przyjaźnimy się. – To słowo dobrze oddawało nasze relacje – najpierw mnie denerwował, a teraz z nim sypiałam.

– Miałam wrażenie, że coś więcej – drążyła.

Wścibski bachor.

– Tak? – zdziwiłam się szczerze. – Jest przesympatyczny, ale to wszystko. Przyjechałam tu na trochę, żeby odpocząć, nie po to, żeby komplikować sobie życie – odparłam zdecydowanie i mądrze. Sama siebie prawie przekonałam.

– Ja sobie skomplikowałam – wyznała Pati.

Po tonie jej głosu poznałam, że coś się w niej przepełnia i za chwilę zacznie się wylewać. Nie miałam ochoty na płaczącą studentkę.

– Wszystko będzie dobrze – pocieszyłam.

Błąd! Za późno zrozumiałam, że powiedzenie komuś, kto stoi nad przepaścią, że wszystko będzie dobrze, to tak samo, jakby go popchnąć. Oczy Patrycji eksplodowały łzami.

Matka Andrzeja, która stała niedaleko, jakby wahając się, czy powinna podejść, teraz energicznie wkroczyła do akcji.

– Co się stało? – zapytała z troską w głosie.

Nic się nie stało. Jednak Patrycja miała na ten temat inne zdanie. Z płaczem rzuciła się w ramiona matki Andrzeja. W przerwach między atakami szlochu wyrzucała z siebie słowa, które brzmiały trochę jakby „tycie" i „smarowałam".

– Chodź, dziecko, usiądziemy sobie. – Mama Andrzeja delikatnie, acz stanowczo skierowała ją do ogrodowej altanki. – A ty, Agnieszko, zaparz nam herbaty.

Czułam się jak złodziej, grzebiąc w cudzych szafkach w poszukiwaniu cukru. Może nie słodzą? Postanowiłam nie wołać Andrzeja, żeby mi pomógł. Nie chciałam go w to mieszać, bo to chyba była kobieca sprawa.

Zanim wróciłam z herbatą do altanki, Pati już się uspokoiła. Pociągała jeszcze nosem, ale po ulewie nie został najmniejszy ślad. Postawiłam przed nimi kubki i chciałam sobie pójść, ale matka Andrzeja powstrzymała mnie i spojrzeniem kazała usiąść. Przysiadłam grzecznie na brzeżku ławki, w każdej chwili gotowa do ewakuacji.

– ...i w ogóle nie byłam, nic do niego nie czułam – powiedziała Pati. Chyba kontynuowała wcześniej zaczętą opowieść. – No nie wiem, imponowało mi to, że profesor tak się mną interesuje. Ale nie myślałam o nim na poważnie. W ogóle nie myślałam... – Kolejna eksplozja łez.

– Ależ kochanie – matka Andrzeja pogładziła ją po ręku – każdy z nas był młody i zakochany.

Naprawdę myślałam, że powie „durny". Ja bym użyła tego słowa.

– Ale wie pani – zaoponowała Pati – ja mam zasady. Chciałam według nich żyć. Rodzice się na mnie wściekli...

– E tam. Może pewne rzeczy wyobrażali sobie inaczej, co nie znaczy, że lepiej. Wiem, co mówię. Jeden z moich synów został ojcem, jak miał siedemnaście lat. Też się wtedy wściekłam na niego. A on jest szczęśliwym ojcem i mężem do dziś.

Rozwiała moje wątpliwości, bo przez chwilę obawiałam się, że może mówić o Andrzeju.

– Czasem rozstają się idealnie dobrane pary, a czasem udaje się tym małżeństwom, którym nikt nie daje cienia szansy na przetrwanie. Bo to chyba chodzi o miłość. A ty kochasz tego swojego Juliusza?

– Bardzo. Najpierw tylko mi imponował. Profesor Michałowski, to znaczy Juliusz. Żywa legenda, a rozmawiał ze mną jak z przyjaciółką. Wiecie, jak się poznaliśmy? – zapytała.

Ja kiwnęłam głową, że tak, ale matka Andrzeja przybrała pozę „cała zamieniam się w słuch", co Pati zachęciło do opowiadania, niestety.

– Właściwie spotykałam się jeszcze wtedy z chłopakiem. Ale nasz związek się sypał. On chciał się przenieść na ekonomię, że niby po filozofii nie ma pracy. Naprawdę wkurzało mnie to jego podejście. – Wydęła wargi, żeby podkreślić, jak bardzo gardzi pragmatykami. – W dzisiejszym pogubionym świecie potrzebujemy drogowskazów moralnych, no nie? Filozofowie nigdy nie byli bogaci w sensie materialnym. Oni mieli bogactwo duchowe i dzięki temu wiedli tysiące ku lepszym, piękniejszym ideom.

„Które w efekcie stworzyły dzisiejszy świat – pomyślałam. – Normalnie jakbym Juliusza słyszała".

– Tak czy owak, mój związek się sypał. Ale walczyłam, bo taka już jestem. Próbowałam tłumaczyć i w ogóle. Wtedy koleżanka mi powiedziała, że są wolne miejsca na wyjazd do Królewca. Doszłam do wniosku, że krótka rozłąka dobrze nam zrobi. Miałam nadzieję, że Michał, ten mój chłopak, popatrzy na to z właściwej perspektywy i zmieni zdanie. No i pojechałam. Było bardzo fajnie. Któregoś wieczoru siedzę w kuchni, czytam sobie, a tu przychodzi profesor Michałowski. Zobaczył, że Kanta czytam. Zaczęliśmy rozmawiać. Tak normalnie. Okazał się zupełnie inny, niż mi się wydawało. Widzicie, o Juliuszu krąży na uczelni tyle historii. Wiecie, że o egzaminie kiedyś zapomniał? – Wyraz jej twarzy wskazywał nadciągającą dygresję. – Egzaminował studentów. No i ostatnia wchodzi jakaś dziewczyna. Juliusz zadał jej pytania, ona nie bardzo wie. To on się pyta, czy chce się przygotować, bo on musi na chwilę do biblioteki skoczyć. Ona, że tak. Poszedł. Dziewczyna siedzi, ściągi powyciągała, trochę zestresowana przepisała, co trzeba, i czeka. A profesor nie wraca. Dwie godziny mijają. Nagle wchodzi sprzątaczka. Pyta studentkę, co ona tu robi. No egzamin ma, czeka na profesora. „O, profesor to już z godzinę będzie, jak poszedł do domu".

Wszystkie roześmiałyśmy się wesoło, a ja dodatkowo nieszczerze. Nie żeby historyjka nie była zabawna. Tylko ja żyłam z Juliuszem kilka lat i mogłam im opowiedzieć z tysiąc podobnych. Na ogół zapominał o mnie.

– No i tak sobie rozmawialiśmy wtedy. – Pati wróciła do głównego wątku. – I to mi uświadomiło, że nie ma sensu walczyć o Michała. Muszę się skoncentrować na tym, co dla mnie najważniejsze, czyli na filozofii. Jakiś czas potem spotkałam Juliusza, zaprosił mnie do siebie, sytuacja wymknęła się spod kontroli. – Zaczerwieniła się. – Wydawał się taki zagubiony, chyba bardziej chodziło mu o bliskość. Czułam, że mnie potrzebuje, i mu uległam – wyznała zawstydzona.

– Ale oboje wiedzieliśmy, że to błąd i nie powinniśmy tego kontynuować. Wpadliśmy na siebie raz czy dwa na uczelni, rozmawialiśmy zupełnie normalnie, ale on tak jakoś na mnie patrzył. I potem nagle uświadomiłam sobie, że jest we mnie zakochany. To mnie tak rozczuliło, że sama zupełnie straciłam dla niego głowę. – Jej ręka mimowolnie spoczęła na brzuchu. – No i tak to się wszystko skończyło.

– Wszystko będzie dobrze – zapewniła mama Andrzeja.

Wyglądała na wzruszoną całą historią. Pati się uśmiechnęła.

No proszę, a jak ja jej to powiedziałam, to się poryczała. A to dokładnie te same słowa były.

Nazajutrz rano Pati i Juliusz wrócili do Warszawy. Przyjechali na chwilę, żeby się pożegnać. Myśl o tym, że w życiu już nie zobaczę eksmęża, okazała się całkiem przyjemna.

Ledwo wyjechali z podwórka, ciekawość przygnała Śliwową. Okropna baba. Nie mogła przyjść, jak siedział tu Juliusz?

– Ten, co tu przyjechał z tą ładną dziewuszką, to kto? – indagowała.

– Mój by... był to kolega, ze szkoły jeszcze.

– Tylko kolega? – dopytywała się.

– Tylko – ucięłam.

– Mnie się widziało, że on jakoś szczególnie blisko z tobą był.

Wścibska babina. Pewnie cały czas siedziała w krzakach i podglądała.

– Kiedyś tak. Ale teraz już nie. Porady szukał – wytłumaczyłam zwięźle.

– A, to i pewnikiem znalazł. Z ciebie niegłupia dziewczyna. I tak jakoś mnie się widzi, jakby moc w tobie była czy co. Co ja bym dała, żeby moja Elżunia taką głowę miała. Wszystkiego bym ją nauczyła. Ale ona głupia całkiem. – I umilkła na chwilę, zafrasowana. – Jak my się tak o mojej Elżuni zgadały, to ona jak raz na niedzielę przyjeżdża. Nie wzięłaby ty Mony na ten czas do siebie? – Wywaliła oczy dokładnie jak Azor, jak mu się żreć chce.

Bezczelna baba.

– Mowy nie ma. Niech mi się nawet na oczy nie pokazuje – powiedziałam stanowczo.

Śliwowa zamachała w stronę krzaków. Popatrzyłam w tamtym kierunku. Mona właśnie znikała między gałęziami.

– Nie, no to już jest przegięcie! – Ręce mi opadły w przenośni i dosłownie. – Wynosić mi się, i to już. Obie! – dodałam, bo Śliwowa ewidentnie się ociągała.

Odetchnęłam głęboko po rozmowie ze Śliwową, z Moną w tle, i poszłam w stronę domu. Moje życie, czy raczej to, co z niego pozostało, wróciło do normalności. Przy okazji uporządkowałam swoje uczucia do Juliusza. Przez wiele lat postrzegałam rozpad małżeństwa jako osobistą porażkę. Tymczasem to nie mogło się udać. To przyjemne zrozumieć, że nie ponosi się za coś winy.

Ciągle się tym cieszyłam, wchodząc do chałupy, kiedy posłyszałam dźwięk. Ten dźwięk.

– O kurwa! – krzyknęłam, rzucając się do kredensu. „Może to przypadek, może sama się zamknęła" – wmawiałam sobie.

Zdenerwowana otworzyłam drzwiczki. Pułapka na myszy stała dokładnie tam, gdzie ją postawiłam. Wbrew moim życzeniom nie była pusta. Leżała na niej mała, szara kuleczka. Ogonek wisiał smętnie, na zawsze wesołych wąsikach zawisła kropelka krwi. Dotknęłam jej palcem. Ciałko było całkiem bezwładne. Poczułam w gardle kulę wielkości piłki tenisowej.

„Przepraszam, moja malutka, nie chciałam" – szeptałam w myślach, gładząc palcem jej futerko.

– Czemu płaczesz? – zapytał Azor, ale nie byłam w stanie mu odpowiedzieć.

Próbowałam się odezwać, ale bezskutecznie. Głos opuścił moje gardło, poszedł w jakieś ustronne miejsce, żeby tam płakać.

– Myszę żywota marnego pozbawiła. Pułapką – wyjaśnił Maurycy.

Siedział na kredensie, patrzył na potrzask, a w oczach miał łakomstwo.

– Nie! – zaprotestowałam bezgłośnie.

– Dajże spokój. Martwa już jest absolutnie i beznadziejnie. Po cóż ma się zmarnować jej doczesna część?

Odgoniłam go ręką, dając do zrozumienia, że nikt nie będzie jadł mojej przyjaciółki ani tego, co z mojej winy z niej zostało.

– A młode konsumpcji poddać mogę? I tak wyzdychają – dopytywał Maurycy.

– Mysz nie miała młodych – zaprzeczył Azor.

Kot machnął ogonem.

– Owszem, miała. Pamiętasz ten papier, co go spożyła? Gniazdo budowawszy. Albowiem matką została niedawno. Zezwolisz spożywać? – Patrzył na mnie pytająco.

– Wychowam te młode! – oznajmiłam stanowczo. – Nikt tu nikogo nie zjada, żywego czy martwego!

– Powiedz te słowa kiełbasie – zauważył Maurycy zgryźliwie i przespacerował się po kredensie.

Posłałam mu mordercze spojrzenie. Ale tylko trochę. Wystarczy trupów jak na jeden dzień. Wyrzucałam sobie, jak mogłam postąpić tak głupio, żeby nastawić tę cholerną pu-

łapkę. To, że wtedy nie znałam myszy, wcale mnie nie tłumaczyło.

– Najpierw sprawdzimy, co z dziećmi, potem ją pocho-
wamy – wyjaśniłam.

Odłożyłam pułapkę na stół i schyliłam się, żeby zajrzeć
do nory.

– Proponowałbym trochę odwrotnie – miauknął Maurycy. – Chcesz, żeby maleństwa na to patrzyły?

Racja. Włożyłam pułapkę z myszą z powrotem do kredensu. Jeszcze raz przepraszająco pogładziłam zwierzątko
po futerku. Postanowiłam, że zajmę się jej dziećmi, przynajmniej tyle mogłam dla niej zrobić.

Leżałam na podłodze, w zębach trzymałam latarkę, a pogrzebaczem majstrowałam w norze. Wygarnięcie z niej gniazda wcale nie było łatwe. Nie chciałam wyrządzić myszkom
krzywdy ani zbytnio ich przestraszyć. Niestety, otwór był zbyt
mały i nie mogłam tam wcisnąć ręki. Musiałam tak manew-
rować pogrzebaczem, żeby przyciągnąć gniazdo jak najbliżej.
A potem delikatnie, dwoma palcami, wyjąć mysięta i tymcza-
sowo przenieść je do nowego łóżeczka, które zrobiłam im z pojemnika na żywność i ścierki kuchennej. W końcu mi się udało. Gniazdo znalazło się odpowiednio blisko. Różowe ciałka
wiły się w nim, trochę jak robaki. To nie był najprzyjemniejszy
widok. Ostrożnie wyjęłam je jedno po drugim. Osiem? Sporo.
Przeniosłam jeszcze gniazdo, żeby biedniutkie sierotki miały
coś, co pachniało domem. Poświeciłam w głąb nory, żeby się
przekonać, że żadnego nie zgubiłam. Ale nie. Pusto.

– Czym głód ich zaspokajać będziesz? – zapytał Maurycy.

– Mlekiem – wyjaśniłam.

– Czy rozpoczęcie może nastąpić w czasie teraźniejszym? Pragnienie wielkie mam oczyma własnymi to obejrzeć. – Mówiąc to, kot zeskoczył z kredensu na piec, a stamtąd długim susem na stół, tuż obok pojemnika z myszkami. Pochylił się, powąchał i oblizał pyszczek. – Popatrzenie niewinne również zakazanym jest? – obruszył się, kiedy delikatnie, acz stanowczo zepchnęłam go ze stołu.

Ale z tym karmieniem to pewnie miał rację. „Trzeba im dać mleka – pomyślałam. – Albo nie, mleko może im zaszkodzić. Potrzebują glukozy. Dam im wody z cukrem, tak się chyba robi". Stwierdziłam, że jak przyjedzie Andrzej, to poproszę go o jakąś butelkę czy coś, a na razie spróbuję z palca.

Wsypałam łyżeczkę cukru do kubka i nalałam troszkę ciepłej wody z czajnika. Zamieszałam. Umoczyłam palec, ostrożnie wzięłam małą myszkę na rękę. Wiła się, więc naprawdę było trudno. Muszę przyznać, że trochę się brzydziłam i nie chciałam ich dotykać więcej, niż to niezbędne. Kiedy wyrośnie im sierść, pójdzie łatwiej. Teraz wyglądały trochę jak embriony. Nie grzeszyły urodą. Gdy w końcu młoda ułożyła się idealnie, zbliżyłam palec do jej pyszczka. Obróciła się akurat w chwili, gdy spora kropla spadła z mojego palca. Miała teraz cukier na grzbiecie. Marne szanse, żeby go sobie zlizała. Musiałam spróbować jeszcze raz. Za trzecim razem udało mi się trafić w pyszczek.

Z następną poszło mi lepiej. Kiedy karmiłam ostatnią, usłyszałam, jak Maurycy zaczyna się śmiać. Uniosłam głowę. Mysz stała słupka na stole. Przekrzywiała łepek, a wąsiki drgały jej nerwowo.

– Co tu się wyrabia? – zapytała z zaniepokojeniem. – Co tu robią moje dzieciaki?

– Yyyy... nic – odpowiedziałam.

– Co ci strzeliło do głowy, żeby dzieci z gniazda wyciągnąć i jeszcze je czymś umazać? – Obwąchała jedno. – Jak ja je teraz doczyszczę?!

To była jedna z tych chwil, kiedy wszystko, co powiesz, zabrzmi źle. Stwierdziłam, że nie powiem nic. Niestety Maurycy uznał, że należy czymś wypełnić ciszę.

– Nie miej do niej pretensji. Dobre chęci miała. Opiekę roztaczała nad młodymi po twojej śmierci.

Syknęłam na kota karcąco, ale za późno. Mysz usłyszała.

– Przecież ja żyję – powiedziała powoli, nic nie rozumiejąc.

– Ty tak, ale ta druga nie. A ona – pokazał na mnie łapą – was nie odróżnia.

– Przepraszam! – wyjęczałam do myszy. – Zaszła pomyłka. Zaraz to wszystko posprzątamy. Zaniesiemy maleństwa z powrotem do norki...

– Jaka druga? – Mysz nie dawała za wygraną.

– Tego ci powiedzieć nie mogę, kim owa mysz była zacz. Gdyż ja was raczej po walorach smakowych rozpoznaję. – Zachichotał ubawiony własnym dowcipem. – Sama oczyma swymi spojrzyj, doczesność jej w szafce spoczywa. Celem zabezpieczenia, gdyż ona – znowu wskazał na mnie – pragnęła ciebie, to znaczy ją, ładnie w ziemi zakopać. Późniejszym czasem uczynić to zamierzała. Najpierw musiała młode polukrować.

Mysz go już nie słuchała. Wystrzeliła jak szara strzała prosto w kierunku kredensu. Poszłam za nią. Otworzyłam drzwiczki. Mysz była już w środku. Wzburzona patrzyła na pełną pułapkę, a wąsiki drgały jej nerwowo.

– Pułapka na mysz? – zapytała gniewnie.

– Mogę ci to wyjaśnić. To było zaraz jak przyjechałam. Nie znałam cię wtedy. A ty wszędzie zostawiałaś kupy – tłumaczyłam się nieporadnie. – Skąd mogłam wiedzieć, że mówisz i że dojdziemy do porozumienia w sprawie twoich odchodów?

– Pułapka na mysz? – powtórzyła. – W domu, gdzie przebywają moje dzieci?!

Wściekła się. W ogóle mnie nie słuchała.

– To chyba nie jedno z twoich? – zapytałam z duszą na ramieniu.

– To jakiś polny biedak. Nie widzisz, że ma pasek na grzbiecie? – Mysz poruszyła wąsikami. – Tak czy owak, postąpiłaś nieodpowiedzialnie. I z nami koniec. – Chciałam coś powiedzieć, ale ruchem łapki nakazała mi milczenie. – Wybacz, ale nie mogę się już z tobą przyjaźnić. Maurycy – zwróciła się do kota – nie wierzę, że to mówię, ale pomóż mi przenieść młode, a potem zrób coś z tym biedakiem.

Kot się oblizał.

Niedzielę spędziłam w towarzystwie Mony. Nie wiem, jak do tego doszło. To znaczy wiem, wykazałam się kompletnym brakiem asertywności. Jakby się ludzie w firmie dowiedzieli, że zmiękłam i dałam się zmanipulować babinie w chustce

oraz pewnej szurniętej halucynacji, która uważa się za pogań-
skie bóstwo, toby ze śmiechu poumierali. Ale co miałam zrobić, jak Śliwowa symulowała zawał serca, a Mona do nóg mi
upadała, zlitowania nad sobą błagając? Powiedziałam, że może zostać, ale pod warunkiem że będzie siedziała w pokoju, bo
na oczy jej widzieć nie chcę. I słyszeć też nie zamierzam. Jak
można się było domyślić, Mona nie dotrzymała ani jednego
z warunków umowy.

– Juliuszowi urodzi się dziewczynka – zagaiła.

Milczałam, że niby nic mnie to nie obchodzi.

– Z dziewczynką lepiej sobie poradzi. A ja jestem, wiesz, ta
od narodzin… I przepraszam, że cię wtedy tak skołowałam.

– W porządku. Całkiem dobrze mi to zrobiło. Naświetli-
łaś mi pewne sprawy, skłoniłaś do przemyśleń. Ale jak chcesz
jeszcze pożyć, to nie próbuj się zaprzyjaźniać.

– Jak mam się nie zaprzyjaźniać, skoro jesteś moją wyznawczynią? – Mina Mony wyrażała coś pośredniego między zdziwieniem a rozczarowaniem.

– Nie jestem twoją wyznawczynią! Nie wierzę w ciebie!
– wrzasnęłam.

– Akurat – mruknęła.

Chciała coś jeszcze dodać, ale zmieniła zdanie. Z ociąganiem ruszyła w stronę domu.

– Jakbyś miała ochotę pogadać, to wiesz, gdzie mnie znaleźć – rzuciła już na progu.

– Dzięki, ale nie skorzystam.

Poszłam do sadu. Przesiedziałam tam cały dzień. Poczułam ulgę, kiedy usłyszałam, jak z podwórka Śliwowej odjeż-

dża polonez. Dzień minął bez ofiar wśród pogańskich bo-
ginek.

Było mgliście, gorąco i lepko. Czułam się zagubiona, po
omacku krążyłam w ciemności. Instynkt mi podpowiadał,
że powinnam uciekać, ale nie wiedziałam, w którą stronę.
To, co kryło się w mroku, uważałam za złe i podstępne. Zaczęłam powoli biec. Nogi miałam jak z waty. Poczułam za
sobą gorący oddech. Przerażona rzuciłam się do ucieczki.
Obok mnie ktoś biegł. Popatrzyłam w tamtą stronę. Zobaczyłam krowie ścierwo. „Uratuuuuję cię!" – ryknęła krowa.
Wypadł jej fioletowy jęzor. Krzyknęłam. Obudziłam się.

Za oknem robiło się szaro. Ubrany Andrzej siedział na
łóżku. W jego oczach malowały się troska i zaniepokojenie.

– Już miałem wyjść, kiedy zaczęłaś się rzucać na łóżku.
Wszystko w porządku? – zapytał.

– Tak. To tylko zły sen. – Zbagatelizowałam sprawę machnięciem ręki. – Wszystko w porządku. Możesz jechać.

Nie wyglądało na to, żeby mnie posłuchał. Wstał, co prawda, i wyszedł, ale tylko do kuchni. Słyszałam, jak nastawia
wodę.

– Herbaty? – zapytał. Mruknęłam, że tak. Po chwili wrócił z kubkami. Podał mi jeden. – Powinnaś pić mleko przed
snem – poradził życzliwie.

Sączyłam gorący napój i patrzyłam przez okno. Słońce
wschodziło, ale do ósmej zostały jeszcze ze trzy godziny.

– Zawsze tak wstajesz?

– Podobnie jak wszyscy tutaj. Witaj w moim świecie, maleńka. No to opowiedz, co ci się śniło – zachęcił.

– Jak tak o tym pomyślę, to nawet nic strasznego. – Łzy, które nagle pojawiły się w moich oczach, przeczyły słowom. – Makabryczne, ale nie straszne. Śniła mi się ta zdechła krowa – wyznałam, zawstydzona sytuacją.

Andrzej ostrożnie, żebym nie wylała na siebie herbaty, objął mnie i pocałował w głowę.

– To tylko sen – powiedział jak do dziecka. – To tylko sen, kochanie.

– Wiem. Nie wiem, czemu zawsze mnie tak przeraża. – Nagle zdałam sobie sprawę, że powiedziałam więcej, niżbym chciała.

– Śniło ci się to już?

– Raz – skłamałam. Sen wracał z męczącą regularnością. – Zaraz po tym, jak ją wywieźli.

Andrzej westchnął. Odstawił pusty kubek.

– Wiem, do kogo należała – wyznał w końcu.

– Wiesz? – Zaskoczył mnie.

– Jaki byłby ze mnie lekarz, gdybym nie rozróżniał swoich pacjentów? – Sztucznie nadał swojemu głosowi niefrasobliwy ton. – Widziałem, że coś z nią nie tak. Chciałem dać antybiotyk, tłumaczyłem, że leczyć trzeba. Ale chłop jak to chłop. Albo uparty, albo głupi. I teraz przeze mnie dręczą cię koszmary.

– Przecież to nie twoja wina. – Poklepałam go po ręku.

– Powinienem być bardziej uparty od niego – powiedział stanowczo.

Coś mi przyszło do głowy.

– Czemu nie powiedziałeś policjantowi? – zaciekawiłam się.

– Bo lubię swoją pracę – odrzekł.

Chciałam o coś jeszcze zapytać, ale w końcu do mnie dotarło, co miał na myśli, uznałam więc rozmowę za zakończoną.

– W ramach zadośćuczynienia musisz teraz pilnować mnie co noc.

Udawałam, że żartuję, ale tak naprawdę chciałam, żeby był w moim łóżku. Dobrze się z tym czułam.

Siedziałam na pniu zwalonej jabłonki. To było teraz moje ulubione miejsce. Opalałam buzię, bo aktualnie miałam gdzieś promienie UV.

Poznałam Andrzeja po krokach.

– Co robisz? – zapytał.

– Staram się być szczęśliwa – odpowiedziałam, ciągle nie otwierając oczu.

– Mogę się przyłączyć?

Zamiast odpowiedzieć, przesunęłam się trochę, robiąc mu miejsce obok. Siedzieliśmy w milczeniu bardzo długo, napawając się słońcem, niebem, ciszą. Potem poszliśmy do domu cieszyć się sobą.

Tak zaczął się najlepszy tydzień w moim życiu. A jak wiadomo, po „bardzo dobrze" może być tylko gorzej.

Leżałam w cieniu na kocu i czytałam książkę. Kryminał, niezbyt dobry. Już po pięciu stronach domyślałam się, kto zabił. Spojrzałam na koniec i okazało się, że miałam rację. Czytałam jednak dalej, bo w miejscowym kiosku mieli tylko to i trzydziesty tom norweskiej sagi.

Wtedy usłyszałam warkot silnika. Podniosłam się na łokciach. Samochód skręcił na mój podjazd, więc wstałam. Ale nie wjechał na podwórko. Ktoś z niego wysiadł, słyszałam, jak dziękuje kierowcy. Potem ruszył w moją stronę. Przyjrzałam mu się uważnie. Ojciec. Nie do końca jednak wiedziałam, czy realny, czy wyimaginowany. W końcu mogła to być kolejna sztuczka Mony.

– Tato, co tu robisz? – zapytałam, wstając. Trochę ostro, z przyzwyczajenia. – To znaczy… fajnie, że wpadłeś.

Ojciec nie odpowiedział. Podszedł do mnie. Spoglądał jakoś tak dziwnie. No cóż, ojciec zawsze patrzył na mnie dziwnie, przerażonym, rozbieganym wzrokiem królika. Teraz w jego spojrzeniu dostrzegłam prawdziwy koktajl Mołotowa.

Rozważałam, czy dać mu całusa na powitanie, czy wystarczy uścisk ręki. Jednak ojciec energicznie rozwiązał mój dylemat. Coś ze świstem przecięło powietrze. Nim zdążyłam przeanalizować, co to takiego, mój policzek zapłonął. Piekło jak cholera. A ja się zachwiałam. Pewnie bym się przewróciła, gdyby nie to, że ojciec poprawił z drugiej strony. Spionizowało mnie to. Buzia bolała jak jasna cholera. Niemniej miałam niezbity dowód na to, że jest prawdziwy.

Ojciec ze świstem wypuścił powietrze. Sflaczał, jakby osłabł. Wierzchem dłoni starł pot z czoła.

– Coś ty sobie myślała, gówniaro? – zapytał. Z tonu jego głosu wywnioskowałam, że nie oczekuje odpowiedzi. Postanowiłam więc poczekać w milczeniu. Nie chciałam drugiej rundy. – Coś ty sobie wyobrażała?! – krzyknął. – Czy ty uważasz, że ja nie mam żadnych uczuć? Za kogo ty mnie masz? Przecież jestem twoim ojcem – dodał smutno.

Jego oczy zwilgotniały i łzy zmyły z nich złość.

– Tato, proszę, nie płacz – powiedziałam najłagodniej, jak umiałam.

– Jak mam nie płakać? Dziecko, jak mam nie płakać? – I wybuchnął płaczem.

Nie powinnam się była przyłączać, ale jakoś tak mi się smutno zrobiło. No i tak siedliśmy sobie na ziemi i płakaliśmy wspólnie dość długo.

– Dlaczego mi nie powiedziałaś? – zapytał ojciec. – Wiesz, co ja przeżyłem? Ariel zadzwonił, mówi, że znalazł jakiś twój list. Dzwonię, ty nie odbierasz. Przypomniało mi się, że pytałaś o to miejsce. Całą drogę się zastanawiałem, czy cię jeszcze zobaczę… – Chlipnął.

– Przepraszam, tato. Nie wiedziałam, co mam robić. Nie myślałam, że cię to obchodzi.

Ojciec popatrzył na mnie tak, że odruchowo dotknęłam policzka.

– Co ty pleciesz? Co by ze mnie miał być za człowiek, żeby mnie własne dziecko nie obchodziło?

„Co ze mnie było za dziecko, że mnie nie obchodził własny ojciec?" – przemknęło mi przez głowę. Pogładziłam go po ramieniu. Wziął moją rękę i przytulił do ust.

– Moja malutka dziewczynka – wyszeptał.

– Wszystko dobrze, tato. Wszystko dobrze – powtarzałam. Bo niby co miałam powiedzieć? Zegar tykał, mój mózg świrował. – Chodź do domu, zrobię ci herbaty. Musisz być zmęczony.

Ojciec smutno skinął głową i poszedł za mną.

Woda na herbatę jeszcze się nie zdążyła zagotować, kiedy na podwórko wjechał kolejny samochód. Hamując, zrobił taki wiraż, że aż kępki trawy poleciały w powietrze.

„Pewnie jakiś miejscowy młot niewrażliwy ekologicznie" – uznałam.

Już zamierzałam wyjść i go uświadomić przyrodniczo, ale uprzedził mnie ojciec. Zerwał się i wybiegł z domu. Chwilę później wiedziałam już dlaczego. Z samochodu wyskoczył Ariel i chwycił ojca w niedźwiedzi uścisk.

– Do matki zadzwoń, bo się martwi – nakazał naszemu wspólnemu ojcu, po czym podszedł do mnie i wymierzył mi policzek.

A ponieważ nie poprawił, zachwiałam się i wylądowałam na ziemi.

– Ariel! – krzyknął ojciec. – Tak nie można!

„I kto to mówi?!" – pomyślałam.

– No co? – Ariel wzruszył ramionami. – Należało jej się.

Ojciec skinął głową, że niby racja. Co mnie zdenerwowało. Wpadają tu nagle jeden za drugim i biją mnie po buzi. Ojca jeszcze można zrozumieć, ale Ariel? Jakim prawem? Chętnie bym zapytała, ale jego noga znajdowała się zbyt blisko mojego brzucha, a z twarzy wyczytałam, że emocje w nim jeszcze nie wygasły. Siedziałam więc cichutko na ziemi, udając, że mnie nie ma.

Tato tymczasem zdążył zadzwonić do Halinki i zapewnić ją, że wszyscy żyjemy. Zdaje się, że przyjęła to z ulgą.

– Jak można być tak nieodpowiedzialnym? – zapytał mnie Ariel. Pokornie spuściłam głowę. – Ojciec mało zawału nie dostał. Matka się martwi, bo w pociąg od razu wsiadł i pojechał do ciebie. Matka mi mówi: „Synu, jedź, bo on jeszcze zawału po drodze dostanie". A ty się tak durnie nie wytrzeszczaj, bo… – Podniósł rękę, jakby chciał mnie znowu uderzyć, ale się pohamował.

Opuścił. Odetchnęłam. Buzia mnie piekła. Nie tylko z bólu, również ze wstydu.

– Przepraszam – bąknęłam.

– Przepraszam! Przepraszam nie wystarczy. – Ariel mówił podniesionym głosem. – Co ty myślałaś, że ja jestem jakimś pozbawionym uczuć szopem praczem? Że ojcu nie chciałaś powiedzieć, to jeszcze jestem w stanie zrozumieć, nie chciałaś starego martwić. Ale mnie powinnaś! – kipiał nadal. – Przecież jestem twoim bratem!

Mój przyrodni brat popatrzył na mnie najpierw z wyrzutem, a potem z politowaniem. Powoli się uspokajał. Podał rękę i pomógł mi wstać. Przeprosił i z całej siły przytulił. Trochę trwało, zanim się zorientowałam, że to ciepłe na mojej szyi to jego łzy.

W końcu mnie puścił. Pociągnął nosem i wytarł go rękawem bluzy.

– Masz coś do jedzenia? – mruknął, nie patrząc na mnie.

– Jajka, chleb i konserwę tyrolską – wyliczyłam.

– Może być. Od rana nic w ustach nie miałem.

Poszłam do kuchni. Ojciec podreptał za mną, jakby bał się, że zniknę, kiedy straci mnie z oczu. Czajnik już ledwo zipał resztką wody na dnie. Dolałam, zasyczał groźnie. Na drugim palniku postawiłam patelnię. Wlałam na nią kilka kropli oliwy, a jej zapach natychmiast zwabił moje zwierzaki.

– Masz psa – zauważył ojciec.

Maurycy obdarzył go niechętnym spojrzeniem.

– Psa, kota i mysz – dodałam jak matka, która zawsze pamięta o wszystkich dzieciach.

– Fajny ten piesek. – Ojciec pogłaskał Azora po łbie. Oczy Maurycego zaświeciły pogardą. – Jak mała byłaś, to chciałaś mieć pieska, pamiętasz? Tylko mama się nie zgadzała. – Westchnął ciężko.

Zrobiło mi się go szkoda. Biedak nie wiedział, jak ze mną rozmawiać.

– Wszystko w porządku, tato. Mogę o tym mówić – zapewniłam go.

Ojciec milczał.

– Nie wiem tylko, czy ja mogę. – I łzy znowu popłynęły mu po policzkach.

Dałam ojcu herbaty. Pomyślałam, że może dobrze mu zrobi chwila samotności. Wzięłam więc patelnię z zawartością i poszłam do Ariela. Na widok żarcia wyraźnie się ożywił. Przypominał mi swoim zachowaniem Azora. Ten zresztą biegał w kółko, podskakując karkołomnie. Brat umoczył kawałek chleba w jajecznicy i podał psu, który połknął kęs, jakby w życiu nic nie jadł, i popatrzył z wdzięcznością na Ariela. A tam z wdzięcznością! Jego oczy mówiły: „Wielbię cię, wspaniały człowieku, gdyż podzieliłeś się ze mną posiłkiem, a ja od wieków nic nie jadłem".

— Fajny ten twój pies — orzekł Ariel. — Jak byłem mały, to chciałem mieć psa, tylko ojciec się nie zgadzał. — Popatrzył w stronę domu. — Co z nim?

— Chyba wszystko dobrze. Wydaje się, że już się uspokaja. Nie spodziewałam się... nie myślałam... — przerwałam, bo zdałam sobie sprawę, co chcę powiedzieć. „Kiedy się dowiedziałam o chorobie, skupiłam się na swoich uczuciach. Inni mnie nie obchodzili".

Ariel się nie odezwał, bo nie miał jak. Przeżuwał ogromny kęs chleba z mielonką, pomlaskując przy tym z lubością. Miałam nadzieję, że Azor się nie wygada, że konserwa była przeznaczona dla niego.

— Nie powinienem był mu mówić — stwierdził, kiedy już się najadł. — Zły na siebie jestem, że się wygadałem. — Zaklął. — Chwila nieuwagi po prostu.

— Jak się dowiedziałeś?

— Przypadkowo znalazłem twój list pożegnalny. Albo raczej to, co z niego zostało.

Zaskoczył mnie.

— Nie zostawiłam listu.

— Zwij to, jak chcesz. Wczoraj wieczorem to było. Przyszedł do mnie wujek, bo jakiegoś aktu szukał. Mówił, że był u ciebie i powiedziałaś, że nie masz. Ale ci nie wierzy, a mu panna zaciążyła i chajtać się musi na już.

— Jaki wujek?

— No, wujek Julek. — Ariel się zdziwił, że pytam o coś tak oczywistego.

— To nie jest twój wujek — sprostowałam.

— Ale jakaś rodzina?

– Mój były mąż.

– Czyli rodzina.

Ręce mi opadły. Zwoje mózgowe Ariela pracowały przez chwilę intensywnie. Czekałam, aż zrozumie, że były mąż przyrodniej siostry nie jest ani jego wujkiem, ani innym krewnym czy powinowatym. Mózg Ariela pracował jednak nad czymś innym, bo po chwili mój brat zapytał:

– Był już taki ześwirowany, jak za niego wyszłaś? – Przytaknęłam. Roześmiał się. – Sorry, siostro, ale taki spontan jakoś mi do ciebie nie pasuje.

– Chwila słabości – wyznałam zawstydzona.

– No i wujek koniecznie chciał u ciebie szukać jakichś dokumentów. Powiedział, że był u ciebie i nie masz nic przeciwko temu. To go wpuściłem. Nawet do sypialni wlazł. Ale ja nie wchodziłem – zastrzegł. – Umowa to umowa. Tylko jak on poszedł, to pomyślałem, że sprawdzę, czy jakiegoś bajzlu nie narobił. Patrzę, w koszu papierzyska. Chciałem wyrzucić, no i jakoś w oczy mi wpadło moje imię. Nawet nie zamierzałem tego czytać, chciałem sprawdzić, czy to przypadkiem nie jest coś ważnego. A jak przeczytałem, to zrozumiałem, dlaczego pisma do ciebie ze szpitala przychodzą.

– Jakie pisma?

– W aucie mam, zaraz ci dam. – Poszedł do samochodu i przyniósł kilka kopert w różnych wymiarach. Położył je na stole przed sobą. – Najpierw próbowałem się do ciebie dodzwonić. Bezskutecznie. No to zadzwoniłem do ojca z pytaniem, czy ma z tobą kontakt. Trzeba tylko było wcześniej wymyślić jakieś kłamstwo, bo jak zaczął wypytywać, to się pogubiłem.

Podsunął mi jedną z kopert. Rozerwana.

– Ojciec otworzył. Blady się zrobił. Myślałem, że mu pikawa stanęła. Od razu chciał jechać, ale go matka przekonała, żeby poczekał do rana. Miałem go zawieźć. Wstaję o szóstej, a starego już nie ma. Matka ryczy, że to moja wina i ojciec już na pewno trup, i ty trup, a ona wkrótce też. Swoją drogą, to się cieszę, że jeszcze żyjesz. – I poklepał mnie po ramieniu.

Obracałam w palcach kopertę, którą mi podał. Wezwanie do stawienia się na leczenie. Widocznie nie można umierać na raka na swoich zasadach.

– Nie chcesz się leczyć czy coś? – zapytał mój młodszy brat.

– Nie. Tu mi dobrze. Nie chciałabym umierać z idiotyczną rurką w nosie.

Zamierzałam coś jeszcze dodać, wytłumaczyć Arielowi to wszystko, ale z domu wyszedł ojciec. Wolałam tego nie roztrząsać przy nim. W wysokich trawach brzęczało i bzyczało tysiące owadzich głosików. I tylko my milczeliśmy, każde zatopione w swoich myślach.

W końcu odezwał się tato:

– Aguś, może byśmy się przeszli? – zaproponował.

Zamiast odpowiedzieć, po prostu wstałam. Ariel też zaczął się podnosić, ale ojciec powstrzymał go ruchem ręki.

– Niedługo wrócimy, poczekaj.

Szliśmy ścieżką przez łąki. Zielony kobierzec ciągnął się aż po horyzont, tu i ówdzie rozdarty strzałą drzewa.

– Od dawna wiesz? – zapytał ojciec.

– Od trzech miesięcy. Lekarz stwierdził, że to rak mózgu i nic się już nie da zrobić. Przez jakiś czas udawałam, że wszystko jest w porządku, ale nie dałam rady. Rzuciłam wszystko i przyjechałam tutaj. Czuję się całkiem dobrze. Nic nie mówiłam, bo nie chciałam cię martwić – wyjaśniłam, ale ojciec przejrzał moje kłamstwo.

– Nie powiedziałaś mi, bo myślałaś, że mam cię w dupie tak samo, jak ty mnie? – ujął to dosadnie, ale zadziwiająco precyzyjnie.

– Mniej więcej.

– Od lat się między nami nie układało.

„No, nie można temu zaprzeczyć".

– To moja wina. – Ojciec bił się w pierś. – Kiedy odszedłem od twojej mamy, byłaś już duża. Myślałem, że zrozumiesz. Ale to było egoistyczne. Tylko, widzisz, ja już od lat nie kochałem twojej matki...

– To dlaczego z nią byłeś? – zapytałam.

– Bo kochałem ciebie. – Popatrzyłam mu w oczy i wiedziałam, że jest szczery. – Chciałem być twoim ojcem. A potem wszystko się poplątało. Halinka zaszła w ciążę. To przesądziło sprawę. Odszedłem od twojej mamy. Ale zrozum, nie zamierzałem opuszczać ciebie. Pamiętasz, na początku nawet się nam układało?

Skinęłam głową, że pamiętam, ale to nie była prawda. We wszystkich wspomnieniach z tamtego okresu było ciemno, zimno i padał deszcz.

– Dopiero po śmierci twojej mamy wszystko się popsuło.

– Potrzebowałam kozła ofiarnego, ty znalazłeś się najbliżej – wyjaśniłam.

– Powinienem był od razu posłuchać Halinki. Od samego początku radziła, żeby cię posłać do psychologa. Długo nie chciałem się na to zgodzić. „Przecież moja córka nie jest wariatką" – mówiłem. Ale prawda jest taka, że sam wolałem jak najszybciej zapomnieć, a nie drążyć. Miałaś rację, że to wszystko moja wina.

Chciałam powiedzieć, że nie. Że to był wypadek i w ogóle, ale nie potrafiłam. Ojciec w pewien sposób ponosił winę.

Jakby usłyszał moje myśli. Opuścił głowę, trącił nogą dmuchawiec, westchnął. Wydawało mi się, że zamierza znowu zacząć przepraszać. Nawet byłam skłonna powiedzieć, że już dobrze, nie mam żalu. Bo przecież lepiej, żeby mój żal odszedł ze mną, niż żeby pozostał z ojcem.

– Mój ojciec umarł młodo – zaczął mówić zupełnie nie to, czego się spodziewałam. – Gruźlica. Mama robiła, co mogła, żeby mnie wychować i wykształcić. Nie było jej łatwo. Mnie też nie. W czasie studiów po nocach rozładowywałem wagony z węglem. Nie miałem czasu, żeby myśleć o dziewczynach. A potem los się odwrócił. Zdobyłem dobrą pracę, pieniądze, szacunek współpracowników. No i poznałem Halinkę.

– Chyba mamę? – poprawiłam, pewna, że się pomylił.

– Taki właśnie ze mnie człowiek, drogie dziecko – westchnął ciężko. – Halinka pracowała w księgowości. Zdarzało nam się razem czekać na tramwaj. Rozmawialiśmy trochę. Była bardzo miła. Jak to się mówi, ujmująca. Nie jakaś szczególnie ładna, ale coś w niej było. Ariel bardzo ją przypomina.

Pomyślałam, że jeżeli mój kudłaty brat przypomina swoją matkę, to trudno się dziwić ojcu, że chciał z nią tylko rozmawiać.

– Zaprosiłem ją do kawiarni, poszliśmy do kina, parę razy na spacer. Dobrze się czułem w jej towarzystwie. Powinienem był to docenić. Ale byłem głupi, zresztą nie wyszumiałem się, kiedy był na to czas. Więc kiedy poznałem twoją matkę, po prostu oszalałem.

Popatrzył mi w oczy.

– Wydawała się piękna jak marzenie. Odziedziczyłaś jej urodę, ale twoja mama miała coś jeszcze. Żaden mężczyzna nie mógł przejść obok niej obojętnie. Mogła mieć każdego, wybrała mnie. Uwiodła mnie swoją młodością, wdziękiem, świata poza nią nie widziałem. – Oczy mu rozbłysły na wspomnienie tego wszystkiego. – Ale to nie trwało długo. Pojawiłaś się ty, a razem z tobą kłopoty. Marysia sobie nie radziła, moja matka starała się nam pomagać, ale tylko zaogniała sytuację. A ja… ja uciekałem z domu. Wcześniej wychodziłem do pracy i długo w niej siedziałem. Tłumaczyłem, że muszę coś załatwić, i snułem się bez celu po mieście. Któregoś wieczoru, na Starówce spotkałem Halinkę. Czekała na autobus. Chwilę rozmawialiśmy o niczym, autobus nie przyjeżdżał, zaproponowała, żebyśmy się przeszli. Nie była już na mnie zła, choć miała żal. Poznała kogoś, wydawała się szczęśliwa. Ja… powiedziałem kilka słów za dużo i tama pękła. Wiesz, jak to jest, kiedy musisz się komuś zwierzyć.

„W zasadzie nie wiem – pomyślałam. – Ja się nie zwierzam".

– Wysłuchała mnie – kontynuował ojciec. – Byłem jej niezmiernie wdzięczny. Czy ty wiesz, co to za ulga wyrzucić z siebie wszystko? Zacząłem jej się zwierzać. Była mądrym i dobrym słuchaczem. Myślałem o niej jak o przyjaciółce. Ale prawda jest taka, że jak masz żonę, to lepiej nie szukaj sobie przyjaciółki. Ani się obejrzałem, a Halinka stała się mi bliższa niż Marysia.

Halinka czuła chyba podobnie. Zerwała z narzeczonym. Zaczęła naciskać, żebym odszedł od żony. Gdyby nie ty, od razu bym tak zrobił. No i szarpaliśmy się tak wszyscy troje. – Zamilkł.

Myślałam, że to koniec, ale po chwili kontynuował:

– Halinka miała już ponad czterdzieści lat. Myślała, że to kobiece sprawy. A to był Ariel. Nie zdradziła mi prawdy. Poszła od razu do twojej matki. Powiedziała, że ty jesteś już duża i teraz nadszedł czas, żebym był ojcem dla jej dziecka. Marysia się kompletnie wściekła. Nie wiedziała, że ją zdradzam. Nazwała Halinkę starym pudłem. Oświadczyła, że zniszczyłem jej życie. Miała rację. A ja wtedy myślałem, że to ona zmarnowała moje. Powinienem był zdobyć się na uczciwość. Powinienem był odejść. Chciałem dobrze dla ciebie, a wyszło, jak wyszło.

Nie kontrolowałam tego, co robię. To stało się poza moją świadomością. Nie zamierzałam, ale nagle z całej siły kopnęłam ojca.

– Wybacz, tato, uzewnętrzniłam swoje emocje – wyjaśniłam.

Tato z bólu wił się w trawie. Nie wyglądało na to, żeby żywił urazę.

Kiedy wracałam do domu, pomyślałam, że dziwna z nas rodzina. Normalni ludzie zwykli inaczej okazywać sobie uczucia. Widziałam w ich oczach morze miłości i wielki strach o mnie, a zamiast mi to powiedzieć, dopuścili się rękoczynów. Powinnam się wściec, z domu ich wyrzucić, policję wezwać. W końcu nie po to od lat byłam niezależną kobietą, żeby mnie mężczyzna bił. „Ale okazuje się, że sama nie jestem lepsza – przyznałam przed sobą. – Za jednym zamachem złamałam ze trzy przykazania. Powinnam kochać bliźnich i czcić ojca swego. I prawda jest taka, że kocham ich obu bardzo. To najważniejsi, obok Andrzeja, mężczyźni w moim życiu. Czy ja pomyślałam: Andrzeja? Ożeż…".

Ariel siedział tak, jak go zostawiliśmy. No, prawie. Miał towarzystwo. Obok niego siedział Andrzej. Wyglądało na to, że się zaprzyjaźniają.

– Gdzie tato? – zapytał mój brat.

– Idzie, tylko trochę wolno, bo coś mu się w nogę stało – odpowiedziałam.

Ariel wzruszył ramionami i wrócił do opowiadania Andrzejowi o pikselach, bajtach i czymś tam przesyłu danych. Poczułam się kompletnie zignorowana. I to chwilę po tym, jak w końcu naprawiłam relacje z ojcem.

Poczucie wykluczenia towarzyszyło mi przez kolejne trzy dni, które ojciec i Ariel postanowili ze mną spędzić. Uważałam, że to niesprawiedliwe i irytujące, bo skoro chcą być ze mną, to ze mną być chcą, a nie z Andrzejem, panem Stanisławem, Zygmuntem, tudzież Śliwową. Ta ostatnia to w ogóle została jakimś guru mojego brata, po tym jak dała mu skosztować nalewek.

Ariel szybko się domyślił natury mojego związku z Andrzejem. Zrobiło mi się trochę głupio. W zasadzie przyjechałam tutaj, żeby jak eremita rozważać tajemnice życia i przygotować się na śmierć. Tymczasem cieszyłam się urokami doczesności.

Nadszedł dzień wyjazdu i Ariel bezskutecznie próbował wepchnąć do samochodu ojca, który jakoś zupełnie nie mógł się ze mną rozstać, więc stawiał opór. Wyglądał na biednego, przykurczonego, załamanego. Gdyby mu pozwolić, najchętniej zostałby ze mną na stałe. Nie był jednak osobą, z którą chętnie dzieliłabym moje ostatnie dni. Zbytnio mnie przygnębiał. Byłam bardzo wdzięczna bratu, że pomaga mi się pozbyć ojca.

— Jeszcze mnie zobaczysz, obiecuję — zapewniłam.

— Na pewno? — Trzymał mnie kurczowo za rękę, jakby w ten sposób chciał mnie utrzymać przy życiu.

— Oczywiście. Wszystko jest w porządku i dobrze się czuję. Przyjadę pod koniec lata — skłamałam.

— A jak coś się zacznie dziać? — martwił się.

— To wcześniej. I zadzwonię — uspokajająco kłamałam dalej.

— Halinka i ja zajmiemy się tobą. Pozwolisz nam? Mimo wszystko? — Jego głos drżał od emocji.

Słyszałam w nim strach, żal i wyrzuty sumienia.

— Nie mam już do ciebie pretensji, tato.

Okrasiłam uśmiechem swoje słowa, niech wie, że to prawda. Odpowiedział mi tym samym i wreszcie wsiadł do samochodu.

I pożegnanie wypadłoby miło, gdyby ojciec, już prawie zamknąwszy drzwi, nie dodał jeszcze:

– Bądź z nim szczera, powiedz mu.

„Oczywiście, że nie powiem – pomyślałam. – W jakich słowach miałabym to ująć? «Hej, kochanie, seks był fajny, ale wiesz, czas mi się zbierać na tamten świat?»". Absurdalność tego zdania uświadomiła mi, jak bardzo wyparłam myśl o chorobie. Nic dziwnego, że zwierzęta w moim towarzystwie gadały. Miałam mózg zaplątany jak węzeł gordyjski.

„Czy jest szansa, że jeśli odpowiednio uderzę Andrzeja w głowę, to dostanie amnezji?" – zastanowiłam się.

Wtedy przypomniałam sobie, że Śliwowa coś tam mówiła o zielu. Że się po nim zapomina. Banialuki pijanej staruszki nagle objawiły mi się jako idealne rozwiązanie. Zwłaszcza że po tym wszystkim, co między nami zaszło, zaczęłam się zastanawiać, czy to na pewno alkohol miesza jej w głowie, czy też ona jest nie z tego świata.

– Azor, do nogi! – zakomenderowałam. – Idziemy na spacer.

Mniej więcej wiedziałam, gdzie jest rzeka. W dzieciństwie chodziłam tam z dziadkiem na ryby albo po tatarak. Kiedy jednak dotarłam w, z grubsza rzecz biorąc, pobliże, odniosłam wrażenie, że od dwudziestu lat nikt tu nie zaglądał. Chaszcze splątanych wierzb, wiązówki i szuwaru.

Przedzierałam się przez to jak jakiś Tony Halik w podróży. Szkoda, że nie wzięłam maczety. No, jakby mnie Andrzej zobaczył, jak ja się tu dla niego męczę, toby zrozumiał, że to, co czuję, jest szczere i nie miałam zamiaru go zwodzić. Zresztą, jeśli ktoś ponosi winę, to on, a nie ja. Po co przyjeżdżał i był taki, że aż mi się kolana uginały? Nawet teraz, na samo wspomnienie sposobu, w jaki patrzył mi w oczy, nogi mi zmiękły. Może i ja powinnam łyknąć tego zielska, jak już je znajdę... I zapomnieć o Andrzeju? Nigdy!

W końcu znalazłam kładkę. Trochę inaczej ją zapamiętałam. Wydawało mi się, że powinna wyglądać jakoś tak jak Most Świętokrzyski, tylko mniejsza. Tymczasem ujrzałam zbrojoną betonową płytę, trochę byle jak przerzuconą przez rzekę. Szczerzyła się groźnie metalowymi prętami, jakby chciała zniechęcić do przeprawy. „Nie ze mną te numery – stwierdziłam stanowczo. – Ja jestem dzielna". Jeszcze raz powtórzyłam sobie, dlaczego to robię, i ruszyłam. Płyta okazała się stabilna i bezpieczna. Za to drugi brzeg nie. Wylądowałam po kolana w błocie, a po pas w szuwarach. Po przejściu dziesięciu kroków poczułam takie zmęczenie, że nie mogłam ani zawrócić, ani pójść dalej. Przez chwilę bałam się, że utknę tam na zawsze i zamienię się w jakiegoś Szuwarka. Wreszcie przedarłam się do mniej mulistego podłoża. Odetchnęłam z ulgą. Ruszyłam prosto. Dotarłam do miejsca, w którym rosły dwa duże drzewa. Z tego, co mówiła Śliwowa, gdzieś tu powinnam skręcić. No to śmiało. A potem jeszcze raz i jeszcze. Już miałam zawrócić, zniechęcona, kiedy nagle przede mną rozpostarł się jar. Od razu wiedziałam, że to ten. Piaszczysty i jeśli nie liczyć suchawej trawy, to nic w nim nie rosło. Albo prawie nic. Jakieś dziesięć metrów przede mną zieleniła się bujnie kępa zielska. To musiało być to, czego szukałam. Podeszłam bliżej. A jakże. Trzy listki na końcu gałązki. I tak nienaturalnie wyglądało między tymi suszkami. Musiało być magiczne. Zrobiłam sobie spory bukiet tego ziela, tak na wszelki wypadek, i ruszyłam w drogę powrotną.

Mój weterynarz przyjechał późno wieczorem. Też wyglądał na zadowolonego, że znowu zostaliśmy sami. Jego ręce dały mi do zrozumienia jak bardzo.

– Napijesz się herbaty? – zapytałam.

– Nie mam ochoty. Woda wystarczy. Gorąco dziś.

Nie wiem, dlaczego tak jest, ale mężczyźni zawsze utrudniają. Normalnie pił tyle herbaty, ile Rosjanin, ale dziś akurat chciał wody…

– Sobie będę robiła, to i tobie zaparzę – oświadczyłam, wyrywając się z jego wężowego uścisku. W końcu miałam czarną robotę do wykonania.

Nastawiłam wodę, wrzuciłam do kubka trzy listki, potem jeszcze trzy i jeszcze dwa. Następnie dorzuciłam torebkę, bo w końcu to miała być herbata. Poczekałam parę minut, żeby się dobrze zaparzyło, i wyjęłam dowody zbrodni z kubka.

Andrzej wypił napój niechętnie i szybko. Ja w napięciu oczekiwałam efektu. Ale nic się nie wydarzyło. Żadnego „Kim pani jest?". Raczej delikatne, acz niecierpliwe popychanie mnie w stronę łóżka. Krótko stawiałam opór. W końcu to miał być ostatni raz. Jak się obudzi, niczego nie będzie pamiętał.

Szybko usnęłam, a kiedy wróciłam na jawę, już go nie zastałam. Oczy mnie zapiekły, a potem poczułam łzy spływające po policzkach. Pomyślałam, że już go nie zobaczę. Nakryłam głowę kołdrą i płakałam, bo myślałam, że to złagodzi ból. Nie pomagało.

– Nie widziałaś moich dokumentów? – zapytał Andrzej, wchodząc do pokoju.

Poczułam najsłodszą ulgę i strach, i trochę zdziwienie. Tymczasem Andrzej zobaczył moją twarz.

– Płakałaś? Dlaczego? – Przysiadł na brzegu łóżka i pogładził mnie po plecach. – Coś nie w porządku?

– Właśnie w porządku. Dlatego płakałam – wyjaśniłam. „Dlatego że jesteś miły i mądry. Może nie zabawny, ale nie można mieć wszystkiego".

Wzrok Andrzeja jasno wyrażał, że się zastanawia: „O co właściwie chodzi tej kobiecie?".

„I tak byś nie zrozumiał – pomyślałam. – Nie na męską głowę takie rzeczy".

– Hormony. – Magiczne słowo, którym kobieta może wytłumaczyć wszystko. – Sprawdzałeś pod łóżkiem?

I pochyliłam się, nie tyle po to, żeby szukać, ile po to, żeby nie mógł patrzeć na moją zapłakaną, opuchniętą i nieestetycznie czerwoną twarz.

Portfel z dokumentami rzeczywiście leżał na podłodze.

– Musiał ci wypaść – wyjaśniłam. Bez sensu, sam przecież mógł zrozumieć, co się stało. – Możesz już jechać.

– Mylę się czy chcesz się mnie pozbyć? – W jego głosie usłyszałam rozbawienie.

– Nie chcę, żebyś na mnie patrzył.

– Ślicznie wyglądasz.

Uśmiechnął się, cmoknął mnie w policzek, poprosił, żebym już nie płakała, i obiecał wpaść jutro wieczorem. Nic, co by wskazywało na utratę pamięci.

Poczekałam, aż odjedzie, popłakałam sobie jeszcze trochę, aż zrobiło mi się lżej. Potem umyłam twarz w wiadrze z zimną wodą i poszłam z reklamacją.

Śliwowa siedziała na dworze. Przebierała fasolę. Wyglądała trochę jak kura. Dziob, dziob, dziob – wybierała dobre ziarna. A potem nagle przerwa, podnosiła podejrzanego do twarzy, przekrzywiała głowę, żeby lepiej widzieć. Stwierdzała, że ziarno zepsute, i odrzucała je z rozmachem.

– Pomóc może przyszła, a? – zapytała.

Siadłam obok niej i zaczęłam przebierać. Robiłam to sto razy wolniej, bo albo wszystkie ziarna wydawały mi się dobre, albo wszystkie zepsute.

– To Śliwowej ziele na zapomnienie nie działa – powiedziałam z wyrzutem.

– Nie może to być! – oburzyła się babina.

– Może, może. Poszłam do jaru. Znalazłam te trzy listki. Wypił i nic nie zapomniał.

– Jak wyglądało?

– Normalnie. Poznał mnie, rozmawiał…

Śliwowa westchnęła ciężko, patrząc na mnie jak na idiotkę, na którą zresztą wyszłam.

„Jak można być tak głupią, żeby uwierzyć, że istnieje roślina, która powoduje zapomnienie, tylko dlatego, że wyrosła na czyichś zwłokach? I po co ja studiowałam pięć lat?" – wyrzucałam sobie.

– Jak roślina wyglądała? – sprecyzowała pytanie.

– Zwyczajnie, listki miała zielone, takie potrójne.

– Takie bardziej zielone czy seledynowe? – dociekała.

– Chyba zielone…

– A listek z brzegu gładki był czy w ząbeczki?

– Chyba nie gładki… Nie pamiętam.

Śliwowa sięgnęła do kieszeni fartucha. Wyciągnęła pęczek zieleniny.

– Takie? – Machnęła mi przed nosem.

– Właśnie takie – ucieszyłam się.

Śliwowa załamała ręce.

– Koniec temu światu bliski! Niby to niegłupie i kształcone, a ziela zapomnienia od *Aegopodium podagraria* nie odróżni. Ojojoj, ojojoj! – biadoliła. – Patrz, Mona! – zwróciła się do narecznicy, która wyszła z domu ze szklanką herbaty. – Zobacz, co ona wzięła za ziele zapomnienia! – I machnęła jej wiechciem, a Mona parsknęła pogardliwie.

– To co ja mam teraz zrobić? – zapytałam retorycznie.

Śliwowa wzruszyła ramionami. A Mona, która widocznie nie wiedziała, co to jest pytanie retoryczne, poradziła:

– Najlepiej będzie, jak powiesz mu prawdę.

Normalnie jakbym własnego ojca słyszała.

Wróciłam na swoje podwórko. Palce mnie bolały od tego przebierania fasoli. Uszy od słuchania marudzenia Śliwowej. A serce… serce bolało mnie najbardziej i bez powodu.

Pies podbiegł do mnie, podskakiwał, merdał ogonem.

– Coś ty taka markotna? – zapytał.

Nie odpowiedziałam mu, przysiadłam na jabłonce.

– Patyka mam – oświadczył pies, taszcząc kawał gałęzi dwa razy taki jak on. – Chcesz sobie porzucać?

Zaprzeczyłam ruchem głowy.

– Porzucaj sobie, dobrze ci radzę. Nic tak nie poprawia humoru jak rzucanie patyka. Ja ci będę przynosił.

Rzuciłam patyk dwa razy. Potem znudziło mu się przynoszenie. Położył się w cieniu i zaczął metodycznie przerabiać drewno na wióry.

– Umieram – wymamrotałam.

– Słucham? – Andrzej leżał obok mnie.

Teraz podniósł się lekko, patrzył nierozumiejącym wzrokiem.

Cholera. Byłam pewna, że już śpi. To miała być próba generalna, a niechcący wstąpiłam na drogę prawdy. Szczerość to coś, co rujnuje związki.

– Umieram – powtórzyłam wyraźnie. – Rak mózgu – dodałam, żeby nie miał wątpliwości.

Andrzej zabił mnie wzrokiem. Wstał z łóżka i zaczął zbierać swoje rzeczy z energią godną lepszej sprawy. Naciągnął spodnie. Majtki i skarpety wcisnął do kieszeni. Owinięte koszulą buty włożył pod pachę. I taki półnagi wyszedł z mojego domu. Z życia chyba też.

Przez drzwi, które zostawił uchylone, zajrzał pies. Myślałam, że coś powie, ale on tylko patrzył na mnie tymi swoimi

mądrymi, wszystko rozumiejącymi ślipkami. Potem wskoczył na łóżko, zwinął się w kłębek na miejscu, gdzie jeszcze
niedawno leżał Andrzej, i pozwolił mi płakać w swoją sierść.

Kiedy zabrakło mi już i łez, i sił, zapadłam w apatyczny
stan bezmyślnego gapienia się w sufit.

Pod łóżkiem zachrobotało. Azor podniósł się ostrożnie
i zeskoczył na podłogę.

– Co z nią? – zapytała szeptem mysz.

– Źle coś. Miała wodę w oczach. Dużo – dodał.

Opuściłam złożoną w łódeczkę dłoń na ziemię. Poczułam
na niej małe, zimne stópki. Mysz nie odzywała się do mnie od
czasu afery z pułapką. Nie wyłaziła nawet wtedy, kiedy zasy-
pywałam całą podłogę okruszkami.

Podniosłam ją teraz na wysokość twarzy.

– Nie gniewasz się już? – mruknęłam.

– Już od dawna.

Pogładziłam ją palcem po szarym futerku na grzbiecie.

– Odszedł – rzekłam, a łzy znowu zakręciły mi się
w oczach. – Już nie wróci.

– To tylko samiec – próbowała bagatelizować sprawę.

– Ten był inny – chlipnęłam.

– Był taki sam. Tylko tego akurat kochałaś.

Już tak jakoś jest, że jak człowiek chodzi zły, to zaraz
zdarzy się coś, żeby był wściekły.

Wczesnym rankiem Śliwowa polazła do pana Stanisława. Widziałam ją, bo nie mogłam spać. Przez cholernego
weterynarza. Myślałam o tym, co należało mu powiedzieć.

Było w tych myślach bardzo dużo agresji. Tyle, że adrenalina nie pozwalała mi zasnąć. Kiedy o świcie uspokoiłam się i zaczęłam drzemać, pojawiła się zmora krowy. Jakby wyczuła, że śpię sama. Teraz zrobiło się już późne popołudnie, ja miotałam się zła i zmęczona, a Śliwowa jeszcze nie wróciła. Pewnie żona pana Stanisława gotowała coś dobrego i starucha postanowiła zostać na obiedzie. Jej przedłużająca się nieobecność znudziła chyba Monę, bo przyszła szukać towarzystwa. Jakby zupełnie nie wyczuwała moich złych emocji. Nawet ptaki wykazały się większą empatią i nuciły *I'll kill you if you don't come back*.

Przysiadła się do mnie. Rozwiązywałam krzyżówkę na czas. Nie chciałam, żeby ktoś mi przeszkadzał.

– Martwisz się tym, że Andrzej odjechał? – zagadnęła w końcu sudiczka.

– Nie twój interes – odparłam ostro. Nawet bardzo ostro, ale na Monie nie zrobiło to wrażenia.

– Nie lubisz mnie? – zapytała.

Wzruszyłam ramionami. To było chyba jasne.

– Przywykłam do tego, że wyznawcy mnie lubią, szanują, dają mi kwiaty…

Zdusiłam w sobie chęć wyjaśnienia Monie, że ja jej mogę najwyżej dać w zęby, i zamiast tego wysyczałam:

– Już ci mówiłam. Nie jestem twoją wyznawczynią.

Mona kiwnęła głową z przekąsem, że „Tak, no jasne, tak sobie tłumacz, głupiutka". Zagotowałam się z nerwów.

– Nie wierzę w ciebie – wycedziłam powoli, głośno i dobitnie.

– We mnie nie. Ale wierzysz w przeznaczenie, a to na jedno wychodzi.

– Ja w nic nie wierzę.

– No jasne! – Sudiczka roześmiała się szczerze. – To może mi powiesz, co tu robisz?

– Spokojnie umieram. Przynajmniej się staram, bo z tym spokojem nie bardzo wychodzi. Ciągle ktoś mi przeszkadza. – Popatrzyłam na nią wymownie.

– A dlaczego spokojnie umierasz?

– Bo jestem chora. Na taką chorobę, na którą się umiera.

– Oj, nie o to mi chodzi. – Mona wydawała się zniecierpliwiona. – Dlaczego nie walczysz o jakąś nadzieję?

– Lekarz mi jej nie dał – wyjaśniłam opanowana.

– Wiesz, co robią ludzie, którym lekarze nie dają nadziei? Idą po nią do znachora albo do księdza. W ruderze na wsi zaszywają się tylko tacy, którzy uważają, że to było im przeznaczone. Taka kara, taka karma. Ty wierzysz w przeznaczenie. Problem polega na tym, że z jakiegoś powodu uważasz, że przeznaczone ci są same złe rzeczy.

Chciałam coś powiedzieć i szukałam właściwych słów. Ale zanim je znalazłam, pojawiła się Śliwowa.

– A to se tu, panieneczki, siedzicie? – zagadnęła. – A ja w głowę zachodziłam, gdzie to się Mona podziała. Chodźże do domu już. A ty, Aguś, też może byś zaszła? Staśkowa obiadem poczęstowała, ale coś mi poszkodziło. Nalewki muszę popić, a samej nie wypada.

Poszłam. Wypiłam i wróciłam najszybciej, jak to było możliwe.

Wieczór spędziłam, siedząc na progu i patrząc na zachód słońca. Niezwykła rzecz. Zawsze to samo, ale codziennie inaczej. W głowie dudniły mi słowa Mony.

A jednak wrócił. Głupia jestem, bo jak go zobaczyłam, to nawet poczułam radość. Matka ludzi naiwnych mi podpowiadała, że przebaczył i wszystko będzie dobrze. A ja jej słuchałam.

Nie miała racji. Po minie Andrzeja poznałam, że jest bardzo źle.

– Co ty sobie, do cholery, myślałaś?! Zamierzałaś mi w ogóle powiedzieć? – Kipiał gniewem, a ponieważ wściekłość i wrzask zawsze chodzą w parze, słyszała go cała wieś.

– Przecież powiedziałam.

Zdawałam sobie sprawę, że to nie jest wytłumaczenie. Tylko co mi pozostało? Jak logicznie wyjaśnić moje postępowanie? Gdybym wiedziała na początku, jak potoczą się sprawy między nami… Ale nie jestem jasnowidzem. Niczego nie planowałam, szczerze. A właściwie to kto dał mu prawo tak na mnie krzyczeć? Jakby krzyczał od razu, gdy się dowiedział, to jeszcze mogłabym to zrozumieć. Ale nie tydzień później, gdy już byłam pewna, że o mnie zapomniał, i oczy sobie za nim wypłakałam. Moim zdaniem faceci nie są z Marsa. Oni zostali stworzeni przez innego Boga, który na pewno był kobietą, sądząc po nieznajomości logiki.

– Czy ty w ogóle pomyślałaś, że ja mam jakieś uczucia?

– Przepraszam – powiedziałam. Bo co innego mogłam powiedzieć?

– W dupie mam twoje przepraszam! – krzyknął.

Wsiadł do samochodu i odjechał.

Kto powiedział, że człowiek wymyślił język jako narzędzie komunikacji?

– A ja mam w dupie ciebie! I nie chcę cię więcej widzieć! – darłam się jak opętana, mimo że on już prawie dojeżdżał do swojego domu.

Maurycy westchnął.

– Zaprawdę? – mruknął z przekąsem.

Próbowałam czytać albo robić cokolwiek, czym można zająć myśli. Ale nie mogłam, bo Azor i Maurycy ciągle jazgotali na dworze. Uznałam, że fajnie będzie pójść i na nich nawrzeszczeć. Przynajmniej na kimś wyładuję złość, która się ze mnie wylewa.

– Sensu mych słów nie pojmujesz zupełnie – tłumaczył Maurycy, siedząc na stole. – Ja nie twierdzę, że psy są durne. Po prostu psy są durne.

Azor wściekły biegał wokół stołu. Nie miał szans dosięgnąć kota. Ten dobrze o tym wiedział, drażnił więc psa jeszcze bardziej.

– Zważ sam sposób wysławiania się. My, koty, bogate słownictwo zaposiadamy. Psy znają tak mało słów, że muszą powtarzać wszystko dwa razy.

– Wcale nie, wcale nie. – Azor podejmował rozpaczliwe próby wskoczenia na stół.

– Jesteście niemocne i niemądre. Dlatego też ludzie muszą się wami opiekować, gdy na przykład my, koty, zajmujemy się sobą i jeszcze ludzi pilnujemy.

– Ludzie się nami nie opiekują. To kooperacja. Koope…
– Ugryzł się w język.

Maurycy spokojnie wylizywał swój ogon.

– Znam lepsze słowo na określenie natury tegoż związku. Debilizm to jest.

– Jesteśmy zwierzętami stadnymi, musimy żyć w stadach.
Człowiek to stado. Stado! – tłumaczył Azor.

Przysiadł na chwilkę, ziajał. Ślina kapała mu z języorka.

– Otóż żaden szanujący się kot nie będzie żył w stadzie.
Nigdy! Żaden! – rzekł dobitnie Maurycy.

Azor się roześmiał.

– Nawet król zwierząt to pies – zauważył z diabelskim
uśmieszkiem na pysku.

– Widzisz durnotę swą? Król zwierząt to kot. – Maurycy
jeszcze nie widział pułapki, ja już tak.

– Otóż żaden szanujący się kot nie będzie żył w stadzie
– zacytował Azor. – Lew żyje w stadzie, jak pies. Bo to pies!
– szczeknął radośnie, zachwycony swoją błyskotliwością. –
Dasz co jeść? Głodnym jak pies – zwrócił się do mnie.

Skinęłam głową, a on podniósł się i merdając ogonem,
pobiegł za mną. Kot z wrażenia zapomniał schować język.

Uznałam, że dla wzajemnych relacji Azora i Maurycego będzie lepiej, jeśli trochę od siebie odpoczną. Wzięłam więc psa,
patyk i poszliśmy na łąki. Dotarliśmy prawie do rzeki. Próbowałam nie myśleć o Andrzeju. Ani o sobie. Bezskutecznie.

Kiedy wróciłam ze spaceru, na progu mojego domu siedział człowiek, dla którego przez ostatnie kilka dni wymyślałam najboleśniejsze tortury.

W zasadzie dobrze, że zaczęłam biec. Szkoda tylko, że w niewłaściwym kierunku. Powinnam uciekać od padalca najdalej i najszybciej jak się da. Zamiast tego biegłam do niego, a w mojej głowie tłukła się tylko jedna myśl, żeby już być przy nim, nawet jeśli znowu będzie mówił „cholera".

Podbiegłam, rzuciłam mu się w ramiona i zaczęłam szlochać.

– Przepraszam – wyszeptał Andrzej w moje włosy.

Powinnam mu była odpowiedzieć, że w dupie mam jego przepraszam. Ale nie mogłam, nie miałam siły.

– Przepraszam – powtórzył Andrzej. – Zachowałem się jak świnia.

– Nieważne.

– Ważne.

Posadził mnie na progu i usiadł obok. Głaszcząc po włosach, patrzył na mnie tak, że robiło mi się bardzo smutno.

– Nigdy bym nie przypuszczał, że taki jestem.

– Jaki?

– Egoistyczny.

Chciałam zaprzeczyć, ale mi nie pozwolił.

– Kiedy mi powiedziałaś… Powinienem był zachować się inaczej. Poczułem się skrzywdzony, oszukany. Pomyślałem, że znaczyłem dla ciebie tak mało, że nawet nie zasłużyłem na szczerość. To mnie zabolało. Ale prawda jest taka, że nie chodzi tu o mnie.

– Przyjmuję samokrytykę, ale to nie tak. To wszystko moja wina i masz prawo być zły. Gdybym na początku była z tobą szczera, sprawy między nami nie zaszłyby tak daleko.

Andrzej popatrzył na mnie, jakby nie rozumiejąc moich słów. Potem się uśmiechnął.

– Skąd wiesz? – zapytał.

– Bo… – zaczęłam.

Zamierzałam powiedzieć, że nikt nie chce się angażować w związek z chorą kobietą, ale nie zdążyłam, bo Andrzej wbił się na moje miejsce w dialogu.

– …bo uważasz, że uczucia to dzikie bestie i lepiej je trzymać w zamknięciu. Zauważyłem to już na początku naszego związku – rzekł ze smutnym uśmiechem na twarzy. – Widziałem, jak walczysz sama ze sobą. Wszystko, byle się tylko nie zaangażować.

Westchnęłam. Tak bardzo się mylił. Ja nawet nie wiedziałam, że mamy do czynienia ze związkiem. Myślałam, że to taki prosty układ oparty na seksie.

Jakiś ptak zanucił *All you need is love* i miałam ochotę rzucić w niego kamieniem.

Andrzej milczał przez chwilę, patrząc przed siebie. Potem mocno mnie przytulił. Położyłam głowę na jego ramieniu.

– Widzisz, skarbie – zaczął – inaczej podchodzimy do pewnych rzeczy. Miłość to nic złego. Kiedy zapukała do moich drzwi, wpuściłem ją do środka. Gdybym wiedział o twojej chorobie, zrobiłbym dokładnie to samo.

Chciałam coś powiedzieć albo chociaż się rozpłakać, jednak Andrzej mi nie pozwolił. Całował mnie, ale tak nieśpiesznie, delikatnie.

– Wejdziemy do domu? – zaproponowałam.

Andrzej niechętnie wyzwolił się z mojego uścisku.

– Muszę jechać do pracy.

Moja mina chyba wyrażała rozczarowanie, bo szczerze się roześmiał.

– Przyjadę wieczorem, obiecuję. Odprowadzisz mnie do samochodu?

Wtedy dopiero uświadomiłam sobie, że jego auto nie stoi na podwórku.

– Zaparkowałeś na drodze? – zdziwiłam się.

– Bałem się, że mi samochód kamieniami obrzucisz. – Pocałował mnie w czoło i poszedł.

Zostałam na progu i patrzyłam za nim, gdy odjeżdżał.

Długo nie ruszałam się z miejsca. Zastanawiałam się, czy powinnam być szczęśliwa, czy nie.

Czekałam na niego do późna, ale nie przyjeżdżał, dałam więc sobie spokój i poszłam spać. Przez sen wyczułam jego obecność. Pogrążona w półśnie przesunęłam się na łóżku, robiąc mu miejsce obok siebie. Jednak nie zamierzałam się obudzić, kto późno przychodzi…

Andrzej położył się obok mnie. Włożył mi ramię pod plecy i przesunął tak, że moja głowa spoczywała na jego piersi. Czułam, jak delikatnie gładził moje włosy. Wziął mnie za rękę.

– Ja, Andrzej, biorę sobie ciebie, Agnieszko, za żonę i ślubuję ci miłość, wierność i uczciwość małżeńską oraz że cię nie opuszczę aż do śmierci. Tak mi dopomóż, Panie Boże Wszechmogący, w Trójcy Jedyny, i Wszyscy Święci.

A potem wsunął mi na palec obrączkę.

– Andrzej, to się nie liczy... – szepnęłam.

– Może dla ciebie nie. Dla mnie się liczy.

Poczułam, że ktoś otworzył klatkę i wypuścił bestie uczuć. Od razu rzuciły się na moją duszę i zaczęły ją szarpać. Strasznie, strasznie zabolało. Nie mogłam tego znieść, załkałam z tego wielkiego, niewyobrażalnego bólu.

– Ani mi się waż płakać. To powinien być najszczęśliwszy dzień w twoim życiu – próbował żartować.

A później mocno mnie przytulił i tak cierpieliśmy razem do samego rana.

– Powinnaś się przeprowadzić do mnie – zaproponował Andrzej przy śniadaniu. – Mam bieżącą wodę.

– Dzięki. To kusząca propozycja, ale nie – odpowiedziałam. Szybko jednak zdałam sobie sprawę, jak to może wyglądać. – Mam kota – wytłumaczyłam. – One nie lubią przeprowadzek.

– Podobno – zgodził się. Milczał przez chwilę. – W takim razie ja przeprowadzę się do ciebie.

– Chcesz tu zamieszkać? – zdziwiłam się. – W takich warunkach? Nie możesz...

– Skoro ty możesz, to ja też.

– Ale... – Naprawdę nie chciałam, żeby odniósł wrażenie, że chcę się go pozbyć. Bo to nie była prawda. W każdym razie nie cała. – Ja tu mieszkam, bo mi już wszystko jedno. – Kiedy o tym myślałam, brzmiało to jakoś lepiej niż wypowiedziane na głos.

– Posłuchaj, kochanie – mówiąc to, patrzył na mnie jak na dziecko, które niewiele rozumie. – Nigdy nie jest wszystko jedno. Zawsze masz wybór. I czy żyjesz dzień, czy rok, to ty decydujesz, jak spędzisz ten czas. Wolisz być tu, bo lubisz to miejsce, okej, jestem w stanie to zrozumieć. Ale jeśli robisz to, bo sądzisz, że nic już nie ma sensu, to to jest po prostu głupie.

Wiedziałam już, dlaczego Andrzej mnie irytuje. Jak można być tak mądrym, jednocześnie będąc mężczyzną?

Kiedy przyjechał wieczorem, czekałam już ze spakowaną małą torbą. Popatrzył na nią pytająco.

– Przemyślałam to, co mówiłeś – oświadczyłam. – Bieżąca woda to fajna rzecz. – Wrzuciłam mu torbę do bagażnika. – Ale kiedy ty będziesz w pracy, ja będę wracała tutaj. To taki kompromis. Małżeństwo to przecież sztuka kompromisów?

– Zawsze musisz mieć kontrolę, no nie? – odpowiedział pytaniem, ale w jego głosie nie usłyszałam wyrzutu, raczej rozbawienie. – Daj mi może coś jeść. Głodnym jak pies.

Zupełnie jakbym Azora słyszała.

W niedzielę pojechaliśmy do rodziców Andrzeja. Zdjęłam obrączkę i schowałam ją do kieszeni. Andrzej się ze mnie śmiał. „A jak zamierzasz im to wytłumaczyć?" – zapytałam. „Nie muszę się nikomu tłumaczyć, to nie ich sprawa" – odpowiedział. Niby racja, ale ja czułabym się głupio.

I tak było mi niezręcznie. Ci sympatyczni ludzie nie zasługiwali na kłamliwą, chorą kobietę w łóżku ich syna.

Właściwie byłam na niego zła. Moje życie przypominało dramat. Andrzej swoim zachowaniem zamienił je w ckliwą opowieść. Do przyjęcia, gdyby istniała szansa na dobre zakończenie, bo życie z Andrzejem wyglądałoby fajnie. Nawet mogłabym sobie wyobrazić, że się razem starzejemy. Nie robiłam tego tylko dlatego, że bardzo bolało. Ale skoro jedno z nas nie weźmie udziału w „żyli potem długo i szczęśliwie", to nasuwa się pytanie o motywy postępowania tego drugiego. Czy zrobił to z sympatii, czy z litości? Chciał mi poprawić humor? A może było to dla niego naprawdę ważne? Jeśli tak, to jak on potem udźwignie to całe cierpienie?

Przez prawie trzy tygodnie układało się nam świetnie. Realizowaliśmy autorski projekt Bajka. Przegadane noce, śniadanie do łóżka, wycieczki krajoznawcze i seks. Aż pewnego dnia obudziłam się rano z poczuciem, że coś jest nie tak.

Zaczęło się od dziwnego posmaku w ustach. Nie żebym zwykle budziła się z oddechem jak po gumie Orbit, ale to było wyjątkowo nieprzyjemne. Jakbym piła wodę po gwoździach. Wywlokłam się z piernatów prosto do łazienki. Wyszczotkowałam zęby, trochę pomogło, postanowiłam więc sprawę zignorować. Udawało mi się to przez jakiś czas. Potem doszły mdłości i nic nie mogłam jeść. Wreszcie, któregoś ranka, wstałam z łóżka, świat zawirował, a ja razem z nim. Zachwiałam się i spadłam w ciemność.

Kiedy odzyskałam przytomność, zobaczyłam nad sobą twarz Andrzeja. Powiedzieć, że wyglądał na przerażonego, to jakby nie powiedzieć nic.

– Myślałem… – zaczął.

– Wiem, co myślałeś. – Nie chciałam, żeby to wyartykułował. – Wszystko w porządku, tylko plecy mnie bolą.

Podciągnęłam się powoli. Usiadłam, oparta o łóżko. Andrzej klęczał koło mnie.

– Zorientowałem się, że coś jest nie tak, dopiero jak upadłaś. – Wyciągnął rękę i pogładził mnie po twarzy. – Zawiozę cię do lekarza.

– Żadnego lekarza – zaprotestowałam gwałtownie.

– Ale… – Andrzej chciał coś powiedzieć.

Nie pozwoliłam mu. Wstałam, żeby podkreślić, że nic mi nie jest. Nie mogłam stracić kontroli nad moim życiem. Postanowiłam, że będę umierać na swoich zasadach, nie jego.

– Lekarz mnie już badał i postawił diagnozę. Uprzedził, że takie rzeczy będą się dziać – tłumaczyłam, idąc do kuchni. Potrzebowałam herbaty. – Tylko do tej pory czułam się świetnie i miałam nadzieję, że jeszcze trochę to potrwa. Nie powinnam cię była wciągać w to wszystko – dodałam samokrytycznie.

– Co ty mówisz?! – wykrzyknął Andrzej, który przyszedł za mną. – Martwię się o ciebie. – Przytulił mnie i pocałował.

Chciałabym móc go zapewnić, że wszystko będzie dobrze. Ale nie będzie. Wiedzieliśmy to oboje. Tyle że mnie miało być łatwiej, bo to ja odejdę. „Dlaczego taka jestem? – pomyślałam z żalem. – Dlaczego potrafię wywoływać tylko złe emocje?".

Część trzecia

…i co z tego wynikło.

W dużym mieście zmiany pór roku wyznaczają sezonowe wyprzedaże. Na wsi jest inaczej. Wiosenna krzątanina w polach mruczy silnikami traktorów. Pełnię lata obwieszczają jadące do pracy kombajny. Huczą tak, że ziemia drży. Zamieniają złociste pola w szare ściernie, obdzierając lato z jego najładniejszego koloru. Na koniec wjeżdżają ciągniki i metalowymi pazurami orzą ziemię na brunatno. Lato się kończy, zaczyna się wrzesień.

Mówią, że nadzieja umiera ostatnia. Nieprawda. Moja umarła już jakiś czas temu. Pochowałam ją głęboko i nawet kwiaty położyłam na jej grobie. I wtedy niespodziewanie zjawił się Ariel.

To było we wtorek. W tym dniu w miasteczku odbywał się targ i Andrzej przyjmował masę interesantów. Końska maść szła jak woda. Nie lubiłam być wtedy u niego. Głupio się czułam. Uciekałam, jak to mówiliśmy, „na wieś". A ponieważ nie potrafiłam odpowiednio wcześnie wstać we wtorkowy ranek, dlatego wyjeżdżałam już w poniedziałkowy wieczór. Wcześniej Andrzej przyjmował to spokojnie, teraz uparcie chciał mi towarzyszyć. Zaprotestowałam gwałtownie i doszło do sprzeczki. W końcu postawiłam na swoim. Andrzej żegnał mnie z paniką w oczach.

– Nic mi się nie stanie – prychnęłam, ale żadne z nas w to nie wierzyło.

Dlatego szybko wepchnęłam psa do samochodu i odjechałam.

Fajnie było nie być gościem we własnym domu. Azor też lubił wracać. Z perspektywy czasu widziałam, że przenosiny do Andrzeja okazały się złym pomysłem. Żyłam pod presją i mocno odczuwałam tymczasowość tej sytuacji. Łapałam się na tym, że sprzątam swoje rzeczy z zadziwiającą dokładnością, jakbym zacierała ślady swojej obecności. Wolałabym wyplątać się z tego zobowiązania, ale nie wiedziałam jak. Andrzej miał niewątpliwie dobre intencje, nie chciałam go urazić. „Dlaczego ludzie nie rozumieją, że pewne rzeczy ich nie dotyczą? – myślałam. – Moja niechęć do umierania przy świadkach to jedno, a Andrzej to drugie. Moje uczucia nie sprawią, że zechcę go posadzić w loży dla VIP-ów, żeby sobie oglądał to dramatyczne widowisko".

Wiedziałam, że powinnam wrócić do chaty na stałe. On by mnie tylko odwiedzał. Albo nawet i to nie. Czy może lepiej byłoby wrócić do Warszawy, wyrzucić Ariela ze swojego mieszkania i zamknąć się w środku? I właśnie kiedy pomyślałam o bracie, jakby sprowadzony moimi myślami, Ariel wjechał na podwórko.

Nie sam. Towarzyszył mu starszy mężczyzna, którego znałam, ale w pierwszej chwili nie mogłam sobie przypomnieć skąd. Czułam tylko, że bardzo go nie lubię. Dopiero po chwili w głowie mi się rozjaśniło. Toż to ten obleśny profesorek, co się tak zachwycał zdjęciem mojego mózgu. Negatywne emocje w stosunku do lekarza okazały się silniejsze niż ciekawość, co on tu, do cholery, robi.

– Cześć, siostro! – przywitał mnie Ariel. Przylepił się do mnie i wylewnie pogłaskał po plecach. Zniosłam to cierpliwie. – Fajnie cię znowu widzieć, serio.

– Ciebie też. – Ilość entuzjazmu w moim głosie oscylowała w granicach zera. – Czemu zawdzięczam wizytę?

Ruchem głowy Ariel wskazał na lekarza.

– Doktorek do mnie wpadł. Nie mógł się dodzwonić, a chciał pogadać.

– Z tobą? – zdziwiłam się.

Ariel prychnął, szczerze ubawiony.

– Niezłe. Nie, no jasne, że z tobą.

Lekarz skinął głową, potwierdzając słowa mojego brata. Nie odzywał się jednak i nie podszedł blisko. Odniosłam wrażenie, być może mylne, że obawia się o swoje życie. Mógł mieć podstawy. W zasadzie mogłabym go, no, może nie od razu zabić, ale na pewno nieźle okaleczyć.

– Chyba nie mam z nim o czym rozmawiać – stwierdziłam.

– Ty nie. Doktorek ma do ciebie pewną sprawę.

– Chce moich organów?

Obaj roześmiali się, jakbym opowiedziała świetny żart. Pytałam serio. Po tym lekarzu nie spodziewałam się niczego dobrego.

– Wręcz przeciwnie, można powiedzieć – odezwał się po raz pierwszy doktor. – Mam do pani małą prośbę. Chodzi o to, że chciałbym powtórzyć kilka badań. Być może zaszła pomyłka – tłumaczył, nie patrząc na mnie, tylko na czubek swojego buta.

– Co to znaczy?

– No, że prawdopodobnie zaszła pomyłka. – Potrącał butem coś w trawie. Takie to było fascynujące, że oczu nie mógł oderwać. – Dlatego musimy powtórzyć kilka badań.

– Powiedział pan, że mam raka ponad wszelką wątpliwość – zacytowałam.

– Jak by to ująć… – Teraz dla odmiany błądził wzrokiem po niebie. – Wie pani, nie chcę wzbudzać fałszywych nadziei i dlatego wolałbym powtórzyć kilka badań.

Zmieniłam zdanie. Mogłabym go zabić.

Ariel, widocznie znudzony naszą donikąd prowadzącą rozmową, ziewnął. I przejął pałeczkę.

– Doktorek wpadł pogadać. Powiedział, że mogli coś pomylić i że może wcale nie masz raka.

– Mam. Występują wszystkie objawy. Miewam halucynacje. A ostatnio dużo gorzej się czuję. Robi mi się słabo, wymiotuję, raz zemdlałam – wyliczałam beznamiętnym tonem.

– Dlatego mówiłem, że nie należy wzbudzać fałszywych nadziei – zwrócił się lekarz do Ariela. – Niemniej może jednak zgodzi się pani na te badania?

– Niepotrzebnie się pan fatygował. Do widzenia – pożegnałam się stanowczo.

Ariel popatrzył na mnie wzrokiem psa, któremu ktoś zabrał kość.

– Nie spróbujesz nawet? – poprosił.

– Nie.

Chciałabym umieć mu opowiedzieć, ile kosztowało mnie pogodzenie się z tym, co nadchodzi. Ile mnie to kosztowało, żeby ułożyć sobie życie, nawet na te kilka chwil, jakie mi zostały. Ale nie potrafiłam. Nie jestem wylewna.

Natomiast Ariel okazał się wyjątkowo uparty.

– Nie chcesz, to nie. Twoje życie, twoja sprawa. Pamiętam jednak, jak powiedziałaś, że nigdy nie kochałaś nikogo tak jak mnie. To prawda? – Głos miał stanowczy.

Był moim bratem. Ojciec przekazał nam te same geny wrednych, upartych manipulatorów. Kiwnęłam głową.

– No to pozwolisz, żeby doktorek pobrał ci trochę krwi. – Ariel się uśmiechnął, wyraźnie z siebie zadowolony.

– Krwi? – zdziwiłam się.

– Należałoby przeprowadzić dokładne badania, prześwietlenie. Ale zwykłe badanie krwi da nam odpowiedź, czy jest sens wykonywać inne badania – wyjaśnił lekarz.

– To jak? – ponaglił Ariel.

– No nie wiem… – zawahałam się.

Nie chciałam, żeby Ariel poczuł się urażony, ale nie chciałam też rozniecić płomyka, który zdmuchnęłam.

– Przemyśl to sobie spokojnie, a my z doktorkiem się przejdziemy – zaproponował brat.

I nie mówiąc nic więcej, ruszył w krzaczyska.

– A ty dokąd? – zapytałam.

– Do Śliwowej, na naleweczkę – wyjaśnił.

Słyszałam, jak Śliwowa raczyła ich alkoholem i pieśnią. Chyba dobrze się bawili, gdy tymczasem ja biłam się z myślami.

Zobaczyłam ich nazajutrz. Ariel wyglądał rześko i radośnie, lekarz jak zwłoki po sekcji. Cierpiał. Dlatego mówiłam głośno i wyraźnie. Pies chyba wyczuł moje intencje, bo co chwilę szczekał jazgotliwie. Nawet Maurycy, idąc, tupał straszliwie. To się nazywa prawdziwa przyjaźń.

– I jak naleweczka? – zapytałam piskliwie. Lekarz zmiął się, jakbym kredą po tablicy przejechała. – Smaczna?

– Smaczna. Choć mocna – przyznał.

– Pani Pelasia to prawdziwa artystka – zachwycił się Ariel. – Ta jej wnuczka, Mona, też równa babka. Ależ ona ma łeb. Piliśmy jeszcze razem, jak doktorek już zesztywniał. A ty jak? Mam nadzieję, że noc przyniosła dobrą radę.

– Może mi pan dać skierowanie na badania – z rezygnacją zwróciłam się do lekarza.

– Nie trzeba skierowania. Sam pobiorę. Badania zrobią mi w laboratorium w Zamościu, mam tam dobrego znajomego – wyjaśnił.

Od razu mi wyglądał na takiego, który szuka dróg na skróty. A jak mi pobierał tę krew, to przełykał ślinę. Pewnie nerwowo, ale może z łakomstwa. Źle mu z oczu patrzyło i nie lubiłam drania.

– Skontaktuję się z panią, jak coś będzie wiadomo. Ale proszę sobie nie robić nadziei.

– Proszę się nie obawiać. A teraz jedźcie już. I cokolwiek by się wydarzyło, to ani słowa Andrzejowi. Bo zabiję! – zagroziłam zupełnie serio.

Klepnęłam Ariela po siostrzanemu po plecach. Nie skopałam tyłka lekarzowi. I żeby sobie nie robić nadziei, postanowiłam o wszystkim zapomnieć.

Ledwo zniknęli za zakrętem, z chaszczy wychynęła Śliwowa, a Mona za nią. Pewnie stały tam cały czas. Podsłuchiwaczki wścibskie. A jedna na dodatek wyimaginowana.

– Ten, co to z twoim bratem był, to doktór prawdziwy? – zapytała w ramach tradycyjnego „pochwalony".

– Prawdziwy. Nawet chyba profesor.

Zmarszczki Śliwowej zmiął grymas zniecierpliwienia.

– Toż mnie nie rozchodzi się o to, czy on doktór naukowy, ale czy prawdziwy doktór. Lekarz, znaczy się.

– Lekarz. Profesor medycyny.

– Ty, patrz się! Doktór, i jeszcze wysoko kształcony – zwróciła się do Mony.

„Ty, patrz się – pomyślałam – a taki idiota. Widocznie nauka zrobiła z jego mózgiem gorsze rzeczy niż z moim chorobą".

Ale Śliwowa wyraźnie była pod wrażeniem.

– To szkoda, że tak krótko siedzieli. Pogadałby człowiek, popytał trochę. – Popatrzyła na mnie przenikliwie. – A ty go czym czasem nie obraziła, że on tak szybko się zabrał?

– Nie, skądże. To profesor, on dużo pracuje.

– Fakt. Tak gadam, jakbym serialu nie oglądała. Toż on noc i dzień w szpitalu być musi. Ale może przyjedzie jeszcze kiedy? – zapytała pełnym nadziei głosem.

– Może.

Naprawdę chciałam powiedzieć, że nie ma szans. Uznałam jednak, że powiem to, co ona chce usłyszeć. To się nazywa bezpieczna opcja.

– Jakby ty co wiedziała, to daj mnie znać. Podszykuję się trochę. – Uśmiechnęła się do jakiejś swojej myśli, której chyba nie chciałam znać. – Jeszcze ze mnie baba do rzeczy. A on, jak wy to tera młode mówicie, tyłek miał ładny.

Wizja tylnej części profesora sprawiła, że poczułam mdłości. Pożegnałam sąsiadki tak szybko, jak się dało.

Wieczór był ciepły i pogodny. Siedziałam na progu, patrzyłam w rozgwieżdżone niebo i nazywałam konstelacje. Andrzej rozłożony na kocu po prostu gapił się na niebo, bo nie znał się na astronomii.

– Śliwowa mówiła, że Ariel był u ciebie – zagaił.

Stara plotkara.

– Ano był – odpowiedziałam wymijająco.

– Aha – mruknął Andrzej. Myślałam, że moja pseudoodpowiedź mu wystarczy, ale nic z tego. – Czego chciał?

– Wódki. Śliwowa ci nie mówiła? – Starałam się, żeby to nie zabrzmiało złośliwie. Z miernym skutkiem. Andrzej zamilkł, widocznie urażony. – Przyjechał z jakimś znajomym na nalewkę do Śliwowej. Skuli się do nieprzytomności. I pojechali.

– Pijani? – oburzył się Andrzej.

– Ten znajomy to chyba tak. Ale Ariel wyglądał trzeźwo.

Andrzej westchnął z dezaprobatą. Pewnie, powinnam ich potrzymać na soku z kapusty przez dwanaście godzin i dopiero potem pozwolić jechać. Olałam jednak składanie samokrytyki.

– Szkoda, że nie wpadł ze mną pogadać – Andrzej ciągnął temat, który ja naiwnie uznałam już za zamknięty.

„Mężczyźni jednak są trudni. Miałam już w życiu jednego, po cholerę wpuściłam drugiego?" – wyrzucałam sobie.

– Będzie jeszcze okazja.

Jakiś czas temu zauważyłam, że jeśli chcę skończyć rozmowę na trudny temat, powinnam nawiązać do przyszłości. Andrzej wtedy milkł, zamykał się w sobie. Tym razem jednak nie podziałało.

– Pewnie tak. Bo dzwonił do mnie – rzucił lekko strzęp informacji.

– Czego chciał? – Teraz to ja byłam ciekawa.

Andrzej milczał. Mścił się.

– Pytał, co u ciebie – odpowiedział w końcu.

Jasne! To znaczy na pewno pytał, ale nie po to przecież dzwonił. Wiłam się wewnętrznie niezdecydowana, czy pytać dalej, czy olać.

– Tylko tyle? – Kobieta we mnie zwyciężyła.

– W zasadzie nie – odparł.

Milczenie. Szlag by trafił takie milczenie. A że ciemno, to nawet jego twarzy zobaczyć nie mogłam.

– Chce, żebyś przyjechała do Warszawy.

– A po co? – Udałam zdziwienie.

Głos mi drżał i nie brzmiał naturalnie.

– Myślałem, że ty będziesz wiedziała.

– Nie mam zielonego pojęcia – skłamałam.

– Odniosłem wrażenie, że powinnaś wiedzieć. Mówił, że pewnie nie będziesz chciała i żebym cię przekonał.

– Nie mylił się. Po co mam tam jechać? Tu mi dobrze – odpierałam argumenty, zanim padły.

To był taktyczny błąd.

– Myślę, że powinnaś pojechać. Na kilka dni. Przyda ci się zmiana otoczenia. Spotkasz się z ojcem, bratem.

„Zrobisz badania…". Myślę, że Andrzej intuicyjnie wyczuł, że o to chodzi. Zrozumiałam, że stawianie oporu nie ma sensu. Jeśli spróbuję się buntować, to mnie zawinie w dywan i rzuci Arielowi do stóp.

– Jeśli będziesz karmił mi zwierzaki… – poszłam na ugodę.

– Jasne.

Myślałam, że da mi czas. Choć parę dni. Tymczasem nazajutrz Andrzej oświadczył, żebym się pakowała, to odwiezie mnie na autobus.

– Przecież mam samochód. Nie będę się tłuc autobusem – zaprotestowałam.

Wtedy dowiedziałam się, że może ja jestem głupia i nieodpowiedzialna, ale on nie. I mowy nie ma, żeby mnie puścił samochodem po tym, jak zemdlałam. I że o tych zasłabnięciach też wie. I o tym, że wymiotuję, choć ukrywam to przed nim, odkręcając kran. Że mam go cały czas o wszystkim informować, a jak zajdzie taka potrzeba, to do mnie przyjedzie. Pojechałby już teraz, ale chce mi dać trochę przestrzeni, bo wie, że jej potrzebuję, skoro wszystko przed nim ukrywam. I że jeśli nie wrócę do przyszłego piątku, to i tak przyjedzie. I jeszcze, że w tej chwili jestem najważniejsza.

Fajnie byłoby cieszyć się jego troską i naprawdę bym to robiła, ale klęłam go, na czym świat stoi, bo przez cholerne pięć godzin w autobusie rzygałam jak kot, gorzkim i żółtym, do reklamówki.

Warszawa mnie zadziwiła. Wydawała się taka inna. Duża i jasna. Prawdziwa i normalna. I brudna, ale to mi zupełnie nie przeszkadzało. Jej głosy, kolory, zapachy sprawiły, że zakręciło mi się w głowie. Czułam się, jakbym piła szampana. Jeszcze nie pijana, a już w głowie szumi i czuje się euforię. Miałam ochotę do utraty tchu biegać po ulicach i chłonąć miasto.

Na przystanku czekał na mnie Ariel.

– Co ty tu robisz? – zdziwiłam się.

– To tak się z bratem witasz? – zrobił mi wymówkę. I rzucił się do obściskiwania. Dzielnie zniosłam jego wylewność. – Andrzej zadzwonił, mówił, że jedziesz. Czemu nie masz telefonu?

– Zgubiłam – skłamałam.

Tak naprawdę to wyrzuciłam. Stanowił ostatnią nić łączącą mnie z moim życiem przed... no, przed tym wszystkim. Chciałam ją przeciąć, żeby nie tęsknić.

– Jak można żyć bez telefonu? – zastanawiał się brat, gdy szliśmy do samochodu. – Może dam ci mój stary? Tylko netu nie ma.

„Net, a na co komu cały ten net? – pomyślałam złośliwie. – Cztery miesiące bez cywilizacji i już mogę żyć bez kroplówki z informacjami. Nie ma jak odwyk".

– Najpierw do szpitala czy do domu? – zapytał Ariel, wyjeżdżając z parkingu.

– Do domu – odpowiedziałam.

Chociaż to już nie był dom. W domu czekały pies, kot i mysz. W domu pachniało wilgocią, a dach mógł w każdej chwili zacząć przeciekać. I cud, że to wszystko jakoś trzymało się kupy. Ale to było miejsce, gdzie po raz pierwszy przeżyłam szczęście, przyjaźń i gniew. To znaczy takie prawdziwe emocje, które okazały się fajne i zupełnie inne, niż myślałam. Dlatego bardzo chciałam tam wrócić, bo już tęskniłam.

Opadłam ciężko na oparcie samochodu. Przymknęłam oczy. Słuchałam, jak Ariel przeklina kierowców. Odpłynęłam myślami.

Mieszkanie miało inny, obcy zapach. Testosteronowy. To była w zasadzie jedyna odczuwalna różnica. Wbrew moim przewidywaniom Ariel nie zamienił go w zapuszczoną norę. Było czysto i schludnie.

Brat zauważył, że się rozglądam.

– Staram się – wyjaśnił. – Dziewczyna mi pomaga.

– Nie wiedziałam, że masz dziewczynę.

– No mam. To chyba nawet coś więcej niż dziewczyna – dodał z dumą.

– Mieszka tu z tobą? – starałam się nadać głosowi jak najbardziej swobodny ton, żeby nie sprawić mu jakiejś przykrości. Pytałam przecież z ciekawości.

– Powiedzmy, że czasem wpada na dłużej.

– Możecie mieszkać razem, mnie to nie przeszkadza – zapewniłam.

Ariel się roześmiał.

– Tu nie chodzi o ciebie, tylko o nas. To naprawdę fajny związek i nie chcemy czegoś zepsuć pośpiechem.

Zrobiło mi się głupio. Do tej pory zawsze patrzyłam na świat tak, jakby się kręcił wokół mnie.

– Przepraszam, nie spodziewałam się… – powiedziałam. O trzy słowa za dużo.

I choć mówiłam cicho, Ariel niestety je usłyszał.

– Nie spodziewałaś się po mnie takiej dojrzałości? Masz mnie za totalnego ochlapusa, co?

Nie odpowiedziałam. Poszłam do kuchni i wstawiłam wodę na herbatę. Ariel przyszedł za mną. Usiadł na stołku barowym. Przyglądał mi się ciekawie.

– Mnie też zrób – poprosił. – Słuchaj, Jaga… – przerwał, o czymś myślał. – Andrzej mówi na ciebie Jaga. To takie wasze czy ja też mogę?

– Wszyscy mogą.

Rozpaczliwie szukałam herbaty. Wszystko w szafkach poprzestawiał.

– Jaga – wymówił to, przeciągając oba „a". Wyszło tak przyjemnie miękko, tak ciepło. – Ty wiesz, że fajnie? No więc słuchaj, Jaga… – Zauważył moje rozpaczliwe poszukiwania. – Druga od lewej. – Wskazał szafkę. – Co to ja… aha. No więc to nie jest tak, że jestem totalnie do niczego. Wręcz przeciwnie. Ale nie mam do ciebie pretensji, że tak mnie postrzegałaś. Ja też nie do końca dobrze o tobie myślałem. Nie zawsze cię lubiłem.

Chciałam coś wtrącić, ale mi nie pozwolił.

– Żalu nie mam. Jeśli do kogoś czuję żal, to tylko do naszego starego. To przez jego głupotę to wszystko. Moja matka
całe życie tkwi w jakimś poczuciu winy, że rodzinę rozbiła,
że przez nią twoja matka zginęła, że przez nią ty nie możesz
sobie życia ułożyć. Ty wiesz, że jak byłem nastolatkiem, to nawet nie mogłem pójść na imprezę i skuć się do nieprzytomności? To znaczy mogłem, ale po co, skoro nikt na mnie uwagi
nie zwracał, bo ty się właśnie rozwiodłaś i w domu leciał jeden wielki psychoanalityczny seans pod tytułem *To moja wina*. A prawda jest taka, że to wina starego, bo przez dziesięć
lat bzykał dwie baby i żyło mu się z tym dobrze. Skoro już go
kopałaś, to trzeba było w jaja.

– Jakoś się wstydziłam – wyznałam. – Ale chciałam. Powiedział ci?

– Matce powiedział, a ona mnie. Pośmialiśmy się z tego.

Teraz i ja się roześmiałam.

– Szkoda, że nie widziałeś, jak się zwijał z bólu. – Cieszy-
ło mnie to wspomnienie.

Postawiłam przed Arielem kubek z herbatą.

– Nie wiem, gdzie trzymasz cukier.

Ariel sięgnął po szklane naczynie stojące na barze.

– W cukierniczce. Kupiłem, bo ty nie miałaś. – Wsypał sobie dwie porcje z dziwnie wykręconego dozownika. – Włoski
design – pochwalił się.

– Ładna – przyznałam szczerze.

Mieliśmy podobny gust. Wydało mi się bardzo miłe, że
coś nas jednak łączy.

– I to ci powiem, Jaga, że w całej tej sytuacji cierpieliśmy
my, dzieci. A ja nie chcę czegoś takiego dla swojego dziecia-

ka, jeśli go kiedyś będę miał. Dlatego dbam, żeby w moim związku wszystko było jak trzeba.

Podeszłam do niego i pocałowałam w czoło. Przytulił mnie.

– Idź się wykąp – zaproponował – a ja zamówię jakąś pizzę.

Patrzyłam, jak woda leje się do wanny, a mój ulubiony płyn zamienia się w różową pianę. Nagle zapachniało przeszłością. Kiedy byłam wolna, niezależna. I nie uciekałam przed zatroskanym spojrzeniem Andrzeja. Z perspektywy tej łazienki wiele rzeczy wyglądało inaczej. Co mi strzeliło do głowy, żeby wiązać się z facetem tak za pięć dwunasta? Może po prostu doskwierały mi samotność i strach? Może pomyliło mi się to z uczuciem? Głupio zrobiłam, bo teraz to on jest samotny i przestraszony. Może powinnam dawno temu rozwiązać sprawę za pomocą wanny, wódki i żyletki?

Zmyłam łzy z twarzy. Piana piekielnie zaszczypała mnie w oczy. Zignorowałam to. W środku bolało mnie bardziej. Odruchowo sięgnęłam po szlafrok, ale nie znalazłam go tam, gdzie zawsze. To mi uświadomiło, że naprawdę nie jestem już u siebie.

Ariel czekał na mnie z pizzą przed włączonym telewizorem.

– Uwielbiam dwie rzeczy w tym mieszkaniu – powiedział. – Ten telewizor i tę kanapę.

Usiadłam obok niego.

– To fakt, kanapa jest warta swojej ceny. – Z przyjemnością zapadłam się w poduchy.

– Droga była? – zainteresował się.

– Można by za te pieniądze kupić nieduży samochód. –
Pogładziłam pieszczotliwie oparcie.

Brat popatrzył na mnie trochę ze zdziwieniem, trochę
z niedowierzaniem.

– Kto przy zdrowych zmysłach wydaje tyle kasy na mebel? – zapytał.

– Ten, kto nie ma jej na co wydawać – odpowiedziałam.
Wziął kawałek pizzy, żuł przez chwilę. Popił piwem.

– Andrzej dzwonił, jak byłaś w łazience. Pytał, czy wszystko w porządku. Chcesz oddzwonić? – Głową wskazał telefon.

– Może później – odpowiedziałam wymijająco.

Spojrzał mi głęboko w oczy. Zobaczył prawdę, zanim zdążyłam odwrócić wzrok.

– Wszystko między wami w porządku, tak?

– Jak może być w porządku – pękłam – skoro ja umieram?!

– A, o to chodzi.

Powiedział to takim tonem, jakbym wspomniała o wczorajszej gazecie. Wkurwił mnie do granic wytrzymałości.

– Tak, właśnie o to chodzi! – krzyknęłam, zrywając się
z kanapy.

Ogarnęła mnie ochota, żeby siać zniszczenie, złapałam
więc pudełko z pizzą i rzuciłam je z całej siły przed siebie.
Pizza, jako że lekka, daleko nie poleciała. Kilka kawałków
spadło na podłogę, jeden przykleił się do kanapy. Przemknęło mi przez myśl, że będzie plama, ale miałam to gdzieś. Nie
zabiera się na tamten świat kanapy, nawet jeśli kosztowała
trzydzieści tysięcy.

Poszłam do sypialni, zamknęłam się od środka i pozwoliłam, żeby żal wylewał mi się oczami. Dlaczego byłam tak naiwna, żeby uwierzyć, że jestem w stanie w ciągu kilku dni stworzyć relację między mną a Arielem?

Powinnam była złapać torebkę i wyjść. Stałam się więźniem we własnej sypialni. Na dodatek strasznie chciało mi się sikać. Obliczyłam, że wytrzymam jeszcze pięć, góra dziesięć minut.

W końcu się poddałam. Mogę z nim nie rozmawiać, ale do łazienki muszę iść.

W mieszkaniu panowała cisza i w pierwszej chwili pomyślałam, że może śpi. Ale nie. Jakby zaczaił się w ciemnościach, bo jak tylko wyszłam z łazienki, rzucił się ku mnie, przydybał i obdarzył optymizmem.

— Zadzwoniłem do Andrzeja i powiedziałem, że już śpisz — poinformował mnie wesoło. — Pomyślałem, że w takim stanie to nie będziesz miała raczej ochoty z nim gadać. — Zrobił gest, jakby chciał mnie przytulić, ale dałam krok do tyłu, za zasieki z drutu kolczastego.

— Z nikim nie mam ochoty gadać — wysyczałam żmijowato.

— Wiem, wiem. — Ariel jakby mnie nie słyszał. — Ja nawet nie potrafię sobie wyobrazić, przez co przechodzisz. Chciałbym ci pomóc, moja matka by chciała, Andrzej…

— Ale nie możecie — ucięłam ostro.

— To nieprawda. Ty nam na to nie pozwalasz.

Tym razem wziął mnie w ramiona zdecydowanie. Może to złudzenie, ale wydało mi się, że wciąż pachnie tak samo jak wtedy, kiedy był malutki.

— Nie płacz. Jutro pojedziemy do szpitala. Doktorek zrobi ci badania. A dziś nawet nie będziemy o tym myśleć. Chodź. —

Poprowadził mnie w stronę kanapy. – Jakiś fajny film sobie pooglądamy.

Ariel zaproponował *Stacy*, a ja się zgodziłam, bo nie wiem czemu, ale myślałam, że to film o austriackiej cesarzowej. Błąd uświadomiłam sobie od razu, ale głupio mi się było wycofać. Czy mój brat jest tak mało empatyczny i nie wie, że w domu powieszonego nie ogląda się *Hang'em high*?

Zasnęłam na kanapie z głową na kolanach Ariela.

Rano obudziłam się apatyczna. Ze zdziwieniem odkryłam, że leżę w łóżku. Częściowo rozebrana, ale nie na tyle, by przekraczało to granice przyzwoitości.

Ariel czekał na mnie ze śniadaniem, ale nie czułam głodu. Walczyłam z nudnościami. Nie chciałam wymiotować przy młodszym bracie. Najchętniej zwinęłabym się w kłębek na kanapie. Wiedziałam, że wizyta w szpitalu ma jakiś powód. Ale nie chciałam w sobie wzbudzać nadziei, że jest on inny niż potwierdzenie poprzedniej diagnozy. Widziałam, co się działo z moim ciałem, i choć skrzętnie to ukrywałam przed innymi, nie mogłam oszukać samej siebie.

Pozwoliłam Arielowi przejąć kontrolę. Zresztą wyglądał, jakby wszystko zaplanował. Z samochodu zadzwonił do kogoś, że już jedziemy, a potem przebijaliśmy się przez miasto w porannym tłoku.

– Myślałam, że jedziemy do szpitala? – zdziwiłam się, gdy wyjechaliśmy na peryferie.

– No, do szpitala. A! – W końcu załapał, o co mi chodziło. – Do prywatnej kliniki jedziemy. Dysponują tam lepszym sprzętem i zrobią ci wszystkie badania od ręki.

Nagle sobie uświadomiłam, że nie pozwoliłam Arielowi przejąć kontroli. On ją miał. Musiał to wszystko planować od dawna. Byłam zła, głodna i mnie mdliło.

W klinice było czysto, ładnie, pachniało cytrusami, a na ścianach wisiały zdjęcia przyrody. Dziewczyna w recepcji powitała nas miłym uśmiechem. Kiedy Ariel podawał jej moje dane, ja zastanawiałam się, czy ktokolwiek częstuje się cukierkami z wielkiej szklanej misy. Bo jeśli jest się wystarczająco bogatym, żeby tu wejść, nie wypada łaszczyć się na darmochę.

Najgorsze, że niczego na świecie nie pragnęłam w tej chwili tak, jak tego cukierka. Może to dlatego, że nie jadłam śniadania. W końcu się skusiłam. Doszłam do wniosku, że mam prawo, bo na pewno są wliczone w cenę. Wzięłam jednego i smakował tak dobrze, jak wyglądał. Sięgnęłam więc po następnego. Jeszcze lepszy, bo z kokosowym nadzieniem. Zaczęłam przebierać w misie w poszukiwaniu innych takich. Ariel popatrzył na mnie ze zdziwieniem, ale udałam, że tego nie widzę.

W końcu recepcjonistka skończyła stukać w klawiaturę i powiedziała, żebyśmy poszli do pokoju sto dwanaście. Wzięłam dwa cukierki na drogę.

– Mówiłem, żebyś zjadła śniadanie – skarcił mnie braciszek.

Jakbym była dzieckiem. Bałam się, że za chwilę palnie wykład o myciu zębów.

W gabinecie czekał już na mnie doktor. Przywitał się z Arielem, jakby byli przyjaciółmi od lat. Jak to mówią, nalewka zbliża ludzi. Potem mój brat oznajmił, że poczeka na korytarzu. Zostałam sama z człowiekiem, którego nie lubiłam, i wysokim poziomem cukru.

– Miło mi panią widzieć – zaczął doktor. – Świetnie pani wygląda.

Nie skomentowałam. Milczałam. Zjeżyłam się mentalnie.

– A co tam u naszej wspólnej znajomej, pani Pelagii? – zapytał.

– Wszystko dobrze. Pozdrawia pana – rzuciłam od niechcenia, choć w pierwszej chwili nawet nie wiedziałam, o kogo mu chodzi.

– Niesamowita kobieta. Rozległa wiedza z zakresu medycyny niekonwencjonalnej. – Uśmiechnął się do swoich myśli.

– Może przejdźmy już do mnie? – brutalnie przerwałam jego bujanie w obłokach.

– A tak, bo to w końcu po to tu jesteśmy, żeby rozmawiać o pani, a nie o pani Śliwowej. Jednak trzeba przyznać, że jej wiedza jest imponująca. Ja nie jestem zwolennikiem, ale...

Chrząknęłam.

– No tak. No więc w pani wypadku naszły mnie pewne wątpliwości. A badania krwi to potwierdziły. Te moje wątpliwości. Dlatego zrobimy pani rezonansik i jeszcze dodatkowo kilka badań, w tym kolejne badanie krwi, ale tym razem pod kątem markerów nowotworowych. Na wyniki trzeba będzie poczekać kilka dni, ale to da nam stuprocentową pewność. Niemniej już po rezonansie będziemy wszystko wiedzieli. Zapraszam na badania.

W tym momencie, jakby sprowadzona jego myślami, do gabinetu weszła młodziutka pielęgniarka. Słodkim, dziecięcym głosikiem poprosiła, żebym udała się za nią. Najpierw zmierzyła mi ciśnienie, potem pobrała krew. Zmartwiła się, że nie jestem na czczo. Ja też. Jakoś zupełnie zapomniałam, że przed badaniami lepiej nie jeść. „Co się ze mną dzieje? – pomyślałam ze złością. – Jeszcze moment, a zacznę nerwowo chichotać". Wtedy do mnie dotarło, że jestem zdenerwowana. Jak jeszcze nigdy w życiu. Jeden krok w niewłaściwym kierunku i z krzykiem wpadnę w wielką przepaść histerii.

Potem była tuba i znowu pokój zabiegowy. A w międzyczasie gadałam trochę z Arielem na korytarzu. Koło południa siedziałam z powrotem w gabinecie, a lekarz przyjaźnie się uśmiechał.

– Tak jak myślałem. Tu mam pani zdjęcie z poprzedniego badania, a tu dzisiejsze, proszę spojrzeć.

Spojrzałam. Poza minimalnymi różnicami w kolorach wyglądały tak samo.

– Widzi pani? – Wyglądał na zadowolonego z siebie.

– Raczej nie – przyznałam.

– Otóż tutaj, na, nazwijmy to tak, starym zdjęciu, widać kształt jakby motyla. O, tu proszę patrzeć. I nie do góry nogami. – Wyjął mi zdjęcie z rąk, obrócił i podał. – Widzi pani?

Nie widziałam, ale dla świętego spokoju skinęłam głową.

– No to świetnie. A co pani widzi na tym zdjęciu? – Pokazał mi drugie.

– Też motyla? – zaryzykowałam.

– No gdzież! – oburzył się. – No właśnie tu nie ma motyla. To normalny, zdrowy mózg.

Nie rozumiałam.

– To znaczy, że nie mam już raka? – zapytałam, bo nie rozumiałam, nic nie rozumiałam, albo bałam się myśleć, że to, co mówi, oznacza właśnie to, co mówi.

– Nie – odpowiedział lakonicznie.

„Co nie? Nie, że nie mam, czy nie, że nie oznacza. Czy dotrze do niego, przez co przechodzę, dopiero kiedy zacznę go dusić?!".

– Ale co: nie? – zapytałam najspokojniej, jak umiałam. Słyszałam, jak mój głos drży z emocji.

– Nie może oznaczać to, że nie ma pani już raka. Otóż rak na tym zdjęciu jest absolutny, niepodważalny i śmiertelny. – Takimi słowami napluł na moją nadzieję i przestała się tlić. – Jednak dzisiejsze zdjęcie wskazuje coś zupełnie przeciwnego, potwierdzając moje przypuszczenie, że zaszła pomyłka.

– Jaka, do cholery, pomyłka? Postawił pan złą diagnozę?

– Ależ z panią jak z dzieckiem. Już mówiłem, diagnoza była dobra, tylko…

– Tylko co?! – ryknęłam na niego ponaglająco.

– Tylko że to nie było pani zdjęcie – wyjaśnił.

Zmieszany nawet nie patrzył na mnie, tylko na jakieś papierki na biurku. Coś tam między nimi gmerał.

– Jak to: nie moje zdjęcie? – usłyszałam swój głos jakby z daleka. Może ze studni, do której właśnie wpadło moje jestestwo.

– Mówiłem już. Zaszła pomyłka. Ale to nie moja wina, ja jestem diagnostą i postawiona diagnoza była prawidłowa. Jak przyjrzy się pani zdjęciu, to zobaczy, że podpisano je jakby

Jaguszewska albo Januszewska. Pismem odręcznym. Trudno rozszyfrować. Ja zawsze zwracam uwagę, żeby ważne informacje jednak pisać drukowanymi. Ktoś musiał powkładać zdjęcia na niewłaściwe miejsca. Błędy w dokumentacji czasem się zdarzają. Nigdy bym tego nie zauważył, gdyby nie pani brat. Przyjechał do mnie, pytał o wyniki, możliwości leczenia. Nic nie mogłem powiedzieć, rozumie pani, tajemnica lekarska. Ale on wykazał ośli upór. Wtedy coś mnie tknęło. Zajrzałem do badań. Wyniki krwi miała pani zadziwiająco dobre. I to zdjęcie. W końcu pokazałem je pani bratu, wiem, nie powinienem, tajemnica lekarska. I jakoś tak nam się obu wydało, że coś jest nie tak. No i po nitce do kłębka, i oto cała tajemnica rozwiązana.

Zakręciło mi się w głowie i zrobiło mi się niedobrze. Czułam się trochę tak, jakbym o jeden raz za dużo wsiadła na karuzelę.

– Nie mam raka?

– Wszystko wskazuje na to, że tak. – Morda rozjaśniła mu się, jakby właśnie mnie cudownie uleczył.

– Nigdy go nie miałam?

– Jak mówiłem, zaszła pomyłka – odparł niefrasobliwie.

Już prawie w to uwierzyłam, ale zdałam sobie sprawę, że coś tu się nie zgadza.

– Ale jest tak, jak pan przewidywał. To znaczy miałam halucynacje. A ostatnio źle się czuję, zemdlałam, jestem osłabiona i mam zawroty głowy.

– Możemy spokojnie zwalić to na stres. Żyła pani pod wielką presją.

– Słyszałam, jak pies mówi – wyznałam zawstydzona.

– Niektóre psy mówią, jeśli wierzyć ich właścicielom – zażartował lekarz.

– On mówił naprawdę.

– Zdziwiłaby się pani, co stres potrafi zrobić z człowiekiem.

– A to pogorszenie samopoczucia to też stres?

– To akurat ma inne podłoże.

Przeraził mnie. Nie wiedziałam, czy chcę wiedzieć.

– Jest pani w ciąży – poinformował mnie radośnie.

– To niemożliwe – wycharczałam.

Zafrasował się.

– Jest pani pewna, że w ciągu ostatnich miesięcy nie uprawiała pani seksu? – zapytał lekko zdenerwowany.

– Uprawiałam, ale…

– Czyli że to możliwe. – Odetchnął z ulgą. – Bałem się, bo jeśli nie miałoby miejsca żadne zbliżenie, to wie pani, podobne do ciąży zmiany hormonalne może powodować nowotwór…

Nie skończył. Rzuciłam się na niego.

– W zasadzie to pani wina – bronił się. – Gdyby poszła pani do szpitala, jak radziłem, błąd wyszedłby na jaw najpóźniej po pierwszej dawce chemii…

Zostałam wyprowadzona przez Ariela i dwóch ochroniarzy. Usłyszałam jeszcze, jak doktor mówił do mojego brata: „Zdzwonimy się. I pamiętaj, żeby USG zrobiła".

Wtłoczyli mnie do samochodu. Tam, z braku miejsca, przestałam walczyć. Zaczęłam płakać.

– Matka czeka na nas z obiadem, ale powiem jej, że jesteś zmęczona – obiecał Ariel. – Pojedziemy od razu do domu.

Płakałam, ryczałam, gryzłam poduszkę. Mój świat się zawalił, potem został na moment ocalony, by znów się zawalić. Po cholerę było mi to całe ocalenie?

„Co ja powiem Andrzejowi? – zastanawiałam się. – I co on o mnie pomyśli?". Odpowiedź wydawała się raczej prosta. No bo co ja sama pomyślałabym o osobie, która najpierw idzie ze mną do łóżka, potem mówi, że ma raka, po czym oznajmia, że nie ma raka, ale za to jest w ciąży? Wzięłabym ją za jakąś totalną świruskę. Psychopatkę, od której należy trzymać się z daleka. Najlepiej będzie, jak nic mu nie powiem. Po prostu. Nie muszę tam wracać. Zostanę w Warszawie, znajdę dobrą pracę i jakąś nianię. Dam sobie radę. Andrzej zapomni. Może już zapomniał. Zrozumie, że lżej mu beze mnie. Że to nic nie znaczyło, że to tylko seks. Co mnie podkusiło, żeby leźć z nim do łóżka? Głupia byłam. Ale teraz wszystko to wyprostuję. Tak będzie najlepiej dla wszystkich. Tylko dlaczego to „najlepiej" tak cholernie boli w środku?

Wieczorem przyszli ojciec i Halinka. Mówiłam Arielowi, że nie chcę nikogo widzieć, ale podobno macocha się uparła. Przyniosła mi rosołu w słoiku. Jak komuś choremu. Poryczałam się, nawrzeszczałam na nich, kazałam iść do diabła. Nie poszli. Siedzieli w pokoju, na mojej kanapie i rozmawiali, jak to dobrze, że wszystko się szczęśliwie skończyło. I żeby tylko te ostatnie wyniki okazały się pomyślne. I kiedy jadę na USG, i czemu dopiero pojutrze? I czy jak ja tak dużo płaczę, to czy to nie zaszkodzi dziecku? Może mi trzeba coś na nerwy dać, niech Ariel zadzwoni do tego lekarza i zapyta, czy nie lepiej ziółek zaparzyć. I że powinnam się dobrze odżywiać, może jeszcze na wieczór zjem troszkę tego rosołku. I że już w końcu pójdą w cholerę. I poszli. Ariel zjadł rosół. Ale jak matka zapyta, to miałam mówić, że ja.

Następny dzień spędziłam na gapieniu się w sufit. Przeprowadziłam też rozmowę z bratem. Jak rano coś tam gadał o śniadaniu, to zapytałam, czy nie musi przypadkiem iść do pracy. On odpowiedział, że akurat ma tydzień wolnego. Ja, że aha. I więcej w tym dniu nie rozmawialiśmy. Gapienie się w sufit sprawiało mi niesamowitą frajdę, naprawdę żałuję, że nigdy wcześniej nie poświęcałam temu tyle czasu. Następnego dnia chciałam kontynuować obserwacje, ale Ariel zmusił mnie do wstania z łóżka. Powiedział, że jedziemy na USG. Jeśli nie chcę, mogę się nie myć ani nie przebierać. Mogę palcem nie kiwnąć, ale on mnie na to badanie siłą zaprowadzi, a jak trzeba, to z policją. Bo akurat ma fajnego kumpla w policji. Wstałam więc, umyłam się, włożyłam czyste ciuchy i pojechałam do gabinetu ginekologicznego.

Wszystko wyglądało tu podobnie jak w klinice. Tylko bardziej różowo, nie mieli cukierków, a zdjęcia przyrody zastąpiły mordki niemowlaków. Poczułam się odstraszona. Normalnie nie weszłabym do podobnego wnętrza.

Czekaliśmy na swoją kolej między kobietami z brzuchami jak bębny i wykazującymi lekkie zdenerwowanie parami bez bębnów. Na pierwszy rzut oka wyglądaliśmy pewnie jak jedna z nich. Na drugi wszyscy musieli się zastanawiać, co mi strzeliło do głowy, żeby uwodzić takiego gówniarza.

Lekarka też wzięła nas za parę, bo otwierając drzwi, powiedziała:

– Zapraszam państwa do gabinetu.

– Zostań tu – rozkazałam Arielowi głosem, którym zwykle wydaje się komendy psu.

– Wszystko w porządku. – Lekarka się rozpromieniła. – Partner może uczestniczyć w badaniu.

Ariel poczuł się zachęcony i pchał się do gabinetu.

– To mój brat – wyjaśniłam lekarce, jednocześnie zagradzając Arielowi drogę swoim ciałem.

– Ale to tylko USG, jeśli wujek dziecka chce uczestniczyć w badaniu… – zaczęła lekarka.

– Nie chce – warknęłam.

– Chce – sprostował Ariel.

Wepchnął mnie do środka i wlazł za mną.

Lekarka zadała mi kilka standardowych pytań, z których wynikało, że bladego pojęcia nie mam, od kiedy jestem w ciąży. Coś tam bąkałam i jąkałam się. Uznała więc, że widocznie jestem umysłowo niedorozwinięta, co świetnie tłumaczyłoby obecność młodszego brata jako osoby towarzyszącej. A ponieważ sympatyczny i opiekuńczy młody mężczyzna jest towarem poszukiwanym na giełdzie małżeńskiej, jakieś trzy minuty później lekarka całkowicie straciła zainteresowanie mną, całym swym urokiem i profesjonalizmem obdarzając Ariela. Opowiedziała mu, jak będzie wyglądać badanie i jaki tu ma fajny sprzęt. I żel w zielonej buteleczce. I żeby się nachylił, to lepiej zobaczy. Nie uszło mojej uwagi, że Ariel owszem się nachylał, ale zamiast na sprzęt, gapił się w dekolt pani doktor.

– No i mamy odpowiedź na wszystkie nasze pytania. Tu niech pan popatrzy. Jest maleństwo. Sądząc z rozmiarów, to początek czwartego miesiąca.

– O kurwa! – wyrwało mi się.

Lekarka skarciła mnie wzrokiem. Ciekawe, co ona by powiedziała na moim miejscu. „Jestem w ciąży od trzech miesięcy i nie miałam o tym pojęcia? Co ja sobie, idiotka skończona, myślałam? – przemknęło mi przez głowę. – Pamiętam. Coś, że nie ma to jak seks z desperatką, bo jak zajdę w ciążę… Głupota bezdenna".

– Wszystko wygląda dobrze, nie widzę odchyleń od normy. Wypiszę pani skierowanie na badania i z wynikami zapraszam do mnie. I proszę o nią dbać – zwróciła się do Ariela.

Chyba wszystko mówiła do Ariela.

– Jestem w ciąży – powiedziałam do brata, kiedy wróciliśmy do domu.

– Fajnie, nie? – Wyglądał na zadowolonego.

– Jak, kurwa, fajnie, jak ja się jeszcze nie zdążyłam przyzwyczaić do myśli, że nie mam już raka? Daj mi jakiejś wódki – poprosiłam.

– Mowy nie ma! – oburzył się. – Przecież jesteś w ciąży.

To czym miałam się upić do nieprzytomności? Coca-colą?

Halinka przyszła. Flaczki w słoiku przyniosła, bo ona sama w ciąży bardzo chętnie flaczki jadła. Nie cierpię flaków, ale z grzeczności pogmerałam łyżką w talerzu. Halinka zaproponowała spacer, dobrze mi zrobi, bo jestem bladziuteńka. To nieprawda, bo ostatnie miesiące spędzałam na wsi i mocno się opaliłam. Mimo to się zgodziłam. Ariel wyraźnie się ucieszył. Chyba już trochę zmęczyło go niańczenie mnie.

„Chwila samotności dobrze mu zrobi" – pomyślałam.

I poszłam z macochą na skwer. Siadłyśmy na ławce. Przyglądałam się ludziom z psami i rowerzystom. Halinka wzięła na siebie ciężar zabijania ciszy.

– Jak dowiedzieliśmy się, że jesteś chora, to był dla nas cios. Dla twojego ojca, ale i dla mnie. Zawsze starałam się traktować cię jak córkę – mówiła. – Nie zawsze mi na to pozwalałaś, ale mnie to nie przeszkadzało. Miałaś prawo czuć żal i ja to rozumiałam.

Na chwilę zamilkła. Zamyśliła się. Chciałam, żeby tak zostało, ale Halinka potrzebowała się wygadać.

– Kiedy Ariel powiedział, że wyjechałaś, bo prawdopodobnie jesteś chora, to wiesz, pomyślałam, że to moja wina. Że spadła na mnie kara za to, co zrobiłam.

– To bzdura – mruknęłam, nawet dosyć przekonywająco.

– Cieszę się, że tak myślisz. Ale ja i tak czuję się winna tego wszystkiego, co się stało. Nie byłam już taka młoda i powinnam mieć więcej rozumu.

„No, to tak jak ja".

– Twój ojciec był rozpuszczony przez swoją matkę. Lekkoduch. Sięgał, po co chciał. A gdy zaczynały się problemy, to uciekał. A ja jakaś naiwna byłam. Jak mogłam myśleć, że skoro uciekł od twojej matki prosto do mojego łóżka, kiedy ty się pojawiłaś, to zachowa się inaczej, kiedy urodził się Ariel?

Powoli docierał do mnie sens słów Halinki.

– Mój ojciec cię zdradził? – zapytałam oszołomiona.

– Nie wiedziałaś? – zdziwiła się. Westchnęła. – Nie raz. To taki jego sposób na życie. Coś się dzieje, to trzeba szybko znaleźć sobie kochankę.

W oczach zakręciły jej się łzy.

– Tylko nie mów Arielowi. Ostatnio między nim a ojcem jakoś lepiej się układa. – Zamilkła na chwilę, a potem zaczęła: – Całe życie kryłam Tadeusza przed synem. Chciałam, żeby Ariel miał dobre zdanie o ojcu. Zresztą Tadzio jakoś się ostatnio uspokoił. Może zmądrzał na starość. A może po prostu trudniej mu sobie kogoś przygruchać.

– Nie wiedziałam, że taki jest. Nigdy nie miałam dobrego zdania o ojcu, ale nie podejrzewałam, że jest takim fiutem.

Halinka się zaczerwieniła. Jej mina mówiła: „Nie wyrażaj się tak o ojcu".

– Przepraszam – powiedziałam ze skruchą – ale to prawda.

Zrozumiałam, dlaczego nie układało mi się w życiu z mężczyznami. Mając taki męski wzorzec osobowości, najlepiej bym postąpiła, idąc do klasztoru.

– Wiem. Ale jakoś nie wypada, żeby córka tak mówiła. To w końcu twój ojciec. I kocha cię nad wszystko. Wiesz, jak przeżywał sprawę z twoją chorobą. Był... Byliśmy załamani. A jeszcze ty wyjechałaś, odcinając się od nas, jakbyś chciała nam dać do zrozumienia, że nie potrzebujesz naszego wsparcia. Nie mam prawa cię krytykować, bo nawet trudno mi sobie wyobrazić, przez co przechodziłaś, ale zrobiło się nam przykro. W takich chwilach rodzina powinna trzymać się razem. Dobrze, że to już za nami. Jak Ariel przyszedł i powiedział, że może jest nadzieja, bo rozmawiał z lekarzem, to jakby kamień spadł mi z serca. A teraz jeszcze się okazało, że jesteś w ciąży i będziemy dziadkami. Pomożemy ci z dzieckiem. Może jak Tadzik zostanie dziadkiem, to się zmieni? – Uśmiechnęła się. Chyba myśl o ustatkowanym mężu cieszyła ją bardziej niż perspektywa posiadania wnuka. Nie miałam jej tego za złe. – Dobrze, że żadne z was nie przypomina ojca.

„Fakt – w myśli przyznałam jej rację. – Można nam zarzucić różne rzeczy, ale żadne z nas nie wyrosło na kłamliwego sukinsyna". Nagle dotarło do mnie, jakim niesamowicie wspaniałym człowiekiem jest mój brat.

– Nawet nie podziękowałam Arielowi za to, co dla mnie robi – przyznałam się ze wstydem.

Halinka mnie przytuliła.

– Jeszcze będzie okazja, dziecko. Poza tym to twój brat. Ty zrobiłabyś to samo dla niego.

„Teraz tak. Ale kilka miesięcy temu, to wątpię…".

– Jest wspaniały – powiedziałam. Widziałam, że Halinkę to ucieszyło. – Głupio mi, że wcześniej tego nie dostrzegałam.

– Ariel, podobnie jak ja, zyskuje przy bliższym poznaniu – zauważyła ze śmiechem moja macocha.

– To prawda, ciebie też nie doceniałam.

– Już ci mówiłam. Byłaś dzieckiem. Ojciec nie powiedział ci prawdy. Ja nie miałam prawa. Zbudowałaś sobie fałszywy obraz tego, co się stało. Miałaś żal do wszystkich. Pewnie nawet do swojej mamy.

– Nie powinna była prowadzić pijana...

– Pijana? – Halinka popatrzyła na mnie zaskoczona. – A kto ci, dziecko, takich głupot nagadał? Ojciec?

Zaprzeczyłam.

– Nie wiem. Może jako dziecko coś słyszałam... – skłamałam. „Urwę Monie ten jej pogański łeb!".

– To był zwykły wypadek na drodze. Śpieszyła się do ciebie, ot i cała jej wina.

– Zawsze się zastanawiałam, po co tam pojechała.

– A u kogo miała szukać rady i pocieszenia, jak nie u mamy? Też tak robiłam. Gdybym posłuchała mamy, dawno temu pogoniłabym Tadeusza. Ciężkie z nim miałam życie.

– To czemu tego nie zrobiłaś?

Roześmiała się z mojej naiwności.

– Życie z twoim ojcem nie było łatwe, a on sam nie jest dobrym człowiekiem. Ale choć trudno mi z nim żyć, bez niego po prostu nie potrafię. Miłość czyni nas nie tylko głupimi, lecz także bezbronnymi.

Była mądrą kobietą. Położyłam głowę na jej ramieniu, a ona mnie przytuliła. Musiała poczuć, że płaczę, ale nic nie mówiła.

– Halinko...

– Tak?

– Mogę ci mówić „mamo"?

– Myślałam już, że nigdy nie zapytasz.

I bardzo mocno się przytuliłyśmy.

Wróciłyśmy do domu. Ariel przywitał nas w progu pełnym wyrzutu: „No nareszcie". Tłumaczyłam, że się zagadałyśmy, ale i tak się trochę naburmuszył. Wyglądało, jakby się bał, że ktoś odbierze mu stanowisko niańki głównodowodzącej. Na szczęście długo to nie trwało. Chwilę później zaparzył nam herbatę i pokazał matce zdjęcie z USG.

– To się tylko tak wydaje, że nic nie widać – tłumaczył zaaferowany. – Musisz się dobrze przyjrzeć, a wszystko zobaczysz. O, tu masz nóżkę, tu rączkę. Też na początku nic nie widziałem, a potem bach! Olśnienie i widać dziecko.

– Dlaczego ja nie mam takiego zdjęcia? – zaciekawiłam się.

– Nie zasłużyłaś – wyjaśnił.

„Ja nie zasłużyłam? A czyje jest to dziecko?" – oburzyłam się, ale nic nie powiedziałam.

Wieczorem Ariel przypomniał mi niechcący, że to, co rośnie w moim brzuchu, ma współwłaściciela.

– Jak Andrzej przyjął nowinę? – zapytał przy kolacji.

„Andrzej? Czy to ten mężczyzna, którego poznałam w czasie mojej podróży na inną planetę?".

– Potrzebuje trochę czasu, żeby się z tym oswoić – odrzekłam wymijająco, a Ariel spojrzał na mnie zdziwiony.

Kilka kolejnych dni upłynęło nam pod znakiem wyników krwi, badań i testów, aż ponad wszelką wątpliwość ustalono, że ze mną i dzieckiem wszystko w porządku. Wszyscy poczuliśmy ulgę. Ariel urządził małą imprezę. Z braku moich znajomych zaprosił własnych. Dużo pili i używali języka, którego nie rozumiałam. Nawet doktor przyszedł. Powiedział, że nie żywi urazy, ale patrzył na mnie podejrzliwie, gotów w każdej chwili rzucić się do ucieczki.

Następnego dnia Ariel był skacowany, a ja nie. Chyba trochę się pozbierałam. Pomyślałam, że zjem śniadanie i zabiorę się do rozsyłania CV. Im prędzej, tym lepiej. I wtedy ktoś zadzwonił do drzwi. Chciałam pójść otworzyć, ale Ariel mnie uprzedził. Sądząc z wesołych odgłosów w korytarzu, myślałam, że to któryś z wczorajszych imprezowiczów. Myliłam się. To był mój weterynarz.

– Patrz, kto przyjechał! – zawołał Ariel, wprowadzając Andrzeja do pokoju. – Stary, co za niespodzianka. – Poklepał go przyjaźnie po plecach.

Andrzej szedł niepewnie. Ściskał w dłoniach niewielką szarą torbę. Nie uszło mojej uwadze, że zdjął buty. Wyglądał na jakiegoś zmiętego. Staro po prostu. Twarz miał pomarszczoną. Nie ogolił się i teraz zarost rzucał na jego twarz szary cień. Powinnam była pomyśleć o tym, że pewnie się martwił i że jest zmęczony, ale zamiast tego zastanawiałam się, co on tu, do cholery, robi.

– Co ty tu robisz? – zapytałam.

Moim głosem można by filetować ryby, taki był ostry. Chciałam nim zranić Andrzeja za wszystkie krzywdy, które mi wyrządził. Nagle wydało mi się, że ta cała ciąża to tylko i wyłącznie jego wina.

Uśmiech na twarzy Ariela zgasł. Patrzył to na mnie, to na Andrzeja, nic nie rozumiejąc.

– Umówiliśmy się, że jeśli nie wrócisz do przyszłego piątku, ja przyjadę – odpowiedział niepewnie weterynarz. – Nie dzwoniłaś. Martwiłem się.

– Niepotrzebnie. Wszystko w porządku – wycedziłam chłodno.

– Bałem się. Myślałem, że jesteś w szpitalu.

– Wszystko w porządku. Dziękuję za troskę. – Mój głos kontra efekt cieplarniany.

– To dobrze, cieszę się. – Do Andrzeja chyba w końcu dotarło, że nie jest mile widziany, bo rzekł: – Chyba niepotrzebnie przyjeżdżałem.

– Zupełnie niepotrzebnie. Możesz już iść. – I demonstracyjnie wróciłam do laptopa.

Andrzej odwrócił się, jakby zbierając się do wyjścia. Ariel popatrzył na niego jak na idiotę.

– A ty dokąd? – zapytał.

– Chyba nie jestem tu mile widziany – mruknął Andrzej.

Brat się roześmiał, jakby to wszystko, czego właśnie był świadkiem, brzmiało jak dobry żart.

– Przyzwyczajaj się, stary, to hormony. Kobiety w ciąży tak mają. – Klepnął Andrzeja po szwagrowsku.

No to tyle z: „Nie powiem Andrzejowi".

W salonie zapadła cisza. Z tych, które umożliwiają wieszanie ciężkich narzędzi w powietrzu. Ariel patrzył na Andrzeja. Andrzej patrzył na mnie, ja nie patrzyłam na nikogo.

– Nie powiedziałaś mu? – domyślił się Ariel.

– Chciałam poczekać na właściwy moment.

– A można wiedzieć, kiedy by to było? – zapytał dla odmiany Andrzej.

Ale jemu nie zamierzałam odpowiadać.

– Jaga, co jest z tobą nie tak? – zapytali prawie jednocześnie.

Wstałam, poszłam do sypialni, już prawie zamknęłam drzwi.

– Wynoście się z mojego domu. Obaj! – wrzasnęłam i odcięłam się od nich MDF-em w okleinie bukowej.

Myślałam, że nie posłuchają, ale poszli sobie. Usłyszałam głosy, szuranie butami, skrzypnięcie, a potem trzask drzwi. Wtedy w moich oczach otworzyły się jakieś śluzy i zaczęłam płakać. „Muszę coś z sobą zrobić, nie można tak ciągle płakać i płakać – pomyślałam. – Problem polega na tym, że to naprawdę pomaga…".

Nazajutrz przyszedł Ariel. Sam, ale z kartonem.

– Wezmę tylko kilka rzeczy i spadam – wyjaśnił.

Czekał, aż zapytam, ale nie zamierzałam tego robić.

– Andrzej wrócił do domu – poinformował mnie. – Kazał cię pozdrowić. Ludzie, jak on się cieszył, że nie jesteś chora. Czemu mu nie powiedziałaś?

Zamiast odpowiedzi – milczenie.

– To jest superchłop i mam nadzieję, że to wiesz – ciągnął mój brat. – Powiedział, że rozumie, przez co przeszłaś, i nie ma pretensji o twoje zachowanie. Ja bym pewnie miał.

Ludzie, jakby mi panna wykręciła taki numer jak ty jemu, to nie wiem… Powiedział jeszcze, że da ci tyle czasu, ile potrzebujesz na poukładanie sobie wszystkiego, bo rozumie, że to dla ciebie szok. Że chciałby być przy tobie, ale jeśli wolisz być sama, to on to rozumie.

Ariel chwilę milczał, jakby rozważając, czy ujawnić mi coś jeszcze. W końcu się zdecydował.

– Powiedział też, że uszanuje każdy twój wybór. Ale będzie walczył o dziecko. Znaczy o prawo do opieki. I tego miałem ci nie mówić – przyznał.

Skończył upychać rzeczy w kartonie.

– To przemyśl to sobie, ja będę już spadał.

– Nie chcesz już ze mną mieszkać? – zapytałam.

Było mi smutno. Ariel to zauważył. Odstawił karton i mnie przytulił.

– No co ty, siostro? To przejściowe. Andrzej ma rację. Dużo przeszłaś, a my rzuciliśmy się na ciebie jak kwoki. Potrzebujesz trochę przestrzeni, żeby to sobie poukładać. – Pocałował mnie w czoło. – Podejmij mądrą decyzję.

I poszedł.

Zostałam sama. Nie chciałam być sama. Chciałam mieć wehikuł czasu.

Przez kilka dni nic nie robiłam, chodziłam na spacery, oglądałam telewizję, wysłałam kilka CV i nawet dostałam jakieś propozycje spotkań. Ale wszystko było nie tak. Nic nie miało sensu. Tęskniłam za wsią i za weterynarzem. Tylko że to, co się tam wydarzyło, wydawało się takie dziwne. Gadający pies, Mona. Kto przy zdrowych zmysłach w to uwierzy? Gdybym wróciła, widma mojego wariactwa prześladowałyby mnie na każdym kroku. Tu jest normalnie, tak absolutnie i do znudzenia.

Był późny wieczór i w zasadzie nikogo się nie spodziewałam. Przyszła Halinka. Na szczęście bez zupy w słoiku. Zrobiłam nam herbaty. Kiedyś miałam w szafkach ciasteczka na takie okazje, ale Ariel wszystko powyżerał.

– Tak wpadłam, zobaczyć, co u ciebie słychać – nieporadnie tłumaczyła swoją obecność.

Odgadłam, że uknuła jakiś szczwany plan.

– Bardzo miły ten twój Andrzej – zaczęła ostrożnie.

Chciałam powiedzieć, że może i miły, ale nie mój. Uznałam jednak, że nie ma się co szarpać z Halinką. Skoro ona była uprzejma, ja mogłam się przynajmniej postarać.

– Trochę o tobie rozmawialiśmy…

– Nie wiedziałam. Kiedy? – zainteresowałam się grzecznie.

– Nocował u nas, po tym, no wiesz…

– Wiem. – Po tym, jak ich wyrzuciłam. Jakoś nie przyszło mi do głowy, że tam wylądują, a to przecież było logiczne, bo zanim Ariel zadomowił się u mnie, mieszkał u matki. – Wszystko wtedy poszło nie tak.

– Trzeba to naprawić – poradziła macocha.

– Może trzeba, a może nie. – Po raz pierwszy wyraziłam słowami to, o czym od dawna myślałam. – Może dobrze się stało?

– No co ty, dziecko? – Popatrzyła na mnie jak na jakąś heretyczkę. – A co może być dobrego w kłótni kochających się ludzi?

– Może to, że nie są już razem?

To przynosi pewną ulgę. Można sobie świat poukładać od nowa, ale po staremu. Chyba dlatego tak dobrze czułam się w korpo. Tym światem rządziły dwie zasady: jesteś miła dla zwierzchników, którzy cię gnoją, i gnoisz podwładnych, którzy są dla ciebie mili. Jak ten szczur z laboratorium po wypuszczeniu na ulicę zupełnie sobie nie poradziłam. Miłość, związek? Jakoś tego nie ogarniałam.

– Nie kochasz go? – Pytając, patrzyła na mnie, ale nie zwykłym spojrzeniem tylko w oczy, lecz takim, które sięga głębiej, aż do serca.

– Nie wiem. Ja chyba nikogo w życiu nie kochałam – odpowiedziałam.

Nie spuszczała ze mnie wzroku.

– Nikogo? Ojca, mamy, Ariela, męża?

Moja dusza wiła się jak piskorz pod jej badawczym spojrzeniem. Chciałam skłamać – nie mogłam, chciałam uciec – zabrakło mi siły.

– Kochałam mamę. I kocham ojca, choć to zupełnie pokręcone. I na pewno kocham Ariela. Juliusza nie kochałam. To był błąd młodości.

– Ja myślę, że to była młodzieńcza miłość, taka, która ma tendencję do przemijania. Ale za niego wyszłaś i myślę, że zrobiłaś to z miłości.

Milczałam. Kontemplowałam swoje paznokcie.

– Jesteś piękną i mądrą kobietą, Agnieszko. Dlaczego nie chcesz też być szczęśliwa? – zapytała.

Nie zamierzałam odpowiadać i na pewno nie chciałam łez w oczach. Tylko jakoś tak wyszło, że zaczęłam mówić.

– To nie tak, że nie chcę być szczęśliwa. Próbowałam, ale mi nie wychodzi – tłumaczyłam się nienaturalnie głośno.

– Widocznie próbowałaś za słabo – prawie szeptem odparła Halinka.

„Co też ona może o tym wiedzieć? Całe życie z notorycznym zdrajcą?" – bulwersowałam się w myślach.

– A ty jesteś szczęśliwa? – burknęłam.

Halinka uśmiechnęła się łagodnie.

– Jestem. Dlaczego miałabym nie być? Mam cudownego syna. Mam ciebie i niedługo zostanę babcią. Mam też mężczyznę, którego kocham. Może jest on ostatnią świnią i zdrajcą, ale zawsze do mnie wraca.

Czułam się, jakby ktoś właśnie objawił mi tajemnicę życia.

– Ciężko jest trafić na porządnego mężczyznę. A skoro takiego znalazłaś, to trzymaj się go rękami i nogami.

– A jak on mnie już nie zechce? – wyraziłam to, co mnie gryzło.

– Ma prawo. A im dłużej będziesz zwlekać, tym będzie miał większe.

Przytuliłam się do niej, trochę pochlipałam w matczyną pierś, kryjącą takie dobre serce, a potem opowiedziałam o wszystkim, co się działo między mną a Andrzejem. I bardzo mnie zdziwiło, że to taka piękna historia. Byłam ciekawa, jakie napiszemy do niej zakończenie.

Wstałam wcześnie rano, spakowałam kilka rzeczy i pojechałam na dworzec. Wizja jazdy autobusem była koszmarna, ale nie miałam wyjścia, bo przecież mój samochód stał cały czas na podwórku u Andrzeja. Pewnie jakbym poprosiła Ariela, toby mnie zawiózł. Są jednak rzeczy między kobietą a jej kochankiem, które powinna załatwić sama.

Późnym popołudniem dotarłam do miasteczka. Mądrze byłoby pójść od razu do Andrzeja, ale się bałam. Przerażało mnie to bardziej niż cokolwiek poza widmem śmierci na raka. Pojęcia nie miałam, jak zareaguje. Nie wiem, jak to robił, że ludzie tak go lubili, bo był przecież narwanym nerwusem. Człowiekiem kompletnie nierozumiejącym zasad prowadzenia dialogu. Który przyjechał do mnie, bo się martwił, i stał w tych przetartych skarpetkach, kurczowo ściskając w ręku swoją torbinkę… A ja go, suka, pogoniłam. I kto tu nie wie, jak rozmawiać?

Tak czy owak, wydawało mi, że bezpieczniej będzie pójść do domu.

Jak na ironię, nikt akurat nie jechał w moją stronę, musiałam więc przemaszerować ponad trzy kilometry.

Dom wyglądał, jakbym się nigdy nigdzie nie ruszała. Na progu leżał pies. Łebek położył na łapach. Powoli podniósł głowę, zastrzygł uszami, zobaczył mnie i poznał. Wystrzelił jak pocisk i nim się zdążyłam obejrzeć, już mnie obskakiwał.

– Wróciłaś, wróciłaś, wróciłaś! – krzyczał, a ja stanęłam jak wryta. – Myślałem, że nie wrócisz. Tęskniłem. Nie wolno zostawiać psów, bo one tęsknią. To tak uciska w środku i żarcie przez to nie smakuje.

Pies paplał, a ja stałam. Nie rozumiałam.

– Ty mówisz? – zadałam psu najdurniejsze z możliwych pytań.

Usiadł, walił ogonem o ziemię, aż kurz szedł. Po wywalonym jęzorze spływała mu ślina. W oczach odbijał się cały wysiłek intelektualny jego małego mózgu.

– To źle? – odpowiedział pytaniem.

– Nie, tylko nie powinnam cię słyszeć – wyjaśniłam.

– Bo ogłuchłaś?

Znowu zaczął mnie obskakiwać.

– Nie. Z moim słuchem wszystko w porządku.

Powili ruszyłam do domu. Próbowałam znaleźć logiczne wytłumaczenie tego, co się działo, ale nie potrafiłam.

Chałupę zastałam otwartą. Weszłam do środka i rzuciłam torbę na łóżko.

– Weterynarz chciał mnie zabrać, ale się nie dałem. Pomyślałem, że jak wrócisz, a mnie nie będzie, to się zmartwisz. No i czekałem. Jeść mi dawał – raportował pies.

– Nie chciałam was zostawiać. Musiałam. Przepraszam.

– Długo nie wracałaś i Maurycy uznał, że nie wrócisz.

– Wróciłam – powiedziałam smutno.

– Przecież widzę. – Pies znowu zaczął dziki taniec. – Masz coś do jedzenia?

– Chyba nie bardzo – wyznałam zawstydzona.

Nie pomyślałam, że w domu nic nie ma.

– Nie martw się, weterynarz coś jutro przywiezie.

– Dlaczego dopiero jutro?

– No bo dziś już był.

„Ładnie. Na kolację zjem herbatę. I z nerwów nie zmrużę okna przez całą noc".

– Gdzie Maurycy? – zapytałam.

Kot się nie pojawił. Pewnie sobie poszedł. Podobno koty nie trzymają się pustych domów.

– Śliwowa i Mona dały mu robotę. Jakieś sztuczki magiczki. Ale na noc pewnie wróci.

– A mysz?

– Maurycy ją zeżarł. Powiedział, że nie wrócisz, a idzie zima i wszyscy musimy być praktyczni… Co się stało?

Nie wytrzymałam. Usiadłam na podłodze i zaczęłam płakać. Łkałam tak głośno, że skutecznie zagłuszyłam cichutki chichot, który dochodził spod łóżka. Dopiero kiedy poczułam małe łapki na ręce, uspokoiłam się.

– To miał być żart – wyjaśniła mysz. Łypała na mnie czarnymi, błyszczącymi ślipkami. – Nie chcieliśmy cię zmartwić.

Dotknęłam delikatnie opuszkiem palca jej mięciutkiego futerka.

– Zasłużyłam sobie na to. Oswoiłam was, a jest się odpowiedzialnym za to, co się oswoi. Nie powinnam była wyjeżdżać.

– Musiałaś – przypomniała mi mysz. – Weterynarz się nami opiekował. Nie było źle. Tylko następnym razem mu powiedz, żeby czasem kruszył mi herbatnik i jakiś owoc dawał. Jak karmię, to dużo cukru potrzebuję, a on tylko pszenicę i pszenicę. Od takiej ilości ziarna to zatwardzenia można dostać. Przez to wszystko nerwy, a jak matka się denerwuje, to się na dzieciach odbija.

Roześmiałam się.

– Sama będę o ciebie dbała. Na facetach nie można polegać.

Mysz zachichotała, a potem nagle zamarła i znieruchomiała. Wyglądała, jakby się czegoś przestraszyła. Rozejrzałam się dookoła, ale nic się nie działo.

– Co się stało? – zaniepokoiłam się.

– Twój zapach się zmienił. Przestraszyłam się.

– Przepraszam. Umyłam się porządnie parę razy – wyjaśniłam.

– To nie to. – A potem poruszyła wąsikami i jej małe ciałko zadrżało. Nie, ona nie drżała, ona się śmiała, caluteńka. – Będziesz mieć młode! – krzyknęła i zaczęła biegać w kółko po mojej ręce. – Ciekawe ile?

– Co: ile?

– No, ile tych młodych będzie.

– Jedno.

Mysz przystanęła. Wyglądała na zawiedzioną.

– Tylko jedno? Nie martw się, następnym razem pójdzie lepiej.

„Mam nadzieję, że nie będzie następnego razu – pomyślałam ponuro. – Ten mnie wystarczająco zaskoczył i wytrącił z równowagi psychicznej. I to na tyle, że ciągle słyszę gadające zwierzęta. No, chyba że to jest sen albo zwariowałam".

– Wiesz – kontynuowała mysz – ja za pierwszym razem miałam dwoje. Ale to nie ma tej zabawy. Najfajniej jest, jak rodzi się kilka młodych. Na początku to koszmar, bo tylko jedzą i piszczą, tak że masz ochotę wepchnąć je sobie z powrotem do brzucha. A potem zaczynają łazić i robi się naprawdę śmiesznie, jak tak wchodzą jedne na drugie i wkładają sobie łapy do oczu, a drą się przy tym... – Oczka jej się zaświeciły z rozczulenia. – Muszę sobie znaleźć samca, ale w końcu jakiegoś porządnego, i mieć z nim młode. Jeśli nie masz nic przeciwko temu, pójdę już. – I szybciutko zbiegła na podłogę.

– A dokąd to? – zapytałam.

– No, szukać samca – wyjaśniła.

– Nie znajdziesz porządnego faceta w jeden dzień.

– Muszę szukać. Wybacz. Instynkt.

I zniknęła w swojej norze.

Zrobiłam sobie herbaty. Obejrzałam zachód słońca. Pogryzły mnie komary. Poszłam spać.

Pierwszą rzeczą, jaką zobaczyłam po przebudzeniu, był Andrzej. Siedział w nogach łóżka. Maurycy zwinięty w kłębek leżał na jego kolanach.

– Czy kiedy powiem przepraszam, odpowiesz, że masz to w dupie? – zaczęłam.

– Sprawdź – odpowiedział.

– Przepraszam. Naprawdę jest mi przykro.

– Powinno tak być.

Zapadło milczenie. Andrzej nic nie mówił. Ja nie wiedziałam, od czego zacząć.

– Postanowiłaś już, co zrobisz dalej? – zapytał w końcu.

– Wyjeżdżając z Warszawy, miałam plan. Przyjechałam tutaj i nagle...

– Chodzi o mnie?

273

– Nie. To ja tu stanowię problem.

Andrzej zamierzał coś powiedzieć, jednak zmienił zdanie i cierpliwie czekał na ciąg dalszy.

– Kiedy byłam w Warszawie, wydawało mi się, że wszystko jest w porządku, ale wróciłam… – „A pies ciągle mówi".

– Nie chcesz tu być, tak? – próbował zgadywać.

Teraz moja kolej. Prawda czy wiarygodne kłamstwo? W głowie pojawił mi się znowu obraz Andrzeja w moim mieszkaniu. Taki był wymięty przez strach o mnie.

– Prawdopodobnie jestem chora psychicznie – wyjaśniłam.

– Wyszło to przy tych badaniach, które ci robili, tak? – sprecyzował.

Wyglądał na zmartwionego.

– Nie. Sama do tego doszłam.

Jakby troszkę mu ulżyło. Patrzył na mnie zaciekawiony.

– Jak tu przyjechałam, to się zdarzyło po raz pierwszy, ale lekarz uprzedził mnie, że mogę mieć halucynacje z powodu raka mózgu. Potem się okazało, że to była pomyłka. Ale mogłam mieć przywidzenia, bo żyłam w stresie. Myślałam, że to już za mną. A jednak przyjechałam i to się znowu dzieje.

– Możesz mi powiedzieć co takiego?

Przełknęłam ślinę. Popatrzyłam w okno. Otworzyłam usta. Potem je zamknęłam. Powiedziałam to w myśli, zabrzmiało dość dobrze, powtórzyłam jeszcze raz i teraz brzmiało jak kompletne wariactwo. Milczałam więc. Chyłkiem spojrzałam na Andrzeja. Świdrował mnie wzrokiem. Zebrałam się w sobie i z całej siły wypchnęłam na zewnątrz słowa.

– … – odrzekłam.

– Co? Powiedz głośniej, bo nic nie słyszałem. – Nachylił się do mnie, jakby zmniejszenie odległości miało mu pomóc.

– Słyszę głosy zwierząt – wyznałam.

Odetchnęłam z ulgą. Teraz zrozumie, że jestem wariatką, i sobie pójdzie. Potem wróci, żeby pozbawić mnie praw rodzicielskich.

– Aha – mruknął Andrzej i nie ruszył się z miejsca.

„Tylko «aha»?" – zdumiałam się.

– Nie zrobiło to na tobie wrażenia? – zapytałam w końcu, widząc, że po moim wyznaniu nic się nie dzieje.

– Zrobiło. Nie rozumiem tego, ale nie muszę pojmować wszystkiego na świecie. Skoro są ludzie, którzy widzą przyszłość, widocznie mogą być tacy, którzy rozmawiają ze zwierzętami. To, że nigdy wcześniej nikogo takiego nie spotkałem, nie dowodzi wcale, że to niemożliwe.

– Zaraz, zaraz. – Chciałam zapanować nad sytuacją, która rozwijała się jakoś nie tak. Nie żeby źle, ale zaskakująco. – Nie przeszkadza ci moje wariactwo?

– Przeszkadza. Przeszkadza mi twoje wariactwo, które każe ci jechać do Warszawy i nie dzwonić do mnie, kiedy ja tu szaleję ze zmartwienia. Przeszkadza mi to, że jesteś w ciąży i nawet nie raczysz mnie o tym poinformować, jakbym był w twoim życiu nikim. I nie wiem, jak musisz być szurnięta, skoro zamiast zjeść ze mną kolację jak żona z mężem, zaszywasz się tu. To są, Jaga, twoje wariactwa, które mi przeszkadzają. Ale to, że rozmawiasz ze zwierzętami… W mojej branży to nawet może się przydać. Zrobię z ciebie asystentkę.

Pojęcia nie miałam, czy mówi poważnie, czy żartuje.

Andrzej się uśmiechnął.

– Nie przeszkadza mi to. Nic mi w tobie nie przeszkadza.

Spojrzałam w jego oczy i zobaczyłam tam absolutną akceptację. Andrzej przyjmował mnie z dobrodziejstwem inwentarza. I wtedy zrozumiałam, co mnie spotkało. Jedna na milion, raz na tysiąc lat Prawdziwa Miłość.

– To całe twoje słyszenie zwierząt mam tam, gdzie twoje „przepraszam" – powiedział bezczelnie i mnie przytulił.

– Dlaczego nie chcesz moich „przepraszam"? – zapytałam, powoli mięknąc w jego uścisku.

– Chciałbym, żebyś sobie uświadomiła, że mnie kochasz. Wtedy przestaniesz mi robić rzeczy, za które potem trzeba przepraszać.

Już, już miałam go pocałować. To był taki idealny moment. Padły słowa, które paść powinny, wszystko sobie wyjaśniliśmy, pogodziliśmy się. Teraz długo się całujemy i nie tylko, a potem żyjemy długo i szczęśliwie. Tak jak żyliśmy, zanim mu powiedziałam o chorobie. I wtedy coś mi do tego durnego łba strzeliło.

– Nie powinnam ci była mówić o chorobie – wyraziłam na głos to, o czym myślałam.

Dobrze, że nie dodałam płynącej z tego konkluzji, że szczerość w związku jest przereklamowana.

Andrzej odsunął mnie delikatnie od siebie.

– Ty dalej nic nie rozumiesz, prawda?

Nie odpowiedziałam, bo nie wiedziałam, czy to pytanie retoryczne, czy podchwytliwe.

– Powinnaś mi była powiedzieć na samym początku i pozwolić zdecydować o tym, co czuję. Jeśli chcę umierać za strachu o ciebie, to mam prawo, jeśli chcę płakać pod drzwiami łazienki, kiedy ty wymiotujesz, i myśleć, że gdyby było można, oddałbym za ciebie życie, to moja sprawa. Jeśli kocham cię tak bardzo, że aż mnie dusza boli, to mam do tego prawo. Chcesz, Jaga, kontrolować swoje emocje – twoja sprawa, ale od moich się odwal.

A potem wstał i sobie poszedł. A ja powiedziałam „cholera" wiele razy, bo naprawdę miałam już tego dość.

W końcu wybiegłam przed dom. Darłam się przy tym jak opętana:

– Kocham cię!

– Zdajesz sobie sprawę, że nie ma szans, żeby cię usłyszał? – mruknął pies.

Owszem. Jego samochód był już taki malutki, że prawie niewidoczny.

– Myślisz, że to on komplikuje czy ja? – Siadłam na schodach, położyłam sobie psi łeb na kolanach i wytarmosiłam go za uszy.

– Czy jak powiem, że on, to dasz mi jeść i nie będę już musiał o tym rozmawiać?

Co ja bym dała, żeby naprawdę winę ponosił Andrzej…

Zwabiona moimi krzykami przylazła Śliwowa. Mona została w krzakach. Myślała, że jej nie widzę, czy co?

– Widziałam, że dopieruśko co jak weterynarz pojechał? – zagaiła po swojemu.

– Tak. – Chciałam coś skłamać, uznałam jednak, że nie warto.

– Coś ci się z panem Andrzejkiem nijak nie układa.

Śliwowa miała trzeci zmysł. Albo z nudów podsłuchiwała w krzakach.

– Jakoś tak wychodzi – przyznałam się.

Sąsiadka usiadła przy stole w sadzie.

– Herbaty by ty jakiej dała, gorąco dziś, pić się chce.

Poszłam do domu. Wróciłam z herbatą i butelką mineralnej. Śliwowa piła łapczywie. Aż trudno uwierzyć, że mieszkała dwadzieścia metrów ode mnie.

– Ja ci powiem, co to jest. To wszystko przez to, że wy już niemłode. Młode to raz-dwa, zwąchają się i jakoś tak dobrze żyją. A im człowiek starszy, tym wygodniejszy. Mnie samej, ot, ten cały doktor trafia się. Ten, co tu z twoim bratem zajeżdżał. Niby on kształcony i bogaty... Teraz na ten cały niby to likend mnie zaprosił. Na take konferencje o medycynie niekonwencjonalnej. On tak na te moje zielarstwo mówi. Pojechać, w hotelu poswawolić to ja mogę, ale jak on mnie na stałe do Warszawy prosi, to ja nie wiem. W serialu trochę tej Warszawy widziałam, to nawet może być, choć Sandomierz ładniejszy. Ale ciekawam wiedzieć, jakie ludzie tam są. Bo jak tam wszystkie takie jak ty, to żyć tam musi być ciężko. Da się tam z kart wyżyć?

Nie odpowiedziałam. Starałam się nie wyobrażać sobie Śliwowej w hotelu. Doktor był stary, ale i tak musiał być sporo od baby młodszy. Uważałam, że jest pokręcony, ale nie aż tak. „Co mu do głowy przyszło, że chce się z nią związać?" – pomyślałam zdumiona.

– Lubczyku mu zadałam, ale niechcący – wyznała, jakby domyśliła się mojego pytania. – Butelki mi się pomyliły.

Oczy już słabe. A może to i tak miało być – westchnęła sentencjonalnie.

Wyglądała jakoś inaczej. Chyba młodziej. I na pewno miała na sobie mniej odzieży.

– Dobrze pani wygląda. Młodziej – powiedziałam szczerze.

– To ty nie wiesz, że kobieta ze szczęścia młodnieje? – Roześmiała się tak, że mało jej proteza nie wyskoczyła. – Mona mi pomogła. Trochę przy dacie urodzin pokombinowała i lat mniej się zrobiło. I jeszcze ten, no… kwas hialuronowy dobrze mi zrobił.

Potem wstała.

– A ty mądrzejszej posłuchaj i z weterynarzem się pogódź. Łatwo powiedzieć, ale jak?

Są rzeczy w życiu, bez których żyć potrafimy. Na przykład miłość. Przez lata sobie bez niej całkiem dobrze radziłam. I pewnie dalej mogłabym to robić, tylko po co? Jaki sens ma to, że dostałam drugą szansę, skoro jej nie wykorzystam? Żyć bez Andrzeja to gorzej, niż nie żyć w ogóle.

Maurycy wygrzewał się na słońcu. Mysz chrobotała w kuchni. Azor spał w cieniu. Postanowiłam przerwać tę sielankę.

– Zbiórka, kochani! – zawołałam. Jedyną reakcją, jaką wywołały moje słowa, było drgnięcie kociej powieki. – Jak tam sobie chcecie. Wyprowadzam się.

Mysz przestała chrobotać.

– Jak to: wyprowadzasz się? – zainteresował się pies. – Kto nas będzie karmił?

– Możecie iść ze mną.

– Ale dokąd? – zapytali jednocześnie.

– Do mojego męża – odpowiedziałam. – Do domu.

Jak to się mówi? Gdzie serce twoje, tam dom twój? Zrobiło mi się tak ciepło w środku. Pomyślałam, że w tym roku po raz pierwszy od lat nie będę w święta oglądać telewizji. Siądziemy wszyscy wokół kominka. Nauczę mysz śpiewać kolędy i zrobię jej taką malutką mikołajową czapeczkę. Wiem, że Andrzej nie ma kominka, ale do świąt daleko, więc zdążymy z remontem. Bo przecież potrzebny będzie jeszcze pokoik dziecinny.

Może trzy kilometry to niedużo. Ale wcale nie jest łatwo iść, niosąc leniwego kota i mysz na rękach, zwłaszcza gdy się człowiek śpieszy. Zmachałam się. Zdążyłam w ostatniej chwili. Kiedy weszłam na podwórko, Andrzej właśnie wsiadał do samochodu.

– Co ci strzeliło do głowy?! – napadł na mnie. – W twoim stanie łazić po słońcu! Przecież bym przyjechał.

– Wiem. Dlatego musiałam być pierwsza.

Andrzej się roześmiał. Podszedł i mnie przytulił.

– Chodź do domu, kochanie – szepnął z rozbrajającą łagodnością.

– Wiesz, że cię kocham? – spytałam.

– Oczywiście. Wiedziałem o tym, zanim ty się domyśliłaś.

No i nie mógł mi tego od razu powiedzieć? Musiałam się z tym wszystkim męczyć? Po co moje serce włóczyło się po roztoczańskich bezdrożach?

Dobrze, że teraz jesteśmy już wszyscy w domu.

Polecamy inne książki z serii
Babie lato

Powroty bywają niełatwe, zwłaszcza powroty do małego miasteczka, z którego się kiedyś uciekło. Asia wie o tym aż za dobrze, dlatego zamierza przejąć spadek po ciotce najszybciej, jak się da. Okazuje się jednak, że oprócz mieszkania odziedziczyła wścibską sąsiadkę, przystojnego notariusza, a także bardzo nieśmiałego kota i garść rodzinnych tajemnic…

Ta wbrew pozorom całkiem niebanalna „historia miłosna" została nagrodzona w konkursie literackim Wydawnictwa „Nasza Księgarnia". Dzięki żywemu językowi, błyskotliwemu poczuciu humoru oraz wyrazistym bohaterom wciąga od pierwszej strony.

Szczęśliwy pech

I nagroda w drugiej edycji konkursu literackiego Wydawnictwa Nasza Księgarnia!

Pewnego dnia w życiu całkiem spokojnego mężczyzny pojawia się dziewczyna o dziwnym imieniu. Jest to osoba szalenie pomysłowa – i szczególnie dobrze jej wychodzi wywoływanie wszelkiego rodzaju kataklizmów. Dom grozi zawaleniem, w pobliżu krąży seryjny morderca, a tajemniczy mafioso pastwi się nad językiem polskim i zrywa podłogi… Czy w tak ekstremalnych warunkach zakwitnie miłość? Trudno powiedzieć, skoro obdarzona nie byle jakim temperamentem Regi woli rzucać kilofem i wyzwiskami, zamiast wzdychać przy świetle księżyca.

Szczęśliwy pech to książka o tym, że każda, nawet najbardziej niebezpieczna dla otoczenia jednostka ma szansę znaleźć szczęście i że szczęściem może być również kilka dziur w ścianach, względnie latająca rynna. Szczęścia starczy dla każdego i dla wszystkich, trzeba tylko… omijać z daleka Reginaldę Kozłowską.

Magdalena Witkiewicz

Ballada o ciotce
Matyldzie

Wszystko zaczęło się od tego, że ciotka Matylda postanowiła umrzeć. Joance trudno się pogodzić z tą stratą, do tego los postawił przed nią jednocześnie tyle wyzwań... Macierzyństwo, kłopoty małżeńskie i tajemnicza firma w spadku – tego doprawdy zbyt wiele. Na szczęście Joanka nie jest sama, ma Olusia i Przemcia, dwóch osiłków o gołębich sercach, i ukochaną ciotkę, która z nieba śledzi poczynania siostrzenicy.

Ciepła i pełna humoru książka o sile kobiet, które potrafią walczyć o swoje szczęście. Historia o przyjaźni, która przychodzi niespodziewanie, i miłości, której trzeba się uczyć na nowo. Powieść o tym, że jedni odchodzą, żeby zrobić miejsce innym, i że dobrych ludzi na świecie nie brakuje.

Ina ma obiecującą pracę, kochających rodziców, wspaniałych przyjaciół… i nieślubne dziecko. A wbrew temu, co pokazuje telewizja śniadaniowa, nie wszystkie kobiety są idealnymi matkami. Porzucona przez przystojnego prezentera telewizyjnego dziewczyna musi okiełznać nie tylko wrzeszczące niemowlę, lecz także nadgorliwą matkę i pełnych dobrych chęci znajomych, którzy usiłują ją wyswatać (podsuwając a to sadownika z aspiracjami, a to tancerza z kompleksami). Ina broni się rękami i nogami przed nową miłością. Ale czy rzeczywiście już nigdy nie będzie myśleć o niebieskich migdałach?

Katarzyna Zyskowska-Ignaciak

uk

Ucieczka
znad rozlewiska

Wszyscy marzą o przeprowadzce na prowincję. Tak, ja też utwierdzałam się w tym przekonaniu. Czytałam o kobietach budujących drewniane domki w urokliwych zakątkach i dziedziczących dworki wśród sosen. Co z tego, że dworek okazywał się ruiną, a romantycznym bohaterkom deszczówka lała się na głowę?

Frania ma dość sennego, ślicznego i nudnego Kazimierza, zrzędliwej matki nauczycielki oraz przewidywalnego do bólu narzeczonego. Gdy się dowiaduje, że jej starsza siostra nie jest wcale taka idealna, na jaką wygląda, ucieka sprzed ołtarza i łapie okazję do Warszawy. Tylko czy warszawskie kolorowe dni Frani naprawdę przyniosą jej szczęście?

Życie trzydziestoletniej Kasi, niespełnionej aktorki Białostockiego Teatru Lalek, odmienia się nagle podczas pewnej podróży pociągiem. Zostaje dostrzeżona przez członka ekipy pracującej przy popularnym serialu *Życie codzienne*. Takiej szansy nie może zmarnować. Wkrótce zastąpi odtwórczynię głównej roli. Jak się okaże, nie tylko na planie filmowym…

Czy uczuciowa i szczera dziewczyna z Podlasia odnajdzie się w pełnym fałszu świecie mediów, celebrytów i czerwonych dywanów? Czy będzie umiała rozpoznać prawdziwą miłość?

Wielbicielom sagi *Cukiernia Pod Amorem* przypominamy pierwszą powieść Małgorzaty Gutowskiej-Adamczyk dla dorosłych czytelników. *Serenada* to pełna wdzięku i błyskotliwa zabawa konwencją komedii romantycznej, w której humor i uczucia są zmieszane w idealnych proporcjach.

Wydawnictwo NASZA KSIĘGARNIA Sp. z o.o.
02-868 Warszawa, ul. Sarabandy 24 c
tel. 22 643 93 89, 22 331 91 49,
faks 22 643 70 28
e-mail: wnk@wnk.com.pl

Dział Handlowy
tel. 22 331 91 55, tel./faks 22 643 64 42
Sprzedaż wysyłkowa: tel. 22 641 56 32
e-mail: sklep.wysylkowy@wnk.com.pl

www.wnk.com.pl

Książkę wydrukowano na papierze
Creamy Hi Bulk 60 g/m² wol. 2,4.

zing

Redaktor prowadzący *Joanna Wajs*
Opieka redakcyjna *Magdalena Korobkiewicz*
Redakcja *Katarzyna Nowak*
Korekta *Karolina Pawlik,*
Joanna Morawska, Katarzyna Sobiepanek-Szczęsna
Opracowanie DTP, redakcja techniczna *Agnieszka Czubaszek*

ISBN 978-83-10-12420-3

PRINTED IN POLAND

Wydawnictwo „Nasza Księgarnia", Warszawa 2013 r.
Druk: Opolgraf SA